# Les sœurs Deblois

– Tome 4 –

## *Le demi-frère*

DU MÊME AUTEUR CHEZ LE MÊME ÉDITEUR:

*Les héritiers du fleuve,* tome 1: *1887–1893,* 2013
*Les héritiers du fleuve,* tome 2: *1898–1914,* 2013
*Les héritiers du fleuve,* tome 3: *1918–1929,* 2014
*Les héritiers du fleuve,* tome 4: *1931–1939,* 2014
*Les années du silence 1 : La tourmente et La délivrance,* 1995, réédition 2014
*Les années du silence 2 : La sérénité et La destinée,* 1998, 2000, réédition 2014
*Les années du silence 3 : Les bourrasques et L'oasis,* 2001, 2002, réédition 2014
*Mémoires d'un quartier,* tome 1: *Laura,* 2008
*Mémoires d'un quartier,* tome 2: *Antoine,* 2008
*Mémoires d'un quartier,* tome 3: *Évangéline,* 2009
*Mémoires d'un quartier,* tome 4: *Bernadette,* 2009
*Mémoires d'un quartier,* tome 5: *Adrien,* 2010
*Mémoires d'un quartier,* tome 6: *Francine,* 2010
*Mémoires d'un quartier,* tome 7: *Marcel,* 2010
*Mémoires d'un quartier,* tome 8: *Laura, la suite,* 2011
*Mémoires d'un quartier,* tome 9: *Antoine, la suite,* 2011
*Mémoires d'un quartier,* tome 10: *Évangéline, la suite,* 2011
*Mémoires d'un quartier,* tome 11: *Bernadette, la suite,* 2012
*Mémoires d'un quartier,* tome 12: *Adrien, la suite,* 2012
*La dernière saison,* tome 1: *Jeanne,* 2006
*La dernière saison,* tome 2: *Thomas,* 2007
*La dernière saison,* tome 3: *Les enfants de Jeanne,* 2012
*Les sœurs Deblois,* tome 1: *Charlotte,* 2003, réédition 2015
*Les sœurs Deblois,* tome 2: *Émilie,* 2004, réédition 2015
*Les sœurs Deblois,* tome 3: *Anne,* 2005, réédition 2015
*Les sœurs Deblois,* tome 4: *Le demi-frère,* 2005, réédition 2015
*Les demoiselles du quartier,* nouvelles, 2003, réédition 2015
*De l'autre côté du mur,* récit-témoignage, 2001
*Au-delà des mots,* roman autobiographique, 1999
*Boomerang,* roman en collaboration avec Loui Sansfaçon, 1998, réédition 2015
« *Queen Size* », 1997
*L'infiltrateur,* roman basé sur des faits vécus, 1996, réédition 2015
*La fille de Joseph,* roman, 1994, 2006, 2014 (réédition du *Tournesol,* 1984)
*Entre l'eau douce et la mer,* 1994

Visitez le site web de l'auteur:
www.louisetremblaydessiambre.com

LOUISE TREMBLAY-D'ESSIAMBRE

# Les sœurs Deblois

– Tome 4 –

## *Le demi-frère*

Guy Saint-Jean Éditeur
3440, boul. Industriel
Laval (Québec) Canada H7L 4R9
450 663-1777
info@saint-jeanediteur.com
www.saint-jeanediteur.com

• • • • • • • • • • • •

**Données de catalogage avant publication disponibles à Bibliothèque et Archives nationales du Québec et à Bibliothèque et Archives Canada**

• • • • • • • • • • • •

Nous reconnaissons l'aide financière du gouvernement du Canada par l'entremise du Fonds du livre du Canada (FLC) ainsi que celle de la SODEC pour nos activités d'édition. Nous remercions le Conseil des Arts du Canada de l'aide accordée à notre programme de publication.

SODEC Québec

Conseil des Arts du Canada
Canada Council for the Arts

Gouvernement du Québec — Programme de crédit d'impôt pour l'édition de livres — Gestion SODEC

Nouvelle édition de *Les sœurs Deblois, tome 4: Le demi-frère,* publié en 2007.


Conception graphique: Christiane Séguin
Illustration: toile peinte par Louise Tremblay d'Essiambre: «Jason».

Dépôt légal — Bibliothèque et Archives nationales du Québec, Bibliothèque et Archives Canada, 2015
ISBN: 978-2-89455-444-9
ePub: 978-2-89455-554-5
PDF: 978-2-89455-555-2



Imprimé et relié au Canada
1re impression, juillet 2015

ASSOCIATION NATIONALE DES ÉDITEURS DE LIVRES
Guy Saint-Jean Éditeur est membre de l'Association nationale des éditeurs de livres (ANEL).

*À Alain, avec tout mon amour*
*et une reconnaissance*
*qu'il serait difficile de mettre en mots...*

# Note de l'auteur

Ce matin, il fait très froid. La neige court sur la rivière gelée, poussée par un vent cinglant qui nous vient du nord. Le feu crépite dans la cheminée du salon et l'idée de me blottir sous une chaude couverture en compagnie d'un bon livre est très attirante. Malheureusement, je ne pourrai pas le faire car, ce matin, j'ai de la visite. Les sœurs Deblois sont ici, toutes les trois, dans mon bureau, et je crois qu'elles attendent que je me tourne vers elles.

Quand je les ai quittées, il y a de cela quelques semaines à peine, l'atmosphère était à l'orage. Or je déteste les tensions, les discordes. Alors j'hésite à leur faire face. Mais qui d'autre que moi pourrait les aider à y voir clair ? Si je ne leur prête pas mes mots, jamais elles ne pourront poursuivre leur destinée.

Comme souvent, j'aimerais que le livre soit déjà écrit pour n'avoir que le plaisir de le lire. Mais c'est impossible. Si je veux savoir ce qui va arriver à la famille Deblois, il ne me reste qu'une seule chose à faire. Je dois m'y mettre sans penser à autre chose…

Voilà, j'y suis arrivée, je me suis retournée et je les examine tour à tour.

Charlotte, Émilie, Anne…

Charlotte me dévisage en soupirant. Il y a de l'impatience dans son regard et une bonne dose d'intolérance. Je peux peut-être saisir ce qui motive une telle colère. La vie n'a pas toujours été très clémente à son égard. Pourtant, j'aurais envie de lui retourner la balle. Moi aussi, à son égard, je ressens de l'impatience. J'ai hâte qu'elle fasse quelque chose de sa vie amoureuse, car je ne suis pas de celles capables d'une longue attente.

Émilie, par contre, a les yeux baissés. On pourrait croire qu'elle est contrite, mais je sens qu'il n'en est rien. Elle dégage une tension palpable, dense à couper au couteau. Un rien la ferait exploser, j'en suis certaine. J'ai toutefois l'intuition qu'elle n'éclaterait pas pour les bonnes raisons. Va-t-elle enfin se décider à regarder les choses et les gens bien en face ? Il serait temps qu'elle enlève ses œillères et choisisse de redresser les épaules.

Quant à Anne, elle se tient à quelques pas en retrait et fixe ses deux sœurs, les bras croisés sur sa poitrine. Il y a en elle une détermination qui frôle l'opiniâtreté. Je n'ai aucune idée de ce qu'elle pense, de ce qu'elle entend faire, mais tout en elle indique qu'elle ira jusqu'au bout.

Curieusement, c'est vers Anne que j'ai le plus envie de me tourner. Le fait qu'elle soit encore une femme en devenir indique peut-être qu'elle a plus besoin d'aide que ses sœurs. Peut-être… Avec Anne, on ne sait jamais. Mais chose certaine, c'est celle des trois sœurs que je connais le moins. Il y a tant de mystère en elle, d'indécision, de secret. Elle m'attire irrésistiblement et, par moments, j'aurais envie de rester uniquement avec elle.

Malgré tout, j'ai le sentiment que toutes trois voudraient dire ce qu'elles ont sur le cœur maintenant, en même temps, pour être bien certaines que je vais leur laisser la parole.

Tout dans leur attitude laisse croire que chacune voudrait que ce dernier tome lui appartienne. Comme si chacune voulait que ses explications soient les bonnes et dirigent le reste de l'histoire !

Mais ce n'est pas comme cela que la vie, la vraie vie, se passe. Malgré les bonnes intentions et la meilleure volonté du monde, malgré les tentatives et les compromis, certains événements, certaines paroles nous échappent. Et c'est là, quand l'erreur est inévitable, quand les émotions nous ont portés au-delà des limites qui sont habituellement les nôtres, quand les routes arrivent à un tournant ou un croisement différent de ce que l'on avait prévu au départ, c'est à ce moment que les bonnes intentions se transforment en erreurs, en maladresses et que la bonne volonté se cache derrière la rancune, la colère, la haine.

Malheureusement, la vie est aussi faite de ces émotions mesquines et malsaines.

Pourtant, Charlotte, Émilie et Anne savent fort bien que je déteste les guerres et les disputes. Elles savent aussi que j'aime les histoires qui se terminent bien. N'en déduisez pas que je parle ici d'une fin à l'américaine, le *happy ending* où le bon l'emporte invariablement sur le méchant. Non, je n'y crois pas, car je suis intimement persuadée qu'il n'y a ni bon ni méchant. Dans la vie, il n'y a que des gens différents, particuliers, uniques, vêtus de mille et une nuances. Un peu comme Blanche que d'aucuns m'ont dit avoir détestée ou comme Raymond qui s'empêtre dans ses bonnes intentions, ce que plusieurs lui reprochent.

Moi, je ne les méprise pas. Je ne les comprends pas toujours mais je ne les déteste pas.

Voilà que je soupire à mon tour.

Je perçois tellement de tensions entre les membres de cette famille que je me demande s'ils vont finir par se comprendre, par accepter ces différences qui pourraient peut-être les unir. Ne dit-on pas que les contraires s'attirent?

Si au moins je pouvais les secouer un peu avant de poursuivre l'écriture de cette histoire! Tous, du premier au dernier personnage, ils sont là près de moi dans une position d'attente. Je peux les voir, mais je ne peux pas les toucher. Dommage. Je vais donc leur offrir ma plume pour s'exprimer. C'est le lien le plus vrai, le plus tangible que je peux tracer entre eux et moi. Pourtant, Dieu sait combien j'aimerais pouvoir les haranguer parfois au même titre que j'aimerais être capable de les prendre dans mes bras. En effet, il me faut le reconnaître, je les aime tous à travers leurs différences et leurs particularités.

Malheureusement, le contact se fait à sens unique. Si eux peuvent me parler, moi, en revanche, je ne peux que les écouter.

Je reviens aux trois sœurs. Elles ont été le prétexte à l'écriture de ces romans, il est normal qu'elles en soient la conclusion. Pourtant, elles ne seront pas seules. Avec le temps, un autre personnage s'est glissé dans le trio des sœurs Deblois. Un personnage dont je n'avais aucunement prévu l'arrivée quand j'ai commencé à écrire cette histoire.

Jason... Le fils de Raymond, le demi-frère...

Bien qu'il se tienne encore en retrait, je sens qu'il sera très présent le jour où il apprendra le secret qui entoure sa naissance. Et c'est à cause de lui qu'il y aura finalement quatre tomes à cette histoire que je voyais comme une trilogie au départ.

Charlotte, Émilie, Anne et maintenant Jason...

Les trois sœurs se sont approchées de moi et présentement, elles se tiennent derrière ma chaise et regardent par-dessus mon épaule. Je ferme les yeux, je me laisse envoûter par leur présence, je mets mon cœur au diapason des leurs et je prends ma plume.

Voilà, c'est fait! Le temps d'une longue inspiration et je suis prête.

Tout comme vous, je vais donc continuer mon chemin à leurs côtés en espérant de tout mon cœur que chacune d'entre elles saura fabriquer un bonheur à sa mesure et à sa ressemblance. Un bonheur qu'elles partageront avec ceux qui les entourent, avec ceux qu'elles aiment. Un bonheur qui se vivra à travers les joies que la vie leur réserve et malgré les difficultés dont chaque destinée est parsemée.

## Première partie

# *Automne 1952 - Printemps 1953*

*« Pour frayer un sentier nouveau,*
*il faut être capable de s'égarer. »*

Jean Rostand

# Chapitre 1

## *Le cœur a ses raisons…*

Antoinette resta un long moment debout, à côté du téléphone, sans se décider à raccrocher. Illusion d'un lien réel avec Montréal, elle regarda longuement l'appareil, pressa le combiné contre son cœur en prenant une profonde inspiration avant de le déposer doucement.

Novembre tirait à sa fin et Raymond n'était toujours pas de retour. Après ce qu'il venait de lui dire, Antoinette savait maintenant qu'un éventuel départ de Montréal n'était même pas envisagé. Ni pour l'instant ni dans un avenir prévisible. Raymond s'en remettait à son avocat pour trouver une solution afin qu'il puisse entreprendre le voyage avec Anne. En attendant, il resterait à Montréal pour être auprès d'elle.

— Tu me comprends, n'est-ce pas?

Bien entendu, Antoinette comprenait. En fait, elle avait passé une longue partie de sa vie à essayer de le comprendre, cet homme complexe au cœur immense de générosité et de respect. Au cœur aussi grand que le nombre de ses indécisions et hésitations. Malgré cela, Antoinette l'aimait plus que jamais. Au bout du fil, elle avait senti sa fragilité, sa tristesse mais aussi sa détermination. Elle aurait tant voulu être auprès de lui alors que des centaines de milles les séparaient l'un de l'autre. Par contre, elle savait que Raymond avait la chance d'avoir à ses côtés André, cet ami, avocat de profession, à qui il vouait une confiance absolue, et madame

Deblois qui, malgré son grand âge, restait une femme lucide et avisée. À défaut d'être elle-même présente, Antoinette avait réussi à se convaincre que Raymond ne devait pas trop souffrir de la solitude. Il pouvait compter sur l'amitié d'André, l'affection de sa mère et la présence de Charlotte.

Il y avait Anne, aussi.

Face à leurs enfants, Raymond et Antoinette se ressemblaient. Il suffisait que l'une des sœurs ait besoin de son père pour qu'aux yeux de celui-ci tout le reste recule dans l'ombre. Pour le moment, Anne devait être au centre des préoccupations de Raymond, au centre de sa vie.

Antoinette se dirigea vers le salon.

Ce soir, elle avait fermé les tentures pour essayer de créer un isolant de plus contre la nature hostile qui se déchaînait à l'extérieur. Depuis quelques jours, il tombait une pluie froide poussée par un vent qui venait de l'est et s'engouffrait librement dans la baie. La mer était houleuse et sombre. Même si les fenêtres étaient bien calfeutrées en prévision de l'hiver, Antoinette entendait le rugissement des vagues qui se fracassaient contre les récifs.

La flambée qu'elle avait allumée en revenant du travail se mourait lentement en une petite montagne de tisons rougeoyants. Antoinette s'en approcha, les bras croisés sur la poitrine. Elle s'amusa un moment à regarder les braises qui dessinaient une multitude de figures mouvantes se chevauchant les unes les autres, puis elle se pencha pour attraper une bûche qu'elle déposa dans l'âtre. Aussitôt une longue flamme s'éleva et lécha le bois qui se mit à crépiter. Antoinette tendit impulsivement les mains devant elle pour les chauffer au-dessus du feu qui renaissait. Le froid qu'elle ressentait n'avait pas uniquement à voir avec la température ambiante. Elle se sentait frigorifiée jusqu'à l'âme. Elle resta ainsi un long moment, à demi penchée, les mains tendues et les yeux mi-clos.

En se retournant pour regagner le canapé, le regard d'Antoinette se heurta au piano.

Le piano d'Anne.

Une fine poussière blanche s'était déposée sur le noir du vernis.

Depuis qu'Anne était repartie, personne n'avait fait chanter les notes de l'instrument. Tout comme Antoinette, le piano était en attente d'un retour…

« Ou peut-être en attente d'un départ », pensa-t-elle sans le quitter des yeux. Puis elle fronça les sourcils. Comment se faisait-il que Blanche n'avait pas encore réclamé le piano de sa fille ? Si elle avait bien saisi ce que Raymond lui avait dit, Blanche était persuadée qu'Anne était avec elle pour y rester. Comment pouvait-elle imaginer garder sa fille sans prendre le piano qui allait avec elle ? Comment Anne arriverait-elle à vivre sans sa musique ?

Antoinette se laissa tomber sur le canapé, attrapa le tartan de laine qu'elle avait retiré de la naphtaline depuis quelques jours et l'enroula frileusement autour de ses épaules. Elle ramena son regard sur le piano.

Elle revoyait Anne très sérieuse, concentrée, les sourcils froncés quand elle répétait les pièces demandées par le professeur. Ou encore insensible au monde extérieur, la tête rejetée vers l'arrière, ses longs doigts courant sur le clavier quand elle improvisait des airs imprégnés de modernisme comme on en entendait de plus en plus souvent à la radio.

Anne et la musique ne faisaient qu'un. Pour la jeune fille, c'était plus qu'une passion, c'était un mode de vie. C'était sa vie.

Anne avait-elle eu la chance de recommencer à suivre des cours à Montréal ? S'était-elle trouvé un autre piano ?

Antoinette en doutait. Si Raymond n'en avait pas parlé, c'était que rien n'était arrivé. Et elle-même, trop déçue par l'annonce d'un délai indéfini avant le retour de Raymond, elle n'avait pas pensé à le demander.

Elle pouvait facilement imaginer la jeune fille, recroquevillée sur elle-même, farouche comme au premier jour où elle l'avait connue. Et dire que tout allait si bien depuis quelque temps. C'était trop beau pour durer.

Antoinette avait fermé les yeux tout en pensant à Anne. Et petit à petit, les notes qui avaient si souvent résonné dans sa maison se substituèrent aux images. Elle les entendait aussi clairement que l'été dernier quand elle se trouvait sur la grève et que, toutes fenêtres grandes ouvertes, la maison vibrait de musique. C'était une valse toute légère comme seule Anne savait les rendre joyeuses. Puis brusquement, elle vit Anne et Jason qui couraient sur la plage au rythme de la musique. La lune montait doucement sur l'horizon et la mer brillait de mille diamants qui semblaient porter les pas des deux jeunes. Anne et Jason dansaient sur les reflets de lune qui montaient dans l'air de la nuit comme autant de notes. Puis son fils leva un bras pour lui faire signe et il se mit à crier :

— Viens, maman. Viens danser avec nous !

La lune était de plus en plus ronde, de plus en plus lumineuse et les silhouettes de Jason et d'Anne dansaient de plus en plus vite. La voix qui appelait avait remplacé la musique et elle arrivait jusqu'à elle, claire et limpide, portée par un grand vent venu de nulle part. La voix d'Anne se joignit ensuite à celle de Jason. Maintenant, ils étaient deux à l'appeler maman pour lui demander de se joindre à eux. Mais elle avait beau essayer de les rejoindre, ses jambes étaient lourdes, tellement lourdes qu'elle avait de la difficulté à les soulever, à les bouger.

Antoinette ouvrit précipitamment les yeux. Elle s'était assoupie. De la flambée il ne restait plus qu'un faible rougeoiement qui découpait à peine le contour des meubles et la pièce était fraîche. Malgré cela, Antoinette était en sueur et ses cheveux, sur la nuque, étaient détrempés. La pluie fouettait furieusement les carreaux, la mer mugissait au loin et Antoinette avait le cœur qui battait la chamade. De son rêve, il ne lui restait qu'une sensation indéfinissable d'inconfort et la voix d'Anne qui retentissait comme un appel à l'aide.

— Maman !

Dans son rêve, Anne l'appelait maman...

Antoinette regagna sa chambre à pas lents après s'être arrêtée auprès de Jason. Tout comme lorsqu'il était petit, Antoinette l'avait regardé dormir, le cœur gonflé d'amour puis, délicatement, elle avait remonté la couverture sur ses épaules et avait effleuré sa joue d'un baiser avant de refermer la porte silencieusement pour ne pas l'éveiller.

Maintenant, incapable de dormir, elle essayait de donner un sens aux bribes du rêve qui lui revenait lentement.

À l'aube, quand elle réussit enfin à s'endormir, Antoinette savait ce qu'elle devait faire. Mais avant, elle voulait parler à Jason. La décision qu'elle prendrait découlerait de ce que son fils allait dire.

Antoinette choisit de modifier son horaire dès que Jason fut parti pour l'école. Aujourd'hui, elle s'octroierait une journée de congé. Elle ne l'avait fait qu'une seule fois, au décès d'Humphrey, alors que l'imprimerie avait fermé ses portes pour trois jours. Trois longues journées où Antoinette avait vécu son deuil, prenant conscience de l'immensité du vide qu'Humphrey laissait derrière lui et puisant dans la présence de Jason le courage de continuer sa route. Malgré certains moments d'ennui et la sensation d'être parfois très loin de chez elle, Antoinette n'avait jamais regretté les choix qu'elle avait faits au cours de ces quelques journées. Par amour et en toute connaissance de cause, elle avait agi pour son fils.

Et voilà qu'en ce mardi, elle s'apprêtait à tout remettre en question : l'imprimerie, le cottage au bord de la mer, la petite maison d'édition… Elle était prête à tout abandonner parce que dans son salon, il y avait un piano poussiéreux qui lui suggérait qu'à des centaines de milles plus au nord, une gamine de quinze ans était malheureuse. Une gamine qui avait vécu près d'elle suffisamment longtemps pour qu'elle veuille la retrouver, pour qu'elle veuille l'aider. Une gamine qui l'avait appelée maman dans son rêve. Une gamine qui était la sœur de son fils…

Jusqu'à maintenant, Antoinette s'était fiée à Raymond quand il était question d'Anne. C'était lui le père, il devait savoir ce qu'il fallait faire. De toute évidence, il s'était trompé. Il avait voulu ménager la chèvre et le chou et aujourd'hui, c'était Anne qui payait le prix de sa trop grande retenue. Alors Antoinette interviendrait de la façon qu'elle avait toujours préconisée : dire la vérité. Et cette vérité, c'était à Jason qu'elle allait la dire en premier. Ce ne serait pas facile et elle ne savait pas du tout comment Jason réagirait. Cependant, elle était persuadée que la solution devait passer par là. Quand son fils aurait appris le secret entourant sa naissance, peut-être accepterait-il de tout quitter pour se rapprocher de ceux qui étaient sa famille? Peut-être... Une fois arrivée à Montréal, Antoinette se disait qu'elle finirait bien par trouver quelque chose susceptible d'aider Anne.

Elle passa l'avant-midi à tourner en rond, comprenant que si elle agissait en toute honnêteté en voulant retrouver Raymond et Anne, elle laisserait tout de même une grande partie d'elle-même au Connecticut. Cela faisait près de seize ans qu'elle vivait ici.

Chaque fois qu'elle passait devant le téléphone, Antoinette s'arrêtait. Et si elle appelait Raymond? Après tout, tout cela le concernait. À deux reprises, elle décrocha le combiné et signala le zéro pour appeler l'opératrice. À deux reprises, elle raccrocha précipitamment. Elle savait pertinemment ce que Raymond pensait sur le sujet et elle avait trop peur qu'il réussisse à la convaincre de ne rien dire pour l'instant. Pour une fois, Antoinette avait envie de se fier à son instinct et non à la trop grande prudence de Raymond.

Après quelques heures, exaspérée de tourner en rond, Antoinette appela le chien, attrapa son manteau et sortit sur la galerie.

— Tant pis pour le mauvais temps, j'ai besoin d'air!

La pluie avait cessé. Seul le vent continuait à s'acharner contre les longs foins de la dune qu'il s'amusait à rabattre et à redresser au gré de ses caprices. Antoinette remonta frileusement le col de son manteau, indécise. Pendant ce temps, le chien battait frénétiquement l'air avec sa longue queue. Le temps de renifler les embruns, museau en l'air et yeux mi-clos, et Browny dévalait l'escalier pour foncer droit devant lui sur la plage. Antoinette le suivit sans se poser de question.

Les mains à l'abri au fond de ses poches, elle s'enfonça dans le crachin qui gommait une partie du paysage.

Le chien gambadait comme un fou vers un attroupement d'irréductibles goélands qui bravaient la tempête, la tête enfouie dans leurs plumes, juchés sur une patte. Browny y sema la pagaille quand il arriva sur eux en dérapant, faisant lever une pluie de mottes de sable mouillé. Les oiseaux s'envolèrent en criant leur désaccord, planèrent un instant audessus du chien puis se posèrent quelques pieds plus loin avant de reprendre la pose, en équilibre sur une patte, la tête engoncée dans les plumes de leurs ailes. Mais alors qu'Antoinette s'apprêtait à siffler son chien pour qu'il revienne près d'elle et laisse les oiseaux tranquilles, il se produisit un curieux manège. D'instinct, l'animal s'était mis en position de chasse, échine droite, queue tendue et oreilles dressées. Antoinette arrêta son geste. Jamais personne n'avait montré à Browny comment chasser, mais c'était exactement ce qu'il était en train de faire. Il contourna les oiseaux, se mit face au vent et commença à marcher vers eux très lentement, soulevant une patte après l'autre, la déposant délicatement sur le sable humide, toujours très droit, le museau flairant devant lui. Il n'était plus qu'à quelques pieds des goélands et ceux-ci ne l'avaient pas entendu venir. S'il avait été affamé, Browny aurait pu se nourrir facilement. Le ventre plein, il se contenta de sauter au milieu des goélands et s'amusa à japper après eux quand ils le survolèrent en criant de colère. Loin derrière la scène, Antoinette avait cessé de marcher, subjuguée par l'attitude de son chien. D'où lui venait ce comportement de chasseur? Était-ce inscrit dans ses gènes? Était-ce la vue des oiseaux qui avait fait remonter à la surface cet héritage? Une pulsion tellement naturelle qu'elle aurait pu assurer la survie de l'espèce en cas de besoin…

Mais pourquoi ce matin et jamais auparavant ?

Antoinette avait le pressentiment que c'était la vie qui était en train de lui livrer un message. Que ce qu'elle ressentait tout au fond d'elle-même à l'égard d'Anne était aussi vital que l'instinct. Brusquement, Antoinette avait envie de se laisser guider par ce grand mouvement du cœur qui la portait au-delà d'elle-même. Et si elle avait raison ?

Lassé de courir après les oiseaux, Browny revenait vers elle en gambadant. Il tenait un bâton dans sa gueule. Il était redevenu le bon gros toutou qui avait appris de l'homme que le jeu pouvait être l'essentiel de son existence. Toutefois, l'espace de quelques instants, il avait écouté l'appel de la race en lui. Tout comme Antoinette sentait en elle l'urgence d'agir pour aider Anne. Même si Anne n'était pas sa fille, l'instinct maternel la poussait à vouloir intervenir, la poussait vers un avenir inconnu qui lui faisait un peu peur. Pourtant, cet appel s'inscrivait dans la continuité de ce qu'elle avait tenté de bâtir avec Raymond pour leurs enfants, Antoinette en était persuadée.

Avait-elle raison de s'y fier ?

Antoinette refusa de se faire encore une fois l'avocat du diable. C'était ce qu'elle débattait mentalement depuis le départ de Jason.

— Assez, c'est assez, murmura-t-elle en se tournant vers son chien.

Prenant une profonde inspiration, elle fit les quelques pas la séparant de Browny qui l'attendait assis sagement, sa queue dessinant un demi-cercle sur le sable mouillé, le regard fixé sur elle.

Antoinette se surprit à sourire devant l'attitude de l'animal et, oubliant ses préoccupations pour un instant, elle se pencha pour ramasser le bout de bois qu'il avait laissé tomber au bout de ses pattes et elle le lança au loin.

Durant près d'une demi-heure, elle s'amusa sur la plage, oubliant la froidure et le brouillard qui se faisait de plus en plus dense. Oubliant ce qui l'avait amenée aujourd'hui à délaisser son travail. De la mer, elle n'entendait plus que la clameur et les foins avaient disparu, effacés par la brume qui lentement se transformait en bruine. Ce ne fut qu'au moment où la pluie recommença à tomber pour de bon qu'elle se décida à rebrousser chemin. On ne voyait plus qu'à quelques pas devant soi. Même si l'après-midi était encore jeune, Antoinette avait l'impression que la noirceur n'était pas très loin. Elle accéléra le pas. Mais, quand sa maison surgit de la grisaille tel un bateau échoué sur la plage, elle s'arrêta pile et leva la tête. Depuis le décès d'Humphrey, elle considérait cette maison comme étant celle de Jason, même si Humphrey la lui avait léguée. Antoinette s'était juré que tout ce qu'elle avait hérité de son mari irait à Jason. Alors pourquoi aujourd'hui était-elle prête à en disposer comme si son fils n'avait plus aucun droit ? Était-elle vraiment honnête quand elle se répétait qu'elle agissait uniquement pour Anne ? N'était-ce pas une façon détournée de se rapprocher de Raymond ?

Brusquement la présence d'Humphrey lui manqua de façon viscérale. Elle aurait tant voulu se confier à lui, écouter sa voix chaude et grave, analyser avec lui ce qu'elle ressentait vraiment. Même l'odeur de ses cigares qu'elle avait tant détestée lui manqua, créant un vide autour d'elle, en elle. Négligeant la pluie qui tombait dru, Antoinette repoussa le capuchon de son manteau, redressa les épaules et contempla le beau cottage au bois délavé par l'air salin au fil des ans. Maintenant qu'elle en était proche, Antoinette pouvait en apprécier tous les détails. C'était la maison d'Humphrey, celle qu'il avait amoureusement restaurée bien avant qu'Antoinette n'entre dans sa vie. Et voilà qu'elle était prête à s'en départir. À cette idée, Antoinette frissonna, comprenant tout à coup que ce qu'elle projetait de faire était beaucoup plus grave que la simple vente d'une maison. Elle allait dépouiller Humphrey de ce qui avait été le but de ses dernières années. Elle allait lui enlever son titre de père pour le donner à Raymond.

À cet instant, Antoinette connut la seule véritable hésitation de la journée. Un immense regret, comme une envie de demander pardon à celui qui lui avait permis de garder toute sa dignité malgré une maternité illégitime. Et ce regret l'accompagna jusqu'au moment où elle entra dans la maison. Pourtant, elle savait qu'elle irait jusqu'au bout malgré cette sensation de désaveu. Qu'Anne ne soit qu'un prétexte ou non, cela n'avait plus d'importance. Antoinette ne voulait plus vivre à moitié. Le temps de partir un bon feu et Antoinette s'était ressaisie. Elle n'enlevait rien à Humphrey. La grandeur d'âme de cet homme exceptionnel, ses valeurs et son exemple resteraient toujours gravés dans le cœur de Jason. Tout ce qu'elle allait faire, c'était enfin donner à sa vie et à celle de son fils le sens qu'elle avait toujours espéré lui donner.

Elle n'enlevait rien au passé mais essayait tout simplement de donner une chance à l'avenir.

Au moment où elle entendit la porte se refermer sur Jason qui rentrait de l'école, Antoinette admit intérieurement qu'au-delà de tout ce qu'elle pouvait croire ou penser, ce serait la réaction de son fils qui ferait foi de tout.

« Ce soir, pensa Antoinette en se levant pour aller accueillir son fils, je vais lui parler ce soir, après le souper, quand tout sera calme. »

Antoinette avait attendu que l'heure du souper soit passée, puis l'heure de la vaisselle. Après, elle avait attendu encore un peu pour que Jason ait fini la majeure partie de ses devoirs. Elle se doutait bien qu'il n'aurait probablement plus la tête aux études après qu'elle lui aurait parlé. Elle en avait donc profité pour faire un gâteau. « Ainsi je vais gagner du temps pour demain » se justifia-t-elle en sortant les ingrédients. Puis elle avait attendu que le gâteau soit cuit, faisant la navette entre la cuisine et le salon. Elle maugréait intérieurement en se traitant de lâche mais elle n'y pouvait rien. Elle avait les mains moites et le cœur qui lui battait jusque dans la gorge.

Quand il n'y eut plus rien à faire, avant que Jason n'éteigne pour la nuit, Antoinette ferma les yeux quelques instants en respirant profondément à deux ou trois reprises et elle se présenta à la porte de la chambre de son fils.

Jason était toujours à sa table de travail. La lampe de banquier faisait un halo de lumière sur le buvard où s'éparpillaient une bonne dizaine de feuilles couvertes de formules et de calculs. C'était la lampe qu'Humphrey avait utilisée quand il était encore avec eux. Antoinette sentit que les larmes n'étaient pas loin.

— Je peux te parler, Jason ?

Le jeune homme tourna la tête vers elle, une étincelle moqueuse au fond des prunelles.

— Je m'y attendais. Pour que tu ne sois pas allée travailler, c'est qu'il y a sûrement quelque chose qui te tracasse. Installe-toi!

De la main, Jason désignait son lit.

— Euh... Oui...

Antoinette ne savait trop par où commencer. Parler de sa jeunesse? Parler d'amour? La vue d'une des dernières lettres qu'Anne avait envoyées à Jason et qui était soigneusement pliée sur un coin de la table de travail fut l'élément déclencheur. Elle redressa franchement les épaules.

— J'aimerais te parler d'une chose qui va probablement te faire plaisir. Car dans un certain sens, il s'agit d'Anne. Même si ce n'est pas vraiment d'elle que je veux parler. Voilà...

Tout le long de la journée et de la soirée, Antoinette avait tenté d'imaginer à quoi ressemblerait la réaction de Jason. Colère, déception, surprise, joie? Elle avait tout envisagé sauf le marbre de cette indifférence que son fils lui renvoyait présentement alors qu'elle lui parlait maladroitement des mois précédant sa naissance ainsi que du rôle qu'Humphrey avait joué dans sa vie. De mots en mots et de phrases en phrases, elle avait l'impression que Jason n'était pas touché par ses révélations. Alors qu'elle parlait, expliquait, s'embourbait dans ses répétitions pour être bien certaine qu'il comprenne à quel point Raymond et Humphrey avaient une importance égale à ses yeux, le jeune homme ne bougeait pas. Nul mouvement, pas la moindre expression sur son visage, sinon les muscles de sa mâchoire qui s'étaient crispés avant qu'il ne penche la tête pour fixer le sol.

Il était resté ainsi, immobile et silencieux, durant un long, un très long moment.

Respectant ce silence, Antoinette se tut finalement et le

regarda intensément, de tout l'amour qu'elle ressentait pour lui. Le voyant ainsi penché, les coudes appuyés sur ses genoux, elle ne put s'empêcher de remarquer à quel point la ressemblance entre Raymond et Jason était devenue frappante. Au même moment, Jason leva les yeux et il dévisagea sa mère longuement. Brusquement, elle se sentit mal à l'aise comme lorsque l'on se sait coupable de quelque chose et que l'on n'arrive pas à avouer sa faute. Antoinette était consciente de l'effort qu'elle devait faire pour ne pas pencher la tête à son tour afin d'éviter le regard de son fils qui la fouillait jusqu'au fond de l'âme. Malgré tout, elle soutint ce regard, regrettant l'époque où les discussions, les reproches et les réprimandes prenaient fin au moment où le petit garçon se jetait dans ses bras. Quand Jason se décida enfin à parler, sa voix était très sûre, presque froide.

— Je comprends très bien ce que tu viens de dire. Mais pour moi, ça ne change rien à ma vie.

En prononçant ces derniers mots, Jason avait haussé les épaules et à ce geste, Antoinette avait compris qu'il était bien question d'indifférence. Insensible au regard douloureux qu'elle lança alors, Jason poursuivait.

— Je m'appelle Jason Douglas et mon père s'appelait Humphrey. Ne me demande pas d'y changer quoi que ce soit. Je ne le veux pas.

Un lourd silence succéda à ces paroles. Antoinette aurait bien voulu avoir une formule magique qui aurait aidé Jason à voir la situation sous un autre angle, mais en ce moment, c'était le vide en elle. Un vide qui se fusionnait au silence les enveloppant tous les deux, la mère et le fils. Un vide impersonnel qui lui donnait froid dans le dos. C'était la première fois qu'Antoinette avait l'impression de faire face à un étranger en regardant son fils. Toujours aussi détaché, Jason recommença à parler.

— Je ne veux pas te peiner, maman. Je sais à quel point tu tiens à Raymond. Ça fait très longtemps que j'ai compris qu'il avait beaucoup d'importance à tes yeux. Mais tu ne peux pas me demander de l'aimer parce que toi tu le fais. J'ai eu la chance incroyable d'avoir un homme merveilleux comme père. Et c'était Humphrey Douglas. Cet homme-là, c'était un géant. J'ai toujours vu mon papa comme un géant. Et malgré tout le respect que j'ai pour Raymond, je trouve qu'il ne lui arrive même pas à la cheville. Et jamais il n'y arrivera.

Quand il avait prononcé le mot «papa», le regard de Jason s'était mis à briller et sa voix à trembler. Alors, malgré les mots qui lui faisaient mal, Antoinette eut au moins l'assurance de retrouver celui qui était son fils, le jeune homme sensible à qui elle avait appris qu'un homme aussi a le droit de pleurer quand les émotions sont trop grandes. Maintenant, les larmes coulaient sur les joues de Jason et il ne cherchait même pas à les essuyer. En apprenant que Raymond était son père, Jason avait eu l'impression que tout ce qui avait eu de l'importance dans sa vie avait été balayé du revers de la main et il trouvait cela intolérable. Jamais il ne pourrait considérer Raymond comme son père. Alors il reprit, pour que sa mère puisse comprendre ce qu'il ressentait. Ce n'était pas uniquement un rejet, mais c'était surtout l'obligation de laisser à Humphrey la place qui était la sienne.

— Le jour où tu m'as appris que papa était mort, commença-t-il d'une voix hésitante, je me souviens que j'ai pleuré pendant des heures. Je ne voulais pas que papa s'en aille comme ça, aussi vite. Quand j'étais parti pour l'école, il était là, faisant encore des projets pour la fin de semaine qui arrivait. À mon retour, il n'y était plus. Puis, au moment de m'endormir, il y a un souvenir qui m'était venu à l'esprit. C'est probablement le plus beau souvenir que j'ai de papa. J'étais encore tout petit. Peut-être cinq ou six ans. Il m'avait emmené avec lui à l'imprimerie en disant qu'il y avait là-bas une surprise pour moi. Et là, sur la devanture de l'immeuble, j'avais remarqué que les mots me semblaient différents. Papa m'avait alors expliqué que les lettres toutes neuves, celles qui étaient d'un rouge plus vif que les autres, c'était moi. Il m'avait expliqué aussi qu'un jour, tout ça m'appartiendrait. J'étais juché sur ses épaules et pendant qu'il me parlait, papa me montrait l'imprimerie d'un grand geste du bras. Mais moi, j'avais l'impression qu'il me montrait le monde entier tellement je me sentais grand, important quand j'étais sur ses épaules. Ce n'est qu'un peu plus tard, quand j'ai su lire, que j'ai vraiment compris ce que papa avait voulu dire. *& Son*, c'était moi, exactement comme il me l'avait dit. Sur la bâtisse, c'est écrit *Douglas & Son.* C'est le lien qu'il me reste avec l'homme qui était mon père. Si je travaille autant à l'école, c'est encore pour être à la hauteur de ce qu'il attendait de moi. Je veux prendre sa relève un jour. Aujourd'hui, je comprends que l'imprimerie, d'une certaine façon, ça peut être la terre entière. Tu vois, maman, ce jour-là, je ne m'étais pas trompé en pensant que papa m'offrait l'univers. C'est comme ça que je vois l'imprimerie. C'est une ouverture sur le monde. En tout cas, c'est la mienne. Ici, c'est mon univers, le seul que je connais et je l'aime. Je n'ai pas envie de partir. Alors ne viens pas me parler de Raymond en disant qu'il est mon père et en me proposant d'aller le rejoindre à Montréal. Pour moi, ça ne veut rien dire. Ça ne veut rien dire du tout. Jamais je ne pourrai accoler le mot « papa » à Raymond.

Antoinette avait écouté son fils lui parler, le cœur déchiré entre la fierté de voir le garçon digne et droit que Jason était devenu et la déception de savoir que Raymond, encore une fois, ferait partie des rêves et des espoirs à un point qu'elle n'avait jamais envisagé. Elle était tellement certaine que Jason partagerait une grande tendresse avec Raymond. Elle avait tant rêvé de complicité entre eux. Elle pencha la tête, déçue. Et, ce faisant, elle admettait aussi que c'était Raymond qui avait eu raison. Toute vérité n'est pas bonne à dire sinon quand elle vient à son heure. C'étaient les mots qu'il avait employés quand ils s'étaient demandé ensemble s'il fallait annoncer à Anne et Jason qu'il y avait entre eux des liens autres que ceux d'une grande amitié. Raymond ne s'était pas trompé en jugeant que les deux jeunes n'étaient pas encore prêts à apprendre cette vérité.

Cependant, Jason se méprit sur le sens de ce geste. Croyant sa mère profondément bouleversée par sa réaction, les larmes se mirent à couler de plus en plus. Comment lui expliquer ce qu'il ressentait ? Il ne voulait pas la blesser, il l'aimait trop pour cela. Toutefois, il n'était pas capable de donner la place que son père avait tenue à un autre. Même si sa mère aimait Raymond et qu'il venait d'apprendre qu'il était son père. À cette pensée, Jason ferma les yeux et serra les paupières très fort. Il entendait son cœur battre à tout rompre et il avait la tête dans un étau. Si sa mère lui avait annoncé qu'elle se remariait, il se serait réjoui avec elle. Il aurait été heureux de savoir qu'Anne resterait avec eux, car il l'aimait beaucoup. Mais maintenant qu'il avait appris que

Raymond était son père, il ne savait plus s'il avait envie qu'il revienne vivre avec eux. Maintenant il le voyait comme un usurpateur et cela lui faisait mal. Par contre, il ne voulait pas que sa mère soit malheureuse à cause de lui. Il reprit, la voix toujours enrouée :

— Je ne veux pas que tu sois triste à cause de moi. Ce ne serait pas juste. Si tu crois que ta place est avec Raymond, tu n'as qu'à partir. On peut peut-être trouver un collège qui prend des pensionnaires. Je peux…

— Pas question !

Jason avait à peine prononcé ces quelques mots qu'Antoinette levait vivement la tête.

— Pas question ! répéta-t-elle avec ferveur. Rien ni personne ne me séparera de mon fils, tu m'entends ? Tu veux rester ici, on reste ici.

Antoinette regardait intensément Jason. Son fils n'avait pas à partager sa tristesse et ses déceptions. Pour lui, elle s'était toujours tenue droite face à la vie et elle continuerait de le faire tant et aussi longtemps qu'il aurait besoin d'elle. Tout comme Raymond le faisait pour Anne. Incapable de résister, elle tendit les bras à Jason comme elle le faisait quand il était enfant. Le geste avait quelque chose de très doux à travers les souvenirs, de si intime que Jason ne put y résister et comme il l'avait fait tant de fois, il vint se blottir dans les bras de sa mère.

Antoinette le berça tout contre elle pendant un instant, fermant les yeux sur toutes ces images de l'enfance de Jason qui lui revenaient en vagues lentes, rassurantes. À travers ces images, il y avait Humphrey. Cet homme qu'elle avait choisi pour être le père de son fils. Cet homme entier, sincère, aimant comme seul un père peut l'être. Comment avait-elle pu croire qu'elle pouvait faire marche arrière ? C'était Jason qui avait raison. Humphrey serait toujours son père comme elle, elle serait toujours sa mère. Alors Antoinette ouvrit les yeux et, posant les mains sur les épaules de son fils, elle l'obligea à lever la tête vers elle.

— Je regrette de t'avoir blessé, d'avoir écorché tes souvenirs. Tu as raison, Humphrey était un géant et le meilleur père que tu aurais pu avoir. Mes propres sentiments n'ont rien à voir dans tout ça. Et je ne veux pas que tu te méprennes. Si Raymond a toujours eu de l'importance à mes yeux, j'ai aussi beaucoup aimé Humphrey.

Le temps de laisser passer un trop-plein d'émotion en fermant brièvement les paupières et Antoinette revenait à Jason qui la regardait intensément. En fait, il buvait les paroles de sa mère. Maintenant qu'il avait eu le courage de lui dire ce qu'il pensait, qu'il l'avait fait en toute sincérité, il se sentait tout petit, fragile comme un enfant. Il avait envie d'être consolé, rassuré.

— Malheureusement, je ne peux te demander d'oublier ce que je viens de te dire. Il y a certaines choses qui ne s'oublient pas. Par contre, avec le temps, elles pâlissent. Tu peux me faire confiance quand je te dis ça. Et pour t'y aider, la seule chose que je peux te promettre, c'est de ne jamais t'en reparler. Ni à toi ni à personne d'autre. Même Raymond ne saura pas ce qui s'est dit ici. Comme ça, le jour où il reviendra, tu n'auras pas à te forcer devant lui ou devant Anne. Rien ne sera changé à leurs yeux. D'accord ?

— D'accord.

Antoinette se pencha et embrassa Jason sur le front, à la racine des cheveux, là où il y avait une rosette qui dressait ses cheveux en épi, comme ceux de Raymond. Prenant une profonde inspiration pour contrer les larmes qui menaçaient de déborder à nouveau, elle ajouta :

— Je suis très heureuse de voir que tu veux prendre la relève à l'imprimerie. Dans le fond, on n'en avait jamais vraiment parlé. Si toute cette conversation n'avait servi qu'à ça, ce serait mieux que rien. Je… je crois que ton père serait fier de toi. Tu es un fils formidable, Jason. Tu es la plus belle chose qui soit arrivée dans ma vie. Dans notre vie à Humphrey et à moi.

Et en disant cela, Antoinette savait qu'elle ne mentait pas. C'était l'histoire de sa vie et de celle d'Humphrey dans toute sa simplicité.

Quand elle quitta Jason, refermant doucement la porte derrière elle, Antoinette resta un long moment immobile sur le palier. Au bout du couloir, entre les deux portes des chambres du fond, une grande fenêtre donnait sur la plage. Son regard fut attiré par les nuages effilochés qui permettaient à la lune de se refléter sur la mer houleuse. Au bord de l'océan, quand l'horizon n'a aucune frontière, nul besoin de lampe ou de veilleuse. La nature se chargeait d'éclairer la nuit, en faisait une complice. Curieusement, Antoinette ressentit une grande sensation de bien-être, de chaleur devant ce paysage qu'elle avait si souvent admiré. Jason n'avait pas tort en disant qu'ici c'était chez lui. Elle aussi ressentait une sorte d'appartenance à ce coin du monde. Pourtant, devant la réaction de Jason, elle aurait dû être immensément désappointée et se languir de Montréal comme jamais. Il n'en était rien. Une fois la première déception passée, celle que l'on éprouve à l'état primaire sans analyse, sans méditation, elle avait compris et accepté ce que son fils ressentait de sorte qu'elle connaissait une grande paix intérieure.

Jason était en train de devenir un homme réfléchi, sérieux et c'était bien suffisant pour être heureuse, sereine. Et maintenant, il savait le secret entourant sa naissance. Antoinette en était soulagée. La réaction de Jason n'avait été que l'expression de cette liberté qu'elle lui apprenait depuis qu'il était tout petit.

Ce soir-là, Antoinette s'endormit en pensant à Jason et à ce désir avoué de prendre la relève, un jour, à l'imprimerie. Cela lui faisait vraiment plaisir de le savoir de façon claire. Puis elle eut une dernière pensée pour Anne en se disant que si elle avait à intervenir pour elle, la vie se chargerait bien de lui faire un signe quelconque.

* * *

— Tu l'as revue, n'est-ce pas? L'an dernier à Paris, tu l'as revue, j'en suis certaine.

Au son de la voix de Maria-Rosa, Gabriel avait tressailli. À ses paroles, il avait avorté le geste de se retourner vers elle.

Ainsi, elle avait deviné.

Il s'en doutait, n'avait jamais osé aborder le sujet avec elle.

C'était probablement le seul secret entre eux.

Un long silence envahit l'atelier. Gabriel sentait le regard de Maria qui brûlait sa nuque, lui enlevant tout courage de se retourner franchement vers elle. Même s'il savait que ce faisant, il ne faisait que confirmer ce qu'elle avait deviné, Gabriel garda la pose jusqu'au moment où il entendit le chuintement des roues de caoutchouc qui frottaient le sol dallé.

L'atelier d'hiver, comme ils l'appelaient, était installé dans un appentis qui jouxtait la maison et avait jadis servi de serre. Le soleil y entrait à profusion et, à la saison plus froide, on y était mieux qu'à l'intérieur de la maison qui était souvent fraîche et humide. Un peu comme aujourd'hui où le fond de l'air était désagréable alors que même une bonne flambée dans l'âtre immense qui dominait la cuisine n'arrivait pas à réchauffer les vieux murs de pierre. Seul le soleil qui inondait l'atelier arrivait à faire oublier la froide saison.

Durant quelques années, Maria-Rosa et Gabriel y avaient peint côte à côte, partageant dans leur silence une passion identique.

Depuis près de trois ans, Gabriel y peignait seul car, depuis près de trois ans, Maria-Rosa n'avait même plus la force de tenir un pinceau entre ses doigts. Elle n'y venait plus que rarement pour humer l'air qui sentait ses jeunes années, comme elle le disait parfois. Le temps de partager quelques réflexions avec Gabriel et Maria-Rosa regagnait sa chambre, épuisée.

Mais ce matin, il semblait bien que la peinture n'était pas à l'origine de cette visite.

Gabriel se retourna enfin.

Maria-Rosa le fixait de son regard de braise, recroquevillée dans son fauteuil roulant. À demi cachée dans l'ombre de la cuisine, Isabella attendait que sa maîtresse lui fasse signe. La jeune femme suivait Maria-Rosa comme son ombre. Elle était sa vitalité et sa force. Elle était les bras et les jambes que Maria-Rosa n'avait plus. D'un signe de tête, en se tournant vers Isabella, Maria-Rosa lui signifia qu'elle pouvait se retirer. Ce qu'elle avait à dire ne regardait que Gabriel. La jeune servante baissa les yeux et quitta la pièce sans poser de question. Entre Maria-Rosa et elle, les mots n'étaient plus nécessaires.

Quand Maria-Rosa entendit le bruit des pas dans l'escalier, quand elle fut bien certaine d'être seule avec Gabriel, elle reporta les yeux sur lui et soutint son regard durant un moment.

— Tu l'as revue, n'est-ce pas? demanda-t-elle pour la seconde fois alors qu'il n'y avait presque pas d'interrogation dans sa voix.

Gabriel se décida enfin.

— Oui, je l'ai revue. Mais comment as-tu…

— Comment j'ai pu savoir? l'interrompit Maria-Rosa. Je n'avais qu'à regarder. C'était aussi limpide que si tu m'avais tout dit.

Levant péniblement un bras, elle désigna deux toiles sur le mur du fond.

— À ton retour de Paris, la femme que tu peignais n'était plus la même. Elle avait vieilli. Oh! Pas beaucoup, elle est toujours très belle. Mais elle n'est plus tout à fait pareille. Probablement qu'elle a même eu un enfant. On voit les rondeurs de la maternité sur son corps. Je me trompe?

Gabriel se sentit rougir comme un enfant pris sur le fait d'une bêtise. Pourtant, il ne se sentait pas coupable d'avoir aimé Charlotte lors de leur rencontre à Paris. Le seul regret qu'il ressentait, c'était de ne pas l'avoir dit à Maria-Rosa. Il ne voulait pas la blesser, elle était déjà si malade, si diminuée. À la voix particulièrement gutturale et rauque qu'elle avait employée, il venait de comprendre que son silence l'avait meurtrie encore plus qu'une confession. Il fit les quelques pas qui les séparaient, s'agenouilla devant elle et prit ses mains entre les siennes.

— Non, tu ne te trompes pas.

Il avait envie d'ajouter qu'il l'aimait toujours, que cette

rencontre n'avait pas changé les sentiments qu'il éprouvait pour la femme qui partageait sa vie depuis de longues années maintenant. Pourtant il se tut. Il comprenait qu'en cet instant, les mots qu'il aurait ajoutés auraient été déplacés. Il se contenta donc de préciser :

— Tu as vu juste. Charlotte a une fille.

Une étincelle d'intérêt brilla furtivement dans le regard de Maria-Rosa alors qu'elle reportait les yeux sur les deux toiles accrochées au mur.

— Je suis heureuse de voir que mon œil de peintre est toujours aussi sûr.

Le temps de savourer cette constatation, elle qui ne connaissait plus beaucoup de plaisir dans la vie, puis elle revint à Gabriel.

— Je suis surtout heureuse de voir que je ne m'étais pas trompée. Les toiles que tu as faites d'elle disent l'amour partagé.

— Tais-toi. Ne dis pas...

— Je dis ce que je pense. Je l'ai toujours fait.

Gabriel ne put soutenir l'intensité du regard de Maria-Rosa. Il pencha la tête en murmurant :

— Je sais.

De nouveau, un long silence se dressa entre Maria-Rosa et Gabriel.

Un silence habité de souvenirs, de craintes, de quelques regrets pour lui.

Un silence fait de projection dans l'avenir pour elle. Maria-Rosa n'avait plus de temps à perdre à contempler le passé. Seul le présent comptait, se faisait pressant. Elle avait un fils qu'elle aurait tant voulu voir grandir, mais cette grâce lui serait refusée. Ses muscles s'atrophiaient de plus en plus.

D'abord les jambes quand elle était enfant, insidieusement, petit à petit, puis les mains, les bras... Bientôt, ce serait ceux qui contrôlaient la respiration, le cœur...

Malheureusement, il ne reste que quelques mois, un an peut-être, avait dit le médecin.

Alors Maria-Rosa n'avait plus de temps pour les regrets, les questions, la jalousie. Elle savait que si le médecin avait parlé d'un an, c'était pour la protéger. Il lui restait beaucoup moins de temps que cela. Elle savait que sa route à elle s'arrêterait bientôt, mais pas celle de Miguel. Elle ne voulait pas que la vie de son fils soit entachée d'images tristes et difficiles à supporter. Il était encore si petit, à peine six ans. C'était l'âge des rires, des découvertes, du plaisir. Il fallait que cela reste ainsi pour lui. Elle avait donc pris une décision et rien ni personne n'entraverait ses dernières volontés.

— Je suis heureuse que tu aies retrouvé cette femme.

Jamais elle n'avait prononcé le nom de Charlotte. Jamais elle ne le ferait. Elle était l'autre et c'était déjà suffisamment difficile à accepter.

— Au regard que tu lui donnes dans tes tableaux, je crois qu'elle aussi était heureuse de te revoir. C'est bien.

Maria-Rosa s'arrêta, essoufflée. Le moindre geste, le simple fait de parler lui demandait tellement d'efforts. Gabriel le savait et n'insista pas pour qu'elle poursuive. Il resta silencieux, sachant que Maria-Rosa le voulait ainsi. Pourtant, il aurait tant voulu l'interrompre, lui dire de ne pas s'en faire, que rien n'était changé entre eux, qu'il serait là jusqu'à la fin. Mais il ne dit rien, se contentant de presser doucement les mains de Maria-Rosa entre les siennes.

Maria-Rosa laissa son cœur s'assagir puis, quand son souffle fut plus calme, plus profond, elle poursuivit, reprenant là exactement où elle s'était interrompue :

— C'est bien, oui, que vous vous soyez retrouvés tous les deux. Et c'est encore mieux qu'elle ait une fille. Miguel oubliera plus facilement ainsi.

— Ne parle pas comme ça. Tu es toujours là et...

— Tais-toi, Gabriel. Je t'en prie, laisse-moi terminer. Je sais que ma vie est presque finie et je voudrais en disposer comme je l'entends. C'est difficile de mourir à quarante-deux ans même si j'ai toujours vécu avec la sensation que j'allais d'un sursis à un autre. Je ne pourrai m'en aller en paix si j'ai Miguel près de moi. La déchirure va faire trop mal. Pour lui comme pour moi. Je dois faire les choses en douceur, en ordre. Et pour y arriver, il n'y a que toi qui puisses m'aider. Veux-tu m'aider à mourir, Gabriel ?

Incapable de prononcer le moindre mot, ce dernier prit le visage de Maria-Rosa entre ses doigts, écarta les mèches sombres qui tombaient sur ses yeux et il l'embrassa sur le front. Il fit durer ce baiser longtemps, très longtemps afin de se reprendre, de dénouer les émotions qui encombraient sa gorge. Puis d'une voix rauque, même si cela lui coûtait terriblement, il lui dit :

— Promis, je vais t'aider. Tu n'as qu'à demander. Tu sais que je vais tout faire pour toi. Je t'aime.

Maintenant, il pouvait dire son amour pour elle. Entre eux, l'ambiguïté des sentiments avait toujours existé. Ils avaient connu la complicité et le partage. Tous les « Je t'aime » de Gabriel avaient été sincères même s'ils n'avaient jamais été des mots de passion. Ils disaient l'attachement, la tendresse, la gratitude et Maria-Rosa y avait cru bien qu'elle ait toujours su que Gabriel n'avait pas oublié celle qui avait été sa muse. Il aimait toujours la belle femme drapée de rouge malgré le temps qui passait, la distance qui les séparait et le silence qui aurait pu dire l'indifférence. Quand il était revenu de Paris, l'année dernière, elle avait tout de suite compris qu'il venait de la revoir. Elle avait simplement remercié le ciel d'avoir attendu si longtemps pour leur permettre de se retrouver. Maintenant, il était temps que Gabriel rejoigne sa muse. Il était temps que Gabriel éloigne Miguel.

Et c'est ce qu'elle lui demanda, à voix basse, le souffle court. Elle voulait qu'il quitte le Portugal avec leur fils.

— Il est temps qu'il connaisse l'autre partie de ses origines. Tu lui as si souvent parlé du Canada. Allez-y ensemble, fais-lui découvrir ton pays qui est aussi le sien.

— Comment veux-tu que j'arrive à partir te sachant ici, seule ?

— Tu n'auras qu'à te dire que c'est ainsi que je l'ai voulu. Et puis, je ne serai pas seule. J'ai une famille qui m'a toujours aimée. Ils seront là pour moi. Ce qu'il me reste à faire, c'est protéger Miguel. Un enfant de six ans n'a pas à voir mourir sa mère. Et une mère ne peut pas laisser un fils derrière elle sans souffrir. Je dois apprendre à me détacher de lui pour connaître la paix. Et pour que je puisse y arriver, tu dois partir avec lui. Emmène-le au loin. Apprends-lui la beauté du monde et quand il sera en âge de comprendre, rappelle-lui que sa mère l'aimait plus que tout.

Maria-Rosa était épuisée. Gabriel était bouleversé. Jamais il n'avait été aussi déchiré entre les deux femmes qui avaient marqué sa vie. Et si de sacrifier l'amour qu'il ressentait toujours pour Charlotte avait pu sauver la vie de Maria-Rosa, en cet instant bien précis, il l'aurait sacrifié.

Pour que Miguel puisse garder sa mère et pour que Maria-Rosa ait le droit de le voir vieillir, il aurait tout donné. Il y avait entre ces deux êtres une communication intense, unique, si belle, faite de regards et de silences, de mots et de promesses. Maria-Rosa n'avait vécu que pour son fils depuis son tout premier cri, sachant que le temps lui était compté. Aujourd'hui, elle arrivait au bout du chemin et lui, Gabriel, n'y pouvait rien changer. Il ne pourrait même pas tenir la main de Maria jusqu'à la fin puisque pour elle, ce serait trop difficile. Il aurait pu se sentir rejeté, il n'en était rien. Toute leur relation avait été teintée de respect mutuel et le serait jusqu'au bout. Maria-Rosa était une femme indépendante, farouche, austère et elle avait le droit de mourir comme elle avait vécu.

Ils restèrent un long moment appuyés l'un contre l'autre, front contre front. Puis Gabriel se releva. Il maudissait intérieurement cette chaise de métal qui les tenait à distance. Alors il se pencha et souleva Maria-Rosa dans ses bras. Faisant taire ses protestations d'un baiser, il la porta dans leur chambre et la déposa délicatement sur leur lit avant de s'allonger tout contre elle. Maria-Rosa ajouta alors :

— Je ne veux pas savoir quand tu partiras. Un matin, tu iras conduire Miguel à l'école et tu ne reviendras pas. J'aimerais seulement que tu nous laisses une adresse pour que ma famille puisse te rejoindre.

Sur ces mots, Maria-Rosa ferma les yeux et tout doucement, Gabriel sentit qu'elle se détendait, qu'elle glissait dans le sommeil. Il se coula encore plus étroitement contre elle et laissa libre cours à ses larmes, mesurant l'immensité du vide que son départ allait causer dans sa vie et dans celle de leur fils.

Puis, tout doucement, il glissa dans le sommeil à son tour.

# Chapitre 2

## *Oser croire en l'avenir*

Charlotte avait demandé à Jean-Louis d'attendre qu'elle ait parlé à Alicia avant d'annoncer leur mariage prochain aux parents et amis.

— Même si elle t'aime beaucoup, ça risque de susciter un peu de nostalgie. Il lui arrive encore de parler de son père, tu sais. Je vais tout simplement attendre le bon moment et tout ira bien.

Charlotte n'osait l'avouer ouvertement, mais c'était plutôt elle qui n'était pas encore prête à faire part de la grande nouvelle. Pourtant, toute sa raison et une bonne partie de son cœur lui disaient qu'elle avait bien fait d'accepter cette demande en mariage. La vie, sa vie prendrait enfin un tournant serein, normal. Elle aurait un homme à ses côtés, la possibilité d'écrire sans contrainte, une maison bien à elle, peut-être une famille... Oui, épouser Jean-Louis, c'était tout cela. C'était voir se concrétiser enfin ses plus grands rêves, ceux qu'elle entretenait depuis de si longues années déjà.

Cependant, bien ancré au creux des souvenirs, le petit coin d'ombre abritant ses amours d'adolescente refusait de lâcher prise.

Depuis trois nuits, Charlotte rêvait de Gabriel.

Celui de sa jeunesse, rieur, passionné, avec qui elle avait fait des projets de vie. Celui d'aujourd'hui, à peine entrevu, marqué par les rides du temps, avec qui elle avait parlé de seconde chance. Elle lui avait dit qu'elle l'attendrait et elle n'en ferait rien. Ils avaient parlé ensemble d'un avenir qui finalement n'existerait pas. Ils avaient échangé des promesses qui ne seraient pas tenues.

Charlotte entretint la nostalgie des *peut-être* durant quelques jours puis, la réalité de la vie qui s'offrait à elle et la tendresse qu'elle ressentait pour Jean-Louis refirent surface. Jusqu'à maintenant, les belles paroles de Gabriel n'avaient été que du vent alors que l'affection de Jean-Louis était bien réelle. Durant quelques jours, Charlotte s'appliqua à ne penser qu'à Jean-Louis et elle à travers les projets qu'ils faisaient ensemble. Mais un matin, le cœur bouleversé par la véracité du rêve qu'elle venait de faire, elle comprit que la seule bonne volonté ne suffisait pas.

Comment arriver à oublier Gabriel ? Comment faire comprendre à ce fantôme qui hantait ses rêves qu'il n'avait plus qu'à se retirer ?

L'amant de ses jeunes années avait déjà pris beaucoup trop de place dans sa vie. À commencer par l'ennui de lui qu'elle avait toujours entretenu et qui avait terni son premier mariage. Aujourd'hui, Charlotte était intimement convaincue que si elle l'avait voulu, elle aurait pu être très heureuse avec Andrew. Mais pour ce faire, il aurait fallu qu'elle oublie Gabriel. Elle donnerait donc cette chance à Jean-Louis. Le passé devait rester le passé et non se projeter dans cette espèce de mélancolie qu'elle ressentait face à l'avenir.

Quand, lassé d'attendre, Jean-louis lui proposa d'être à ses côtés au moment où elle parlerait à Alicia, puisqu'elle semblait si indécise, Charlotte comprit qu'elle n'avait que trop tardé. De toute évidence, ce n'était plus Alicia qui justifiait l'attente, c'était elle-même qui hésitait encore et Jean-Louis commençait à le pressentir. Elle ne voulait pas le blesser et elle n'était pas prête à lui parler de Gabriel. Alors elle accepta sa proposition. Le souper d'anniversaire que sa grand-mère préparait à son intention pour le dimanche suivant servait merveilleusement bien de prétexte pour réunir toute la famille. Ils en profiteraient pour annoncer leur mariage.

— Et Alicia ? Tu ne veux pas la prévenir avant les autres ?

Charlotte se détourna pour que Jean-louis ne puisse lire son embarras. Elle se sentait rougir comme une enfant gênée.

— Non. Finalement, peut-être bien que ce sera plus facile pour elle d'apprendre notre mariage avec des gens qui se réjouissent autour d'elle, déclara-t-elle, une pointe d'hésitation dans la voix.

Puis, se tournant franchement vers Jean-Louis, elle lui demanda :

— Qu'est-ce que tu en penses ?

Le jeune homme la prit dans ses bras pour la rassurer.

— Je suis certain que ça va très bien aller pour Alicia parce que je crois qu'elle m'aime bien.

Charlotte avait levé un beau sourire vers lui.

— Oh ! Pour ça, je n'ai aucun doute. Alicia t'aime beaucoup.

Tout en parlant, Charlotte avait effacé son sourire en faisant une petite mimique de découragement.

— C'est moi qui vois des montagnes alors qu'il n'y a que des grains de sable, ajouta-t-elle en soupirant.

À ces mots, Jean-Louis l'embrassa sur le bout du nez.

— Je le sais ! Je ne marie pas n'importe qui ! J'épouse une artiste. Par définition, dans mon dictionnaire personnel, c'est quelqu'un de compliqué.

Ce à quoi Charlotte répliqua d'une chiquenaude sur le bras de Jean-Louis en lui tirant un bout de langue.

Pourquoi chercher midi à quatorze heures? Tout était si simple, si facile avec Jean-Louis!

Ce soir-là, en se couchant, Charlotte se fit la promesse de ne plus jamais se compliquer l'existence. Elle pouvait bien critiquer Émilie qu'elle disait peu douée pour le bonheur. Elle n'était guère mieux. D'ici à dimanche, il y avait encore quatre jours. Elle s'en servirait pour ressasser tous les souvenirs qu'elle avait envie de ressasser puis elle tournerait la page. La vie lui offrait la chance de se retrouver devant une large et belle avenue. Plus question de faire demi-tour. Ni en pensées ni autrement. Dorénavant, elle irait droit devant aux côtés d'un homme merveilleux qui aimait Alicia comme sa fille. Que pouvait-elle demander de mieux?

Et ce fut exactement ce qu'elle fit.

Charlotte passa les jours suivants à trier certains souvenirs, à s'en délecter, à s'en émouvoir comme elle aurait pu le faire en feuilletant un album de très vieilles photos. Elle tenta de se rappeler l'atelier de Gabriel tel qu'il lui était apparu la première fois qu'elle y avait mis les pieds. Elle sentit même une certaine chaleur lui monter au visage quand elle revit en pensée le tableau de la femme nue qui avait déclenché chez elle le réflexe d'écrire son premier roman. Cette femme provocante qui avait fait rougir ses seize ans, elle l'avait baptisée Myriam. Si elle écrivait aujourd'hui, si elle avait persévéré dans cette voie, c'était en grande partie grâce à Gabriel qui l'avait encouragée. Jamais elle ne pourrait l'oublier. Comme jamais elle ne pourrait oublier la passion qu'il avait un jour allumée en elle. Mais au-delà de ces merveilleux souvenirs, au-delà des promesses qu'ils avaient échangées à Paris un an plus tôt, il y avait la réalité du temps présent. Dans quelques jours, elle aurait vingt-neuf ans, Alicia en avait déjà neuf et la vie qu'elles menaient toutes les deux ne ressemblait en rien à celle qu'elle aurait voulu lui offrir. Et elle n'avait toujours pas reçu de nouvelles de Gabriel alors qu'il lui avait dit que sa femme était gravement malade et que dès qu'il serait libre, il lui ferait signe. Quatorze longs mois s'étaient écoulés depuis ce jour et Charlotte attendait encore.

Elle l'admettait facilement : elle était lasse de ce quotidien frustrant où elle devait constamment jongler avec les horaires pour arriver à se réserver un peu de temps pour écrire. Elle était lasse d'attendre.

Et voilà que Jean-Louis lui avait offert de tout changer cela. Auprès de lui, elle connaîtrait une vie stable où Alicia aurait la belle part. Aux yeux de Charlotte, cela valait bien des heures de passion dans les bras d'un homme qu'elle aimait toujours mais qui, pour l'instant, n'était rien de plus qu'un mirage insaisissable, un beau rêve dont elle n'était même pas capable de dire qu'il se réaliserait un jour.

Ce fut alors que la femme de mots qui veillait en elle prit la relève. Ces mots qui naissaient en elle depuis l'enfance et que, petit à petit, elle avait appris à écrire, à utiliser pour se soustraire parfois à un quotidien qu'elle jugeait insoutenable. Elle était là, l'issue de secours dont elle avait tant besoin !

Incapable de s'endormir, comme tous les soirs depuis quelques jours, Charlotte se releva. Elle descendit à la cuisine à pas de loup. Elle ne voulait réveiller personne, elle n'avait envie de voir personne. La pièce était plongée dans la noirceur, éclairée faiblement par la lueur blafarde de la lune, elle-même tamisée par les rideaux de cretonne qui pendaient aux fenêtres. Charlotte avança presque à tâtons jusqu'à la petite table qui supportait le téléphone et elle souleva la lampe de laiton qui s'y trouvait pour la déposer sur la table. Quand elle tourna le bouton de l'interrupteur, un halo jaunâtre se dessina sur le formica rouge de la table que sa grand-mère venait d'acheter et dont elle était si fière. Pour sa part, Charlotte la trouvait hideuse. Raison de plus pour avoir envie de quitter les lieux. S'emparant d'une feuille de papier et d'un crayon, Charlotte se mit à écrire, fébrilement, la main suivant difficilement la pensée, ne prenant même pas conscience des larmes qui sourdaient de ses paupières et tombaient sur la feuille en diluant l'encre de la plume.

Une heure plus tard, la jeune femme relisait la longue lettre qu'elle n'enverrait jamais, la longue lettre que Gabriel ne lirait jamais. Mais cela n'avait plus d'importance. Elle lui avait redit son amour, avait crié le sentiment d'impuissance qui l'habitait et le regret qu'elle avait de ne plus avoir la patience de l'attendre. Elle lui parlait de Jean-Louis qui lui aussi était à ses yeux un homme merveilleux, respectueux, capable de la soutenir.

Quand Charlotte eut fini de lire, de grosses larmes continuaient de couler sur ses joues mais elle se sentait libérée. Les mots l'avaient libérée. Surprise, elle se demanda comment il se faisait qu'elle n'y avait pas pensé avant.

En reniflant, Charlotte replia les quelques feuillets de sa lettre, les enfouit dans une poche de sa robe de chambre, replaça la lampe et remonta se mettre au lit silencieusement.

Tout en glissant doucement dans le sommeil, elle se promit que si un jour l'ennui se faisait de nouveau trop lourd, elle écrirait encore.

Cette nuit-là, Charlotte ne rêva de personne.

Ni la nuit suivante ni celle d'après...

Le dimanche matin, une flèche de lumière dorée fila entre deux lames de la persienne et s'arrêta sur le visage de Charlotte. La jeune femme ouvrit un œil, agacée. Pour une fois qu'elle pouvait dormir le matin! Puis elle se rappela qu'on était dimanche et elle ouvrit précipitamment le deuxième œil. Aujourd'hui, elle avait vingt-neuf ans et dans quelques heures, toute sa famille saurait qu'elle allait se marier. Un curieux frisson chatouilla son échine. Incapable de concevoir qu'elle puisse peut-être se rendormir, Charlotte rampa jusqu'au pied de son lit et tira sur le cordon du store.

Un sourire ravi effaça les dernières traces de sommeil.

Après plusieurs jours de pluie, un soleil égaré brillait de mille feux et les arbres dénudés dessinaient une dentelle noire contre le bleu métallique du ciel. Une journée parfaite pour se réjouir.

Charlotte retourna se blottir sous les couvertures et, se calant confortablement dans l'oreiller, les deux bras sous sa nuque, elle s'amusa à imaginer la réaction des siens quand ils apprendraient qu'elle allait enfin se marier.

Son père, mamie, Émilie, Anne...

Charlotte eut un sourire ému quand elle pensa à Alicia. Sa fille serait probablement la plus heureuse des convives autour de la table. Elle aimait beaucoup Jean-Louis. Au fil des derniers mois, Charlotte avait vu naître une belle complicité entre son fiancé et sa fille. Savoir que dorénavant, il allait partager leur vie ne pourrait que la réjouir. D'autant plus que Charlotte et Jean-Louis avaient bien l'intention d'avoir d'autres enfants.

À cette pensée, le sourire de Charlotte mourut doucement. Involontairement, sa réflexion s'était tournée vers

Marc. Marc, son beau-frère, qui aurait pu être son mari. Marc qui était le père d'Alicia.

Charlotte resta songeuse un long moment. Tout comme Gabriel, Marc faisait partie de ce passé qu'elle voulait oublier. Qu'elle devait oublier si elle voulait être pleinement heureuse.

Elle revint aussitôt à Alicia. Depuis de longues années maintenant, sa vie tout entière tournait autour de sa fille. Elle ne vivait que pour elle. Pour elle et ses livres. Grâce à Jean-Louis, elle pourrait s'y consacrer pleinement et rien d'autre n'aurait d'importance. Rien ni personne.

Tout doucement, Charlotte sentit que les images du passé s'estompaient. Elle s'était promis que seul le présent et l'avenir auraient leur place dorénavant et elle allait faire en sorte que cette promesse soit tenue.

Demain, il ne lui resterait plus qu'à annoncer la grande nouvelle à Françoise, son amie de toujours. Elle se doutait bien que Françoise ne manquerait sûrement pas de la taquiner, mais c'était de bonne guerre. Après tout, c'était devant l'insistance de Françoise qu'un certain soir Charlotte avait accepté d'accompagner le beau docteur Leclerc…

La journée passa en coup de vent même si sa grand-mère refusa catégoriquement que Charlotte lève le petit doigt pour l'aider.

— Pas question, ma grande. Aujourd'hui, c'est ta fête. Profites-en pour te faire belle.

À la place, Charlotte en profita pour passer un long moment à la bibliothèque et en revint les bras chargés de livres. Ne restait plus qu'à se changer avant l'arrivée des invités.

Quand la sonnette d'entrée se fit entendre, Charlotte se précipita pour ouvrir.

— J'y vais! C'est sûrement pour moi!

Elle avait l'impression d'être encore une petite fille tant elle se sentait nerveuse à l'approche du repas. Depuis le matin, sa grand-mère et sa fille avaient des mines de conspiratrices. L'accès à la salle à manger lui avait été interdit tout le long de la journée.

Charlotte ouvrit la porte sur un Jean-Louis souriant, cachant maladroitement dans son dos un immense bouquet de roses rouges.

— Je t'aime, murmura-t-il à son oreille. Et si elles sont rouges, ce n'est pas pour respecter les conventions. C'est parce que le rouge te ressemble.

Charlotte devint aussi écarlate que les fleurs. Rouge de plaisir. Puis rouge de confusion en se disant que Jean-Louis avait vu en elle la même chose que Gabriel qui la peignait toujours entourée de cette couleur.

Cette constatation avait quelque chose de rassurant.

Charlotte se jeta alors dans les bras de Jean-Louis, heureuse de le voir.

Heureuse, enfin, tout simplement.

Yeux fermés, narines frémissantes, elle huma le parfum de cèdre bleu que dégageait le col de la chemise de Jean-Louis. Elle savait que cette senteur ferait toujours partie de son album de souvenirs. Comme celle des fleurs que portait sa mère quand elle était enfant et celle du savon de Marseille qu'utilisait son père. Quand elle leva les yeux vers l'homme qui partagerait bientôt sa vie, un sourire radieux éclairait son visage.

— Alors? Toujours d'accord? C'est ce soir qu'on fait le grand saut et qu'on annonce la grande nouvelle?

Un regard, un long regard entre eux et Jean-Louis

recommençait à sourire. Mais cette fois, c'était avec une grande tendresse.

— Si tu le veux, oui, c'est ce soir qu'on se décide enfin. Mais j'aimerais que tu me laisses une certaine latitude.

— Latitude?

Charlotte avait froncé les sourcils.

— Qu'est-ce que tu veux dire par là?

— Fais-moi confiance! Quand tu jugeras que le moment sera venu, tu n'auras qu'à me faire signe et je m'occuperai du reste.

Charlotte fit semblant d'hésiter, le regardant du coin de l'œil avec une mine mi-sévère, mi-curieuse. Puis elle se dérida et lui fit un petit sourire anxieux. Elle n'était pas femme de grands discours, préférant de loin la solitude de l'écriture. Finalement, elle devait l'admettre, la proposition de Jean-Louis l'accommodait. Elle revint se blottir tout contre lui en murmurant:

— D'accord. Tu fais comme tu l'entends. Au dessert. Tu parleras au dessert.

Puis elle ferma les yeux en soupirant de bien-être. Qu'il lui était bon de pouvoir s'en remettre à un autre! Quand Jean-Louis commença à caresser son dos avec de longs gestes doux, elle se surprit à penser qu'elle aimerait être un petit chat pour pouvoir ronronner...

Quelques coups frappés à la porte interrompirent ce moment de grande chaleur. Émilie et Marc arrivaient, suivis de près par Raymond qui était allé chercher Anne.

Les éclats de voix remplirent toute la maison...

Quand elle eut enfin l'autorisation de passer le seuil de la salle à manger, Charlotte ne put retenir les quelques larmes qui lui montèrent aux yeux. Sa grand-mère avait dressé la table comme jadis elle l'avait fait pour Émilie qui venait d'avoir cinq ans. Des guirlandes argentées serpentaient entre les assiettes et elle avait sorti sa vaisselle des grandes occasions, celle qu'elle avait refusé de donner à ses filles quand elle avait fait le tri de ce qu'elle gardait.

— Une table de princesse, chuchota Charlotte, les yeux pleins d'eau.

Madame Deblois, qui n'était pas loin, la regarda avec une infinie tendresse.

— Je te l'avais promis. Ça a pris du temps, mais j'ai tenu ma promesse.

— Merci, mamie. Si tu savais comme ça me fait plaisir.

— T'es sûre? Tu ne me trouves pas un peu stupide d'avoir...

Charlotte la fit taire en la prenant dans ses bras.

Le repas fut joyeux. C'était la fête, Charlotte avait vingt-neuf ans! C'était la première fois que les trois sœurs se retrouvaient sous un même toit depuis fort longtemps et même si personne n'avait osé le souligner, les yeux étaient particulièrement brillants.

Bonne chair, bon vin à la demande de Raymond, qui s'était habitué, aux côtés d'Antoinette, à souligner les repas d'importance d'un bon rouge. Les yeux brillaient de plus en plus, les langues étaient déliées. Quand mamie apparut dans l'embrasure de la porte, un immense gâteau illuminé la précédant pompeusement, il y eut des exclamations de plaisir. Vingt-neuf bougies scintillaient dans le noir et, une fois devant Charlotte, elles créèrent un halo autour de son visage. Jean-Louis prit sa main dans la sienne. Pour elle, ce fut comme un signal. Charlotte souffla rapidement les bougies avant de lever le bras pour faire taire les applaudissements.

Elle se tourna ensuite vers son père et demanda un moment de silence.

Jean-Louis se leva, et à son tour se tourna vers Raymond.

— Monsieur…

Il avait la voix enrouée. Les conversations s'étaient tues, les regards se posaient sur lui.

— Monsieur, répéta Jean-Louis d'une voix plus ferme. Ce soir, Charlotte et moi, nous avons le plaisir de vous annoncer que nous aimerions nous marier. Si vous n'y voyez pas d'inconvénient, je vous demande donc la permission d'épouser votre fille.

Charlotte ne s'attendait pas à ce que Jean-Louis agisse de la sorte. Après tout, ils n'étaient plus des enfants pour demander la permission de se marier et Charlotte en était à un second mariage. Mais quand elle vit les larmes que son père tentait de contenir, elle comprit qu'une fois encore Jean-Louis était allé au creux des émotions. Pour Raymond Deblois, absent lors du premier mariage de sa fille aînée, c'était une première fois. Il était touché que Jean-Louis ait eu cette délicatesse. Ému, Raymond se leva de table et fixa Jean-Louis durant un long moment sans rien dire. Ensuite, son regard glissa vers Charlotte et alors, juste pour elle, il esquissa un sourire tremblant d'émotion.

— Vous avez ma bénédiction, mes enfants. Et tous mes vœux de bonheur.

Puis il se racla la gorge, s'essuya les yeux du revers de la main et lança :

— Sapristi que je suis content !

Madame Deblois se leva pour venir embrasser Charlotte, bousculée aussitôt par Alicia qui avait repoussé sa chaise bruyamment.

— J'ai bien compris, n'est-ce pas, maman? Jean-Louis vient de dire que vous allez vous marier. C'est ça, hein?

À neuf ans, Alicia était encore toute menue et Charlotte eut la tentation de la soulever pour la prendre dans ses bras. Mais elle savait qu'Alicia n'apprécierait pas. Alors, elle se pencha pour être à sa hauteur et l'enlaça tendrement.

— Oui, ma chérie, c'est ce que ça veut dire. Dans quelque temps, toi, Jean-Louis et moi nous allons former une nouvelle famille.

— Une famille, une vraie famille comme celles de mes amies? demanda-t-elle toute fébrile. Avec des frères et des sœurs et une maman qui est toujours là?

— Oui, ma puce. Une vraie famille avec une maman qui reste à la maison et si tout va bien, avec des frères et des sœurs.

Ces derniers mots résonnèrent dans la tête de Charlotte. Frères, sœurs, famille... Elle se releva. Incapable de se retenir, elle jeta un regard à la dérobée vers Émilie. Tout en rassurant Alicia qui s'était mise à rougir de plaisir, Charlotte n'avait qu'énoncé une vérité. Jean-Louis et elle voulaient vraiment avoir des enfants. Mais cette vérité n'allait-elle pas écorcher sa sœur au passage, elle qui n'avait toujours pas de famille alors qu'elle en avait tant rêvé?

Curieusement, Émilie n'avait pas l'air troublé même s'il était évident qu'elle n'avait perdu aucune des paroles de Charlotte. Le sourire qu'elle lui adressa, accompagné d'un petit clin d'œil, avait plutôt l'air vainqueur. Complicité ou autre chose? Charlotte choisit d'y voir une victoire ou plutôt un soulagement. Émilie pourrait enfin respirer en paix. Désormais, Charlotte ne serait plus une menace pour elle. Alicia deviendrait officiellement et aux yeux de tous la fille de Jean-Louis. Charlotte répondit à son sourire et quand elle vit qu'Émilie se détournait pour répondre à sa grand-mère, instinctivement elle posa les yeux sur Marc.

Il la dévisageait, insensible au brouhaha qui avait envahi la salle à manger. Incapable de détourner la tête, Charlotte souda son regard à celui de Marc. Douleur, regret, excuse se croisèrent au milieu de la table. Quand Marc lui adressa enfin un petit sourire sans joie, Charlotte comprit que s'il aimait sincèrement Émilie, il ne l'avait pas oubliée et que cette indifférence qu'il affichait à l'égard d'Alicia n'était que façade. Ce n'était plus une supposition qu'Émilie pourrait balayer. C'était un fait. Marc était en train de lui signifier qu'entre eux, il y aurait toujours Alicia. Il y avait trop de souffrance dans le regard de Marc pour que ce soit autre chose. Bouleversée, Charlotte lui rendit son sourire puis ferma brièvement les yeux en prenant une profonde inspiration. Heureusement, Anne arrivait près d'elle. Sans s'apercevoir du bouleversement que ressentait sa grande sœur, elle lui sauta au cou pour l'embrasser.

— Félicitations ! Si tu savais comme je suis contente pour toi !

Charlotte s'abandonna à l'étreinte d'Anne avec soulagement. Quand elle se tourna enfin vers Jean-Louis, ses yeux étaient peut-être un peu trop brillants, mais personne n'aurait pu savoir ce qu'elle vivait aussi intensément. Elle se réfugia dans les bras qui se tendaient vers elle. « Un jour, pensa Charlotte en appuyant le front contre l'épaule de Jean-Louis, un jour, bientôt, il faudra que je lui dise la vérité. »

Ce fut madame Deblois qui mit fin aux tremblements intérieurs de Charlotte en lançant d'une voix forte, interrompant les conversations :

— Et c'est pour quand cette noce?

Le silence se fit dans la pièce. Charlotte leva les yeux, consulta Jean-Louis d'un regard puis avec un synchronisme exemplaire, ils se tournèrent vers la table et lancèrent:

— À Noël!

— Au printemps!

Tout le monde éclata de rire.

Ils passèrent le reste de la soirée à discuter de la chose pour finalement arrêter leur choix sur le printemps.

— C'est tellement plus romantique!

Charlotte voyait surtout dans cette échéance la possibilité de terminer le grand ménage qu'elle avait entrepris dans ses souvenirs. Et l'occasion de tout dévoiler à Jean-Louis. En l'embrassant ce soir-là, au moment où il partait, Charlotte se fit le serment qu'au matin du mariage, il n'y aurait plus aucun secret entre Jean-Louis et elle. Aucun.

* * *

Quand Émilie entendit la porte d'entrée se refermer sur Marc qui partait pour le bureau, elle poussa un profond soupir de soulagement. Enfin seule! Hier, elle était revenue de la fête complètement épuisée et le sommeil de la nuit n'y avait rien changé. Trop d'émotions avaient tissé la trame des heures passées chez sa grand-mère pour qu'elle puisse se détendre. Ce matin, elle était fourbue et ressentait le besoin d'y voir clair.

Machinalement, elle marcha jusqu'à la fenêtre du salon, souleva le rideau et leva la main pour saluer Marc comme elle le faisait tous les matins. Cependant, dès qu'il se glissa dans la voiture, le sourire d'Émilie s'effaça.

Heureusement, le soleil était toujours présent et à travers la vitre, on pouvait même sentir une certaine chaleur. Émilie avait toujours été sensible au temps qu'il faisait. Cette douceur tiède qui caressait la peau de ses bras lui faisait du bien.

Elle s'y abandonna un moment en fermant les yeux.

C'est alors que les images de la soirée d'anniversaire commencèrent à lui revenir, lentement, une à une, pêle-mêle. Émilie soupira, se frotta les yeux pour les faire disparaître mais peine perdue, elles s'entêtaient.

L'invitation de sa grand-mère l'avait laissée perplexe, à un point tel qu'elle avait même songé à refuser. Mais quand elle avait vu les sourcils de Marc se froncer alors qu'elle lui faisait part de son indécision, elle avait vite fait volte-face, mi-boudeuse, mi-inquiète.

— D'accord, Marc, je n'ai rien dit ! On va y aller, à la fête de Charlotte.

— Mais j'espère bien qu'on va y aller ! Tu parles d'une idée, toi, refuser une invitation comme celle-là ! Prends ça comme un signe du ciel et profites-en pour faire la paix avec ta famille.

Effectivement, sur ce point, Marc n'avait pas tort. Il était plus que temps qu'elle reparle à Charlotte et qu'elle revoie son père. Mais c'était nettement plus facile à dire qu'à faire.

Comment les aborder ? À commencer par son père à qui elle n'avait pas adressé la parole depuis plus d'un an. Pas même une carte de vœux pour sa fête ! Fallait-il qu'elle lui en veuille !

Les yeux toujours fermés, le visage tendu vers la tiédeur du soleil, Émilie essayait de cerner les émotions qui lui faisaient battre le cœur un peu plus vite qu'en temps normal. Dès qu'elle pensait à son père, le cœur lui débattait.

Rancune, colère, inquiétude? Émilie referma les bras sur sa poitrine et se massa les épaules.

Si son père et Anne se retrouvaient à Montréal sans l'avoir voulu, c'était en grande partie de sa faute. Tant que sa mère était hospitalisée, ils avaient toute liberté de vivre où bon leur semblait. Et c'était justement là où le bât blessait! Son père n'aurait jamais dû faire interner sa mère. C'était injuste, profondément inhumain. Sur ce point, Émilie ne céderait jamais. Quoi qu'on dise, quoi qu'on fasse, elle détestait les injustices. À ses yeux, la vie de sa mère en soi était déjà une immense injustice à cause de sa santé précaire. Heureusement, il semblait bien qu'Anne l'avait compris. C'était toujours cela de gagné. Son père, par contre, avait toujours l'air de lui en vouloir puisqu'il n'était pas venu la visiter comme elle l'avait dit à Marc.

— Tu n'as qu'à lui dire de venir. Pour l'instant, c'est tout ce que je peux faire.

Voilà ce qu'elle avait proposé, espérant bien sincèrement que son père y donnerait suite.

Mais son père n'était pas venu.

Émilie pouvait facilement comprendre qu'il lui en veuille. N'avait-elle pas chambardé sa vie en aidant sa mère à quitter l'asile? Mais elle aussi, elle en voulait à son père d'avoir fait interner sa mère afin de pouvoir s'éloigner de Montréal et rejoindre Antoinette.

Plusieurs mois plus tard, ils en étaient là. Sur la défensive, blessés, incapables, l'un comme l'autre, de faire les premiers pas.

Émilie ouvrit les yeux. La lumière vive du soleil la fit reculer dans l'ombre du salon. Elle fit demi-tour et se laissa tomber sur le premier fauteuil venu.

Allait-elle bouder son père jusqu'à la fin des temps ? Maintenant que sa mère était sortie de l'hôpital, continuerait-elle à lui en vouloir au point de refuser de lui parler ? Elle n'en savait rien. Hier, elle avait bien senti que son père la regardait avec insistance. Mais ni l'endroit ni l'occasion ne se prêtaient à une longue discussion. Alors, de façon tout à fait délibérée, elle s'était tenue à bonne distance de son père. Pas question de jouer la comédie ! Et tant pis qu'il ait pu croire qu'elle était de mauvaise foi. Si les regards qu'il lui avait lancés étaient sincères, il n'avait qu'à venir la rencontrer chez elle, comme elle l'avait suggéré. Elle s'était donc contentée d'un pâle sourire à quelques reprises sans toutefois l'approcher.

Puis Charlotte et Jean-Louis avaient annoncé leurs fiançailles.

Du coup, elle avait oublié le malaise qu'elle ressentait. Un immense soulagement avait tout balayé. Enfin, Charlotte se mariait ! Elle n'aurait plus à craindre que Marc se mette à regretter l'époque où il aimait Charlotte. Cela n'avait jamais été un secret pour personne. Pas plus pour elle que pour les autres. Seule Alicia était le côté sombre, persistant et envahissant de l'aventure entre Marc et Charlotte. Tellement obscur pour Émilie qu'aujourd'hui, elle ne voyait en sa nièce qu'une des pires injustices de sa vie. Alicia était la fille de Charlotte et de Marc, lui qui rêvait d'avoir une grande famille alors qu'elle-même était incapable de mener une grossesse à terme.

À cette pensée, une grosse boule d'émotion encombra aussitôt la gorge d'Émilie. La mort de sa petite Rosalie, au bout de sept mois d'une grossesse qui semblait normale, était toujours aussi douloureuse.

Tant que Charlotte avait été une femme libre, Émilie avait eu peur.

Peur que Marc ne regrette le passé. Peur que Charlotte ne soit toujours amoureuse de son mari sans oser le dire. Peur que le charme d'une petite Alicia ne vienne détruire sa vie.

Aujourd'hui, tout était différent. L'annonce du mariage prochain de sa sœur avec Jean-Louis avait enlevé un poids énorme des épaules d'Émilie. Dorénavant, Charlotte ne serait plus une menace et Alicia deviendrait aux yeux de tous la fille du docteur Leclerc, l'aînée de leur famille. La paternité de Marc resterait donc un secret et il n'aurait plus le droit de revendiquer quoi que ce soit.

Ce qui ne changeait rien aux erreurs du passé mais allégeait l'avenir.

Ne restait plus qu'à s'excuser auprès de Charlotte pour avoir osé dire, en présence d'Alicia, que Marc était son père. Les mots lui avaient échappé, faisant germer une colère terrible dans le cœur de sa sœur.

— Et elle avait raison, murmura Émilie en s'étirant. Jamais je n'aurais dû dire ça.

Aujourd'hui, elle se sentait capable de l'admettre et curieusement, cela aussi la soulageait d'un poids immense.

Sans qu'elle ait vraiment pris conscience du geste, tout en réfléchissant, Émilie avait levé les yeux et elle fixait maintenant la toile accrochée au-dessus du foyer. Qui donc étaient les deux personnages qu'on y voyait? Quand Émilie avait peint cette mère et sa fille, elle ne voyait personne en particulier sinon le regret de ne pas être celle qu'elle dessinait. Au fil des mois, elle avait cru apercevoir un reflet de tristesse dans le regard des gens qui admiraient la toile. Ceux-ci s'imaginaient probablement qu'Émilie ne s'était toujours pas remise de la perte de son bébé. Dans un sens, ils n'avaient pas tort. La mort d'un enfant reste toujours sensible. Cependant, ce n'était pas une projection d'elle-même qu'elle avait voulu représenter sur la toile. C'était plutôt l'image que Charlotte et Alicia dégageaient quand elles étaient ensemble. Cette peinture, c'était beaucoup plus l'expression d'un grand désir que celle d'une grande amertume.

Plus que jamais, Émilie rêvait, elle aussi, d'avoir une famille. Hier soir, quand Charlotte en avait parlé avec Alicia, elle avait failli se lever pour annoncer à tous que Marc et elle avaient parlé d'adoption. Elle s'était retenue en se disant que cette soirée appartenait à Charlotte et Jean-Louis. Et puis, Marc et elle n'avaient encore rien arrêté de bien précis. Cette proposition d'adopter un bébé était encore à l'étape d'ébauche.

— Un peu comme quand on parle vaguement d'avoir des enfants un jour, murmura Émilie tout en fixant toujours la toile.

Curieusement, Émilie ne voyait pas le point commun qu'il y avait entre les deux situations. Pour elle, adopter un enfant était une chose, en faire un en était une autre. Plus que jamais, toutefois, elle voulait avoir des enfants. Elle aurait préféré qu'ils soient d'elle, mais la peur de les perdre en cours de grossesse était encore trop présente pour qu'elle arrive à se décider. À ses yeux, l'adoption était une solution. Non pas la solution mais une solution. D'autant plus merveilleuse que Marc semblait y souscrire sans la moindre arrière-pensée, sans le moindre regret. Ce qui l'avait énormément mais agréablement surprise.

Et cette idée d'adoption venait de son père.

À cette pensée, Émilie secoua la tête en fermant les yeux, la soirée de la veille lui revenant aussitôt à l'esprit, entraînant avec elle la dernière année qu'elle venait de vivre.

— Décidément, ce matin, je n'y échapperai pas, lança-t-elle en se relevant. Papa est présent partout. Aussi bien me mettre au dessin. Comme ça, j'arriverai peut-être à l'oublier.

Le temps d'enfiler sa chemise de peinture, d'ouvrir bien grands les rideaux, d'admirer la découpe du gros érable contre le ciel et Émilie se retournait face à l'atelier. Sans hésitation, elle retira la peinture qui séchait sur le chevalet et s'empara d'une toile vierge pour l'y déposer. Puis elle recula de quelques pas et fronça les sourcils. Elle resta immobile, subjuguée par une vision toute personnelle qui se profilait sur le blanc du canevas. Brusquement elle avança, prit le fusain qui reposait sur la tablette du chevalet et se mit à dessiner.

Toute une famille naquit au bout du fusain. Un homme, une femme, des enfants. Le fusain volait au-dessus de la toile, soulignant un détail, posant une ombre, rectifiant une expression. Alors qu'elle n'avait dessiné des visages à ses personnages qu'une seule fois, quand elle attendait Rosalie, ce matin, il lui semblait important de le faire. Le geste s'était imposé de lui-même et elle n'avait pas cherché à le contrer. Ensuite, à larges traits, Émilie suggéra un paysage. Des arbres, des fleurs, le toit d'une chaumière au loin apparurent pour créer tout un monde. Le monde d'une petite famille comme elle espérait en avoir une.

Quand elle jugea qu'elle avait terminé, Émilie recula de quelques pas. Même en noir et blanc, le dessin était lumineux.

Le temps d'apprécier l'ensemble de l'œuvre, un sourire aux lèvres, puis Émilie se concentra sur les personnages.

C'est alors que le sourire mourut et qu'elle éclata en sanglots. Sous la moustache de l'homme, elle venait de reconnaître le sourire de son père. Le père de son enfance, celui qui était sa sécurité et ses rires. Près de lui, il y avait une femme qui souriait en tendant la main à un des enfants qui jouaient auprès d'eux. Trois enfants comme les trois sœurs Deblois… Curieusement, cette femme souriante ne ressemblait nullement à sa mère.

Finalement, ce dessin n'était pas l'expression de ses plus grands espoirs comme elle s'était plu à l'imaginer, c'était plutôt un regard sur l'enfance qu'elle aurait tant aimé avoir.

Et celui qu'elle avait dessiné plus grand que nature, c'était son père.

C'était lui qu'elle surveillait matin après matin pour voir si la moustache avait les coins tombants ou relevés, donnant un aperçu de son humeur. C'était encore lui qui passait un temps infini à l'écouter lui expliquer les dessins qu'elle avait faits durant la journée quand quelque mal sournois la gardait clouée au lit. C'était toujours lui qui l'emmenait au petit casse-croûte déguster une glace au chocolat, en cachette, parce que sa mère n'aurait pas approuvé. Les fous rires et les complicités de son enfance, c'était avec son père qu'elle les avait vécus. Avec personne d'autre. Ni sa mère ni ses sœurs n'avaient partagé les quelques douceurs qui avaient aplani les rigueurs d'une enfance vécue sous le signe de la maladie.

Sa mère s'était occupée d'elle, bien sûr, inlassablement, mais c'était avec son père qu'elle avait ri et rêvé.

Comment avait-elle pu l'oublier ? Comment avait-elle pu croire que Raymond Deblois était un être fourbe, calculateur, hypocrite ?

Émilie s'essuya le visage du plat de la main, presque rageusement. Elle enleva ensuite le couvre-tout qu'elle portait dans l'atelier et elle se précipita vers l'entrée pour enfiler son manteau et ses gants et attraper son sac à main.

Elle dévala l'escalier et, sans le moindre moment d'hésitation, elle bifurqua vers la droite pour se rendre au bout de la rue afin d'attendre l'autobus qui la mènerait dans le nord de la ville.

Comme jamais auparavant, Émilie avait l'intuition qu'un nombre incalculable de morceaux manquaient au casse-tête de sa vie.

Il lui tardait de retrouver son père pour lui demander de l'aider à les retrouver. Elle savait que lui seul saurait l'aider à y voir clair. Elle ne comprenait toujours pas pourquoi il avait agi ainsi mais brusquement, elle avait le pressentiment que ce n'était pas le résultat de froids calculs pour se débarrasser de sa mère qui l'avait amené à demander son internement.

L'homme qu'elle avait dessiné ce matin était incapable de mesquinerie, de duperie.

Malgré cela, elle ne regrettait pas ce qu'elle avait fait pour aider sa mère. Les injustices en tous genres n'auraient jamais grâce à ses yeux. Cependant, elle regrettait amèrement la façon dont elle l'avait fait.

Et c'était surtout cela qu'elle voulait dire à son père. Lui demander pardon pour la façon dont elle avait agi. Quant aux résultats, ils pourraient peut-être en parler ensemble, s'il le voulait, et trouver une solution pour qu'Anne soit heureuse puisqu'il semblait bien que sa mère ne donnerait pas suite à la conversation qu'elles avaient eue ensemble au sujet de sa jeune sœur.

Quand Émilie monta dans l'autobus, elle avait retrouvé une partie de son assurance et toute sa bonne humeur. Le chauffeur lui rendit son sourire. Chaque fois que cette jeune femme prenait son autobus, cela faisait le bonheur de toute sa journée. Elle était si jolie et elle avait l'air si gentil.

## Chapitre 3

# *La musique et rien que la musique...*

Dans quelques semaines Noël serait là. Décembre était froid, glacial même, très venteux, mais il n'y avait toujours pas de neige. « C'est probablement pour ça que le vent me semble aussi cinglant. Jamais je n'ai eu aussi froid de toute ma vie. »

Anne avançait d'un bon pas, regrettant une fois de plus le Connecticut et ses hivers cléments. Là-bas, il y avait parfois autant de neige qu'à Montréal, mais le thermomètre oscillait rarement sous le point de congélation et la température, même si elle était particulièrement humide à cause de la proximité de la mer, lui semblait plus tolérable.

Maintenant Anne en était pleinement convaincue : elle détestait allègrement l'hiver, et Montréal, et sa mère, et l'école, et...

Par chance, il y avait encore un peu de musique dans sa vie.

Les jeudis et vendredis soir, à l'heure du souper, de même que le samedi en après-midi, Anne Deblois s'installait au piano de la procure de musique, rue Sainte-Catherine, pour le plus grand plaisir des clients et de monsieur Canuel, le propriétaire, qui avait vu sa clientèle croître de façon significative depuis l'arrivée d'Anne.

La jeune fille aussi y trouvait son profit. Non seulement gagnait-elle un peu d'argent, petit pécule qu'elle mettait scrupuleusement de côté, mais les heures passées assise devant le piano avaient conservé le pouvoir magique de lui faire oublier tout le reste. Même l'omniprésence de Blanche qui planait ombrageusement sur sa vie s'évanouissait, emportée par la magie du monde des notes.

Quand Anne entra dans la procure, elle était transie. Mais rien au monde, ni tempête, ni orage, ni ouragan, n'aurait pu l'empêcher de venir ici. Il planait dans l'air de la boutique une odeur indéfinissable, faite de bois, de papier, de métal bien poli et d'encaustique à plancher. Chaque fois qu'Anne entrait dans la procure, elle pointait le nez devant elle et humait profondément, les yeux fermés. Immuablement, comme si elle respectait un rite établi, le charme opérait aussitôt. C'était à cet instant bien précis que l'image de Blanche s'estompait, effacée par les odeurs. Pourtant, la jeune fille savait pertinemment qu'à son retour, sa mère la questionnerait dès l'instant où elle mettrait un pied dans l'appartement.

— Enfin te voilà ! Veux-tu bien me dire ce que tu fais de bon pour arriver aussi tard ?

La phrase, toujours la même, avait des consonances de litanie.

Invariablement, Anne haussait les épaules, passait devant sa mère sans répondre et se réfugiait dans sa chambre.

— Fais bien attention, ma fille ! lançait Blanche courroucée par une telle attitude. Le jour où j'en aurai assez, tu vas te retrouver au pensionnat ! Je ne te laisserai pas gruger le peu de santé qu'il me reste avec toutes les inquiétudes que tu me fais vivre. Ou tu changes d'allure ou je trouve un couvent situé assez loin d'ici pour que tu ne puisses revenir qu'aux vacances. C'est alors que tu vas regretter ton petit manège !

Menace brandie à grand renfort de cris, un index vindicatif poursuivant la fautive jusque dans le corridor avant de se buter sur une porte qu'Anne fermait juste assez violemment pour agacer Blanche qui, à ce geste, devenait encore plus rouge de colère.

— Insignifiante ! Tu ne perds rien à attendre.

La menace coulait sur la jeune fille comme l'eau coule sur le dos d'un canard. Depuis qu'elle avait compris que l'intervention d'Émilie pour faire fléchir sa mère et lui permettre de retourner aux États-Unis n'avait rien donné, Anne ne faisait même plus semblant d'être gentille. Blanche voulait la guerre, elle allait l'avoir. De toute façon, où Blanche trouverait-elle l'argent pour l'envoyer au couvent ? Elle avait reporté le déménagement à l'été suivant faute de moyens financiers suffisants, ce qui laissait supposer que ces menaces d'internat n'étaient que du vent. Et pour être bien certaine qu'aucun pensionnat de ce monde ne voudrait d'elle, juste au cas où sa mère trouverait une fortune insoupçonnée au fond d'un bas de laine, Anne cessa d'étudier. Les notes des examens qui apparaîtraient au prochain bulletin étaient catastrophiques. De ce fait, les professeurs avaient commencé par questionner, raisonner, s'impatienter, pour ensuite se plaindre d'elle auprès de la directrice de l'école, qui avait choisi d'utiliser l'argument suprême : si mademoiselle Deblois n'apportait pas de changements significatifs à ses études, ils n'auraient pas le choix de se référer à ses parents. « Ils » faisant référence bien sûr au corps professoral au grand complet qui se heurta à un mur. Anne choisit de faire la sourde oreille. Par ruse, elle fit mine d'apporter une attention polie aux demandes répétées des enseignantes. Attention qui était en réalité fort mitigée même si la perspective de voir sa mère être mêlée au dossier ne lui souriait guère. Tant qu'à fonctionner aux menaces et aux ultimatums, aussi bien ne pas y aller avec le dos de la cuillère! Anne avait l'impression de marcher sur le bord d'un précipice, mais comme cette sensation n'était pas vraiment nouvelle pour elle, elle avait choisi de s'en accommoder.

Or quand elle entrait dans la procure de musique, plus rien de cet univers pitoyable n'existait. Seule la musique avait préséance dans ce commerce un peu vieillot, légèrement poussiéreux qu'elle voyait beau comme un sanctuaire. Ici, plus de réprimandes, de questions ou d'invectives, monsieur Canuel l'accueillait systématiquement avec le sourire.

En effet, depuis cinq semaines maintenant, Robert Canuel attendait les jeudis avec impatience.

Jusqu'à ce jour, la vie de ce quadragénaire sans grand charme s'était résumée en une succession de jours, parfois ensoleillés, parfois pluvieux, mais invariablement logés sous le chapiteau de la musique. L'univers des notes n'avait aucun secret pour lui. De nature timide, voire anxieuse, jamais le jeune homme qu'il avait été n'aurait pu imaginer jouer devant un public. Une brève incursion dans le monde des cabarets quelques années plus tôt l'avait conforté dans ce choix. Pourtant, il était un habile musicien, touchant le clavier, pinçant les cordes sans pour autant dédaigner la famille des cuivres. Il lisait la musique comme d'autres la littérature, connaissait intimement compositeurs et auteurs puisque ceux-ci avaient remplacé les amis qu'il n'aurait jamais pu avoir du temps de sa jeunesse, à cause de sa trop grande retenue. À ses heures, il s'amusait même à composer de petites mélodies. Quand il avait entendu Anne jouer, la première fois qu'elle était venue chez lui, il avait eu la révélation de sa vie. Qui donc était cette jeune femme capable de faire passer autant d'émotion à travers quelques notes? Assurément, cette enfant était une envoyée du ciel, un signe du destin. Comment expliquer autrement que sans raison, cette adorable personne se soit installée au clavier, dans sa vitrine, et se soit mise à jouer comme si elle était seule au monde? Et quel talent! Durant un long moment, il était resté prostré derrière le comptoir, incapable de réflexion, ébloui, envoûté. Il devait la retenir, c'était évident. Il avait donc improvisé et s'était fait violence pour l'aborder, lui qui habituellement attendait que les clients fassent les premiers pas. Les résultats obtenus en terme d'achalandage lui avaient donné raison. Quelques concerts pour la clientèle et monsieur Canuel avait été séduit tant par la nature d'Anne, à la fois décidée et réservée, que par le talent incroyable dont le ciel l'avait dotée.

Quelques concerts, et Robert Canuel s'était surpris à compter les heures séparant le samedi après-midi du jeudi soir suivant.

Quand la porte du commerce se referma violemment, monsieur Canuel se retourna avec un brin d'impatience. Qui donc se permettait de troubler la quiétude qui régnait habituellement dans sa boutique? Quand il vit que c'était Anne qui venait d'arriver, ses sourcils se détendirent et sa bouche esquissa un sourire réservé. Chez cet homme discret, tout se jouait dans les demi-mesures. Il jugeait que c'était de bon ton pour un amant de la musique. Cependant, le plaisir de voir sa jeune protégée n'en fut pas moindre. À ses yeux, Anne était la femme qu'il n'avait jamais osé courtiser, celle qui ne dormait toujours pas dans son lit et l'enfant qu'il n'aurait jamais. Il vint à sa rencontre à petits pas serrés et l'aida à retirer son manteau.

— Vous êtes en avance, mademoiselle Anne.

— Ah oui ? C'est qu'il fait très froid, aujourd'hui. J'ai dû marcher un peu plus vite, c'est tout !

Le temps de frictionner ses bras pour se réchauffer et Anne levait la tête vers monsieur Canuel. Maquillée par le vent qui avait fouetté ses joues, elle avait les yeux brillants des larmes que le froid avait fait naître et le propriétaire de la procure la trouva particulièrement jolie, le bout du nez rougi. Il se détourna pour cacher son embarras.

— Je dépose votre manteau dans l'arrière-boutique et je reviens. Que comptez-vous nous jouer aujourd'hui ?

— Que diriez-vous de beaux cantiques et de mélodies de Noël ? proposa Anne en haussant la voix. Ça conjurerait peut-être le mauvais sort qui retient prisonnière toute cette neige. Elle serait si jolie en cette période de l'année. Qu'en pensez-vous ?

Quand elle était dans ce décor un peu désuet, Anne avait l'impression de se retrouver dans un monde intemporel. Même son langage s'adaptait aux notes anciennes qu'elle jouait pour plaire à monsieur Canuel qui, à première vue, ne jurait que par les grands classiques.

— Des chants de Noël ! Des cantiques ! Quelle bonne idée ! approuva l'homme grisonnant qui revenait de l'arrière du magasin. Cela me fait penser qu'il serait grand temps de s'occuper des décorations. Vous avez bien raison : la neige nous manque et j'ai peine à croire que les fêtes ne sont qu'à quelques pas ! Allez ! Installez-vous au piano, mademoiselle. Je vois quelques clients qui scrutent la vitrine. Enchantez-nous de vos belles mélodies !

Anne ne se fit pas prier. Quand venait le jeudi, c'était habituellement une crampe de plaisir qui l'éveillait le matin. Elle passait le reste de la journée à surveiller les aiguilles de la grosse horloge noire qui se tenait placidement entre les deux tableaux de sa classe. Les minutes tombaient au compte-gouttes. Dès que la cloche se faisait entendre, Anne se sauvait littéralement de l'école. Elle passait par la petite ruelle, déposait son sac dans le hangar voisin et se hâtait vers la procure, le rythme de ses pas soutenu par les notes qu'elle jouait mentalement dans sa tête pour se préparer à ce qu'elle appelait pompeusement son concert.

Anne était déjà devant le piano. Elle prit une profonde inspiration, délia ses doigts et s'installa sur le petit tabouret. Pour elle, le monde entier venait de se volatiliser. Il ne restait plus qu'un clavier, des notes et des centaines de mélodies qui résonnaient dans sa tête.

Elle commença par un chant profane, tout joyeux, enchaîna quelques beaux cantiques, reprit le rythme des chants américains entendus l'an dernier à la radio chez Jason. Elle jouait de mémoire, sans partition, la tête bien droite, les yeux mi-fermés.

Anne Deblois était présentement seule au monde, entourée de musique.

C'est pourquoi elle ne vit pas que la neige s'était mise à tomber. Ce fut monsieur Canuel qui le lui montra d'un signe discret, entre deux mélodies, alors qu'il répondait à des clients. Anne tourna la tête, aperçut des milliers de flocons tout légers qui tombaient mollement de l'autre côté de la vitre, revint à monsieur Canuel et lui offrit un large sourire accompagné d'un clin d'œil complice.

— Je le savais que la musique était magique ! lança-t-elle joyeusement.

Quelques personnes se mirent à rire et Anne enchaîna avec un *Jingle Bells* endiablé…

Il neigea sans arrêt jusqu'au samedi.

Contrairement à jeudi où elle avait couru tout le long de la route, ce matin, Anne avait pris tout son temps. La froidure des dernières semaines s'était atténuée et même si elle détestait l'hiver, elle ne pouvait rester insensible au charme de cette lourde neige qui avait métamorphosé le paysage en carte de Noël. Les arbres dénudés, les plantes oubliées, la moindre brindille séchée ployaient gracieusement vers le sol et les réverbères étaient encapuchonnés de blanc. Rues et trottoirs se confondaient, escaliers et chaînes de trottoir disparaissaient sous l'épaisse couverture ouatée.

Anne était partie nettement en avance. En fait, Anne s'était éclipsée dès qu'elle avait compris que sa mère venait de s'éveiller et cherchait à lui faire comprendre qu'elle n'était pas très bien et aurait donc besoin de son aide pour les courses hebdomadaires. Après une nuit particulièrement silencieuse, les moindres bruits extérieurs étant calfeutrés par la neige, des quintes de toux soutenues et répétées avaient surgi brusquement de la chambre maternelle. Il n'en fallait pas plus pour que la jeune fille subodore le stratagème, elle qui possédait un système d'alarme quasi infaillible concernant Blanche. À peine dix heures et Anne quittait le logement sur la pointe des pieds sans même déjeuner. Il n'était pas dit qu'elle allait encore une fois hériter des courses de la semaine au risque d'être en retard chez monsieur Canuel comme cela s'était produit samedi dernier.

Elle avait longuement marché sans but à travers le quartier commercial, admirant les vitrines, prêtant l'oreille aux conversations joyeuses des gens qui parlaient achats à faire et vacances prochaines. Elle regrettait amèrement de ne pas avoir pigé dans sa petite réserve pour pouvoir s'offrir un bon chocolat chaud au café voisin de la procure et qui semblait l'inviter à entrer quand elle revint sur ses pas. Elle s'attarda à envier les clients attablés et hésita une courte seconde lorsqu'elle arriva devant la vitrine de monsieur Canuel. Elle se décida enfin à entrer même s'il n'était pas tout à fait l'heure. Elle avait les pieds gelés et le bout des doigts gourds. Il lui faudrait un certain temps pour se réchauffer et se mettre en forme avant de pouvoir commencer à jouer.

Monsieur Canuel était grimpé dans un escabeau en train d'accrocher de longues guirlandes dorées et des étoiles d'argent. En sourdine, on entendait un cantique chanté par une chorale. Au son de la clochette qu'il avait pendue dans l'embrasure de la porte, et qui tinta quand Anne entra, il se retourna vivement.

— Mademoiselle Anne !

Il avait l'air ravi.

— Déjà ?

Par habitude, dans un premier temps, Anne se contenta de hausser les épaules. Pas question d'expliquer ce qui l'avait emmenée à quitter l'appartement de sa mère trop tôt. Pour aussitôt se reprendre en secouant ses bottes enneigées.

— Je n'ai pu résister au charme de la neige. Je me suis promenée un peu. C'est bien la seule chose que j'apprécie de l'hiver. Le décor est féerique.

Monsieur Canuel opina de la tête tout en continuant d'accrocher ses décorations.

— N'est-ce pas que c'est beau ? Pour moi aussi, c'est un peu la même chose. Le seul côté attrayant que je trouve à l'hiver, c'est cette sensation de dépaysement, de magie. Autrement, je déteste cordialement la neige et son cortège de désagréments.

— Bien d'accord avec vous.

Cependant, après une brève réflexion, Anne ne put s'empêcher d'ajouter :

— C'est curieux, mais enfant, j'aimais beaucoup la neige et les sports d'hiver, constata-t-elle. Il a suffi d'une seule petite saison dans un climat moins rigoureux pour que...

Anne se tut brusquement. Elle s'était fait un devoir de ne jamais parler d'elle-même à monsieur Canuel. Il n'avait pas à connaître les détails de sa vie, à commencer par l'âge qu'elle avait réellement. S'il fallait qu'il se mette à réfléchir comme le fleuriste et demande à rencontrer sa mère ! Pour l'instant, il n'avait rien demandé, alors Anne n'avait rien dit, heureuse de ne pas avoir à lui mentir.

— Ce doit être l'âge, enchaîna-t-elle un peu maladroitement, elle qui n'était toujours qu'une enfant, surtout aux côtés d'un homme grisonnant qui aurait pu facilement être son père !

Pourtant, monsieur Canuel ne se moqua pas comme la répartie d'Anne aurait pu l'inciter à le faire. Il devinait qu'il y avait une grande part de douleur dans cette émotion qui transpirait de sa musique, une grande part de solitude. Il en savait un bout sur le sujet. Alors, non, il ne se moquerait pas de cette jeune fille qui jouait à la dame. Il se contenta de descendre de l'escabeau pour prendre les vêtements qu'Anne avait retirés comme il le faisait chaque fois qu'elle arrivait dans son domaine.

— C'est vrai que l'on change en vieillissant, approuva-t-il. Mais est-ce là une bonne chose ?

Et sans attendre de réponse, il se rendit dans l'arrière-boutique, laissant une Anne un peu perplexe. Elle qui rêvait du jour où elle serait enfin une adulte pour n'avoir de compte à rendre à personne voyait brusquement sa conviction ébranlée. Comment pouvait-on dire que l'on regrettait son enfance ? Monsieur Canuel n'était-il pas heureux, ici, à vivre de la musique ? Pourtant, c'était exactement ce qu'Anne demandait à la vie : faire de la musique sans restriction, vivre entourée de musique. Le reste lui importait peu, sinon de partager tout cela uniquement avec des gens qui la comprendraient et accepteraient sa vision des choses. Et s'il n'y avait personne, alors tant pis. Elle vivrait seule, préférant, et de loin, la solitude à une suite de contraintes et de compromis comme elle en vivait depuis toujours.

Comme monsieur Canuel revenait dans la boutique, Anne n'eut le loisir de poursuivre sa réflexion et puisqu'elle ne connaissait pas encore très bien son employeur, elle n'avait pas envie de lui poser toutes les questions que sa remarque anodine avait fait naître en elle. Affichant un large sourire, elle lui proposa plutôt son aide pour terminer la décoration de la procure avant l'arrivée des habituels clients de l'après-midi.

Sur le coup d'une heure, sonnée à l'horloge grand-père qui se tenait benoîtement près du comptoir de la caisse, Anne s'installa au piano. La clientèle d'aujourd'hui était joyeuse, détendue. On parlait surprises et réunions de famille et Anne se laissa inspirer. Ritournelles et rigodons s'improvisèrent sous ses doigts, comme ça, simplement, pour être en accord avec le temps qu'il faisait et l'humeur des gens.

Monsieur Canuel fut débordé, ce samedi-là. Probablement que le temps avait transporté les citadins. Après tout, Noël n'était plus qu'à deux semaines. Toujours est-il que les acheteurs furent beaucoup plus nombreux qu'à l'ordinaire et monsieur Canuel ne vit pas le temps passer ni la température changer. Vers trois heures trente, surpris de ne plus être sollicité, il leva les yeux. La boutique s'était vidée et dehors, le vent s'était levé.

Anne jouait toujours. Après une courte pause vers deux heures et demie, elle avait repris son petit concert. Maintenant, elle interprétait une valse de Strauss, comme on en entendait parfois aux abords des patinoires publiques. La jeune pianiste avait les yeux fermés et semblait particulièrement sérieuse. Son attitude contrastait avec la légèreté de l'œuvre, ce qui intrigua monsieur Canuel. Peut-être étaitelle aussi grave parce qu'on était samedi et qu'il n'y aurait plus de musique avant cinq longues journées. Peut-être, mais cela, le propriétaire de la procure ne le savait pas. Il ne savait rien d'elle. Malgré tout, il se refusa à l'interrompre et il attendit que résonne la dernière note avant de l'interpeller.

— Mademoiselle Anne?

La jeune fille ouvrit lentement les yeux, arrachée à son rêve, puis les écarquilla en jetant un regard autour d'elle, surprise de constater qu'il n'y avait plus personne dans le magasin.

— Mais qu'est-ce qui se passe?

— Regardez!

Anne tourna la tête dans la direction indiquée par monsieur Canuel. Dehors, la belle neige du matin s'était transformée en tempête. On n'y voyait pas à dix pieds. Sur la rue, plus un seul passant et quelques boutiques affichaient déjà *Fermé*. Un chapeau, un feutre mou comme tant d'hommes en portaient cet hiver, venu peut-être de très loin, roula dans la neige, soulevé et rabattu par la bourrasque. Anne s'amusa à le suivre des yeux jusqu'à l'instant où elle comprit qu'elle ne pourrait jamais retourner chez elle par un temps pareil. En une fraction de seconde, l'impression de ravissement fut oblitérée par celle d'une profonde consternation, suivie aussitôt par une sensation de panique comme il y avait longtemps qu'elle ne l'avait ressentie. Délaissant le piano, elle fit les quelques pas qui la séparaient de la vitrine et scruta le ciel, les yeux mi-clos, éblouie par l'intensité lumineuse qui semblait émaner de toute cette neige folle qui tourbillonnait inlassablement. L'horizon était inexistant, le paysage urbain n'était plus qu'un amalgame de gris et de blanc qui se détachait sur le brun de la brique des édifices voisins, ces derniers ressemblant de plus en plus à des maisons fantômes.

— Blanche va m'arracher la tête si je n'entre pas coucher, murmura Anne, atterrée, s'imaginant pliée en deux, marchant contre le vent ou, figure plus pitoyable encore, tenant tête à une Blanche transformée en furie.

— Qui est Blanche?

Anne sursauta. Elle n'avait pas entendu venir monsieur Canuel qui l'avait rejointe sur la petite estrade à une marche qui servait de vitrine à la procure.

— Blanche? bredouilla-t-elle. Je... je parlais de la neige. La neige blanche... Cette neige blanche risque de m'empêcher d'entrer chez moi. Ce... C'est ce que j'ai dit. La neige blanche...

— Je vois.

En fait, monsieur Canuel ne voyait rien du tout, sinon que sa jeune pianiste était en train de s'enliser dans des explications nébuleuses aussi sûrement qu'elle allait s'enfoncer dans la neige si elle s'aventurait à l'extérieur. Il avait fort bien entendu, il avait l'oreille fine et juste, et Anne avait fait référence à quelqu'un et non à la poudreuse qui heurtait la baie vitrée au rythme des rafales. Pourtant, il n'insista pas. Qu'aurait-il pu dire pour la réconforter ? Tant par respect pour cette intimité que sa jeune protégée semblait vouloir défendre farouchement que par timidité naturelle, Robert Canuel préféra se taire. Les femmes, toutes les femmes, de la plus jeune à la plus âgée, lui avaient toujours paru entourées d'une auréole mystérieuse qui les rendait inaccessibles. Il toussota maladroitement, recula d'un pas, regarda autour de lui comme si quelqu'un avait pu le surprendre dans sa gaucherie, admira au passage le profil de la jeune fille qui regardait toujours à l'extérieur puis se détourna précipitamment. Ce faisant, il faillit perdre pied en descendant de l'estrade, se rattrapa en s'appuyant sur une contrebasse qui glissa sur le plancher en grinçant. Il rétablit habilement l'équilibre de l'instrument et se précipita vers l'arrière du magasin, rouge de confusion.

— La neige blanche, lança-t-il derrière lui d'une voix étranglée. Vous avez bien raison, mademoiselle Anne, la neige blanche risque fort de vous retenir ici pour un moment. Cette neige trop blanche est fort embêtante en cette fin de journée, n'est-ce pas ? constata-t-il en s'empêtrant dans ses maladresses comme Anne s'était empêtrée dans ses explications boiteuses.

Il se tut soudainement, conscient du ridicule de ses propos. Du précaire de la situation.

Heureusement, Anne n'avait pas vraiment porté attention à ses paroles. Elle semblait complètement absorbée dans une contemplation qu'il jugea aussitôt hors de propos. Que se passait-il donc ? Incapable de répondre à cette question, monsieur Canuel fourragea dans les factures qu'il avait empilées sur le bout du comptoir de bois verni tout au long de l'après-midi et il se mit à les trier un peu n'importe comment, s'occupant les mains à défaut de pouvoir le faire avec sa pensée qui tournait inlassablement autour d'Anne, laquelle, pour l'instant, l'intriguait grandement. Quinze minutes de ce manège insensé et il comprit qu'il devait réagir. Si Anne semblait transformée en statue, lui, par contre, commençait à ressentir un malaise indéniable. Après tout, il était ici chez lui et il semblait bien qu'il y aurait une invitée à souper.

À la simple perspective de convier Anne à monter chez lui, à l'appartement qu'il occupait au-dessus de son commerce, il ferma les yeux. Hormis sa vieille mère, jamais une femme n'avait franchi le seuil de son modeste logement. Et que ladite personne ne soit encore qu'une ébauche de femme ne changeait rien aux équations du problème. De toute façon qu'en savait-il ? Anne pouvait fort bien n'avoir que seize ou dix-sept ans, comme il tentait de s'en convaincre. Mais elle pouvait aussi avoir plus de vingt ans, ce qui laissait une marge de manœuvre possible. Dire qu'il n'était pas à l'aise n'était qu'un euphémisme. Il soupira, tourna machinalement la tête vers l'horloge qui affichait à peine quatre heures et constata, surpris, qu'il faisait déjà presque noir. Machinalement, il poussa le bouton de l'interrupteur sur le mur derrière lui. Les néons crachotèrent un moment, hésitants, puis envahirent l'espace jusque dans ses moindres recoins. Monsieur Canuel battit des paupières, repoussa les factures et toussota de nouveau afin d'attirer l'attention d'Anne. La jeune fille se retourna aussitôt.

— Il serait temps que je parte, n'est-ce pas ? Vous voudriez fermer.

— Fermer, oui, c'est certain. Plus personne ne viendra par ce temps. Mais pas question de vous permettre de quitter. Ce serait une folie de croire que vous pourriez retourner chez vous avec cette tempête.

— Pourtant, il va falloir que j'y aille. Sinon, on risque fort de...

— Pas question !

La détermination que monsieur Canuel avait mise dans sa voix les surprit tous les deux. Anne le dévisagea, interdite, et le propriétaire y puisa un semblant d'assurance.

— Jamais je ne vous laisserai partir, réaffirma-t-il sur un ton plus doux. C'est insensé. Je vais monter chez moi et voir ce que je peux nous préparer pour souper. Vous m'attendrez ici. Si vous avez quelqu'un à prévenir, vous n'avez qu'à utiliser le téléphone qui est sur mon bureau dans l'arrière-boutique.

Cette proposition était la seule chose sensée qui lui était apparue. Mais Anne ne vit pas la situation du même œil. Les quelques mots de monsieur Canuel avaient eu l'heur de faire reculer Blanche de quelques pas dans son esprit. Elle regarda son patron avec une lueur d'intérêt au fond des prunelles.

— Chez vous ? En haut ? fit-elle en pointant le plafond avec un doigt. Vous habitez en haut ? Chanceux !

Anne sauta en bas de l'estrade.

— Pourquoi tant de complications ? Je n'ai qu'à monter. Ce sera bien plus simple comme ça !

Nulle coquetterie dans le propos. Monsieur Canuel y entendit plutôt une curiosité d'enfant qui lui procura aussitôt une bonne dose d'assurance. Quand donc allait-il cesser de fabuler sur toutes les femmes qui croisaient sa route ? Si cela se trouvait, Anne était encore plus jeune que tout ce qu'il se figurait. Une enfant, Anne n'était encore qu'une enfant cachée dans un corps de femme. Il inspira profondément, curieusement rasséréné. Le vieux célibataire qu'il était pouvait bien inviter une enfant à partager le repas avec lui. C'était moins compromettant que d'inviter une dame. Alors il bomba le torse et désigna une porte qu'Anne n'avait jamais remarquée auparavant.

— C'est l'accès à l'escalier qui monte chez moi. Allez m'y attendre. Je verrouille, j'éteins et je vous rejoins. Vous pourrez prévenir chez vous de là-haut.

Ils montèrent l'un à la suite de l'autre un escalier en colimaçon qui débouchait sur un long corridor.

Du deuxième étage, la tempête semblait encore plus violente.

Monsieur Canuel demanda à Anne de l'attendre au salon, le temps qu'il fasse l'inventaire des quelques provisions qu'il gardait habituellement au réfrigérateur.

— Quand on vit seul, vous savez, on ne fait pas vraiment de réserve.

— Je dérange, n'est-ce pas ?

— Mais qu'est-ce que c'est que cette idée-là ? On fera à la fortune du pot, tout simplement. Installez-vous. Le téléphone est dans le couloir à gauche.

Le téléphone ?

Anne hésita. Elle n'avait pas envie de prévenir sa mère, pas envie de faire un appel qui risquait de tourner en confrontation dont monsieur Canuel pourrait être témoin. Elle décida d'attendre.

Après tout, il n'était que quatre heures et quelque…

— Plus tard, murmura Anne. J'appellerai plus tard si je vois que le temps ne change pas.

Au même instant, la voix de monsieur Canuel lui parvint de la cuisine.

— Je suis plus riche que je ne le croyais. Une omelette au jambon précédée d'une soupe en boîte, cela vous irait ?

— Parfait ! lança joyeusement Anne tout en se dirigeant vers la voix qui lui parvenait du fond du couloir.

« C'est déjà mieux que chez moi, la plupart du temps », pensa-t-elle en entrant dans la cuisine. Puis elle ajouta à voix haute :

— Mais pas question de vous attendre au salon. Donnez-moi un couteau et je vais couper le jambon pendant que vous battrez les œufs.

Robert Canuel regarda Anne durant un moment avant de répondre. Avoir quelqu'un sous son toit, lui donnant la répartie, se proposant de l'aider émouvait le vieil ermite qu'il s'imaginait être.

— D'accord, finit-il par dire en ouvrant un tiroir. Mais juste le jambon. Après vous irez au salon.

Puis après une légère hésitation, il proposa :

— Puis-je vous offrir un doigt de Porto ?

C'était l'unique formule de politesse qu'il connaissait quand venait quelque visite. Un peu de Porto et une conversation au salon, comme il avait vu sa mère le faire.

Anne, pour sa part, se sentit rougir, détourna la tête, gênée, mais reprit sur elle rapidement. Du Porto ? Après tout, pourquoi pas ? Si monsieur Canuel lui offrait un apéritif comme en prenaient parfois son père et Antoinette, c'était qu'elle n'avait aucune crainte à avoir concernant son âge. Il la croyait assurément plus vieille qu'elle ne l'était réellement.

— D'accord. Mais alors, juste un doigt, précisa-t-elle, reprenant l'expression de son patron sans trop savoir ce qu'elle voulait dire.

Le temps d'ouvrir une armoire, de sortir verre et bouteille, et monsieur Canuel lui présentait un petit ballon où un beau liquide de couleur grenat captait les éclats renvoyés par le luminaire de la cuisine. Déposant le verre sur la table, Anne commença par couper le jambon, ce qu'elle fit en un tournemain, puis retourna s'installer au salon comme monsieur Canuel le lui avait demandé. Heureusement qu'elle était seule quand elle se décida à porter le verre à ses lèvres, car le goût du Porto la fit grimacer.

Quelques instants plus tard, une bonne odeur de beurre et d'oignons envahissait le logement.

Ils mangèrent de bon appétit et firent la vaisselle ensemble tout en discutant musique, un terrain neutre qui leur convenait à tous les deux.

Dehors la tempête ne faiblissait pas.

Anne avait insisté pour laver la vaisselle. Manches relevées, cheveux en bataille, elle avait le teint rosi par la vapeur qui s'élevait de l'évier. Pour la seconde fois en fort peu de temps, monsieur Canuel la trouva jolie et se demanda quel âge elle pouvait bien avoir. Il fut aussitôt incommodé par cette interrogation. Il retint un soupir d'impatience envers lui-même et s'empara de la pile d'assiettes pour la porter à l'armoire. Mais quelle sorte d'homme était-il donc? Cela n'avait aucun sens de penser à Anne autrement qu'à une charmante jeune fille douée d'un talent musical hors du commun. Qu'elle ait plus de vingt ans ne changeait rien à la réalité qu'il était en âge d'être son père.

C'est alors qu'il se décida, d'un seul coup, lui qui était généralement si indécis, si hésitant.

Entre eux, il y avait la musique à laquelle ils vouaient une passion identique. Il ferait donc passer toutes les émotions que la jeune fille faisait surgir en lui par la musique.

— Laissez tomber tout cela. Je m'en occuperai plus tard, fit-il en lançant le linge à vaisselle sur la table et en pointant l'évier du doigt. Venez, j'ai quelque chose à vous montrer.

Aussitôt le regard de la jeune fille se mit à briller.

— Quelque chose? Un instrument de musique ancien? Des partitions inédites?

Anne avait l'air d'une enfant en route pour le cirque et cette attitude fut salutaire à monsieur Canuel. Bien sûr qu'elle n'était qu'une gamine. Il lui sourit tandis qu'elle avait pris le torchon de cuisine et qu'elle s'essuyait les mains.

— Allez! Venez, vous allez voir!

Le regard brillant d'Anne était, à lui seul, suffisant pour avoir envie de lui faire visiter ce qu'il avait toujours appelé son antre. Jamais auparavant, il n'avait autorisé qui que ce soit à y pénétrer. Même les quelques amis qu'il rencontrait à l'occasion dans un bar de l'ouest de la ville où il allait parfois entendre certains orchestres américains jouer du jazz ne connaissaient pas l'existence de cette pièce. Anne serait la première à partager son secret.

— Fermez les yeux, demanda-t-il.

Anne se prêta aussitôt au jeu.

— D'accord, répondit-elle. Guidez-moi.

Et en disant ces mots, elle tendit la main.

Monsieur Canuel ne put résister et il emprisonna la main d'Anne dans la sienne, surpris de constater toute la force qui émanait de doigts aussi fins. Il la mena au bout du corridor. Anne entendit une poignée que l'on tourne puis le grincement d'une porte qui s'ouvre.

— On y est ! Vous pouvez ouvrir les yeux.

Anne fit un pas et regarda autour d'elle. Elle venait de pénétrer dans la caverne d'Ali Baba.

C'était une grande pièce, où trônaient en rois et maîtres une bonne dizaine d'instruments de musique. Les murs étaient particuliers et Anne ne put s'empêcher d'y toucher, curieuse.

— C'est un capitonnage qui étouffe les sons. Je peux ainsi jouer quand je veux, sans déranger qui que ce soit. Même la nuit.

— La nuit ?

Monsieur Canuel étouffa un rire gamin.

— Il m'arrive, oui, de jouer la nuit quand le sommeil se fait capricieux.

— Chanceux !

Anne avança plus avant dans la pièce. Il y avait un piano, bien sûr, mais aussi une trompette et un saxophone, une contrebasse et une guitare, un violon et quelques flûtes, posées sur une étagère, des lutrins, des milliers de partitions dans une bibliothèque à côté d'une bonne centaine de livres…

Anne pivota sur elle-même, ne sachant où arrêter son regard. Elle jouait du piano, elle aimait jouer du piano, mais ce qu'elle aimait par-dessus tout, c'était la musique. Toutes les musiques. Jamais elle n'avait été aussi impressionnée, aussi attirée par un endroit.

Anne se tourna alors vers monsieur Canuel.

— Et vous jouez de tous ces instruments ? demanda-t-elle à la fois incrédule et envieuse.

— Oui, j'en joue. Bien modestement.

Ce fut alors qu'Anne remarqua que le propriétaire de la

procure avait les yeux tout brillants. Et ce n'était pas de la fierté qu'elle lisait dans le regard qui se posait sur elle. Monsieur Canuel était trop humble, trop effacé pour être imbu de lui-même. Non, les yeux de monsieur Canuel ressemblaient à ceux de son père quand il regardait Antoinette. Anne esquissa un sourire. Monsieur Canuel était amoureux. Amoureux de la musique. Tout comme elle. Il n'était pas un commerçant qui avait décidé de vendre de la musique. Il était un musicien qui voulait partager sa passion. Aux yeux de la jeune fille, il y avait un monde entre les deux. Anne joignit les mains à hauteur de cœur et demanda avec ferveur :

— S'il vous plaît, jouez quelque chose.

— Moi ? Que je... Mais non, voyons. C'est vous qui devriez...

— Je vous en prie. Jouez pour moi.

Demandé de cette façon, monsieur Canuel ne pouvait refuser. Il s'installa donc au piano, intimidé, le cœur battant. Habituellement, il ne jouait que pour lui. Puis il posa délicatement les mains sur le clavier, ferma les yeux, prit une profonde inspiration et laissa ses doigts le guider.

Il enchaîna deux courtes pièces de Mozart et une sonate de Chopin.

Anne avait, elle aussi, fermé les yeux et se laissait porter par la musique. Mais quand elle entendit les premières mesures de « Für Elise », elle ne put résister. Se glissant sur le banc à côté de monsieur Canuel, elle joignit ses accords aux siens et ils jouèrent la pièce à quatre mains comme elle aimait tant le faire avec sa grand-mère.

Quand les dernières notes se turent, un remous de nostalgie et d'ennui submergea Anne. Pendant quelques instants, elle avait oublié Montréal, la tempête et sa mère. En ouvrant les yeux, elle aurait bien aimé que Jason soit là, assis dans le grand salon qui donnait sur la mer. Mais il n'y avait que des murs un peu bizarres et une fenêtre donnant sur l'hiver. De grosses larmes perlèrent à ses cils. Gênée, Anne détourna la tête pour les essuyer.

— Vous m'avez permis de vivre quelques beaux souvenirs, formula-t-elle en guise d'explication à cette soudaine émotion.

Puis elle se releva et s'approcha de la fenêtre. Il neigeait toujours mais le vent était tombé. Anne tenta de se rappeler la baie devant la maison d'Antoinette. En février dernier, ils s'étaient levés un bon matin et ils avaient eu l'impression de se retrouver sur une autre planète tellement il avait neigé durant la nuit. C'était ahurissant de voir les vagues continuer leur incessant manège dans ce décor lunaire. Ici, ce n'était qu'une ville engloutie qui devrait s'en remettre le plus rapidement possible. Dans la ruelle, un homme avait déjà sorti sa pelle et s'attaquait aux montagnes de neige qu'il y avait devant sa porte.

— Je crois que je vais pouvoir rentrer chez moi, observa-t-elle avec une pointe de regret dans la voix.

Regret d'être à Montréal, regret de devoir s'en aller, Anne n'aurait su le dire. C'était un immense vague à l'âme sans origine précise, sans destination non plus. Que son habituel mal d'être qui était de retour.

Elle revint face à la pièce. Monsieur Canuel n'avait pas bougé d'un iota sauf ses épaules qui s'étaient affaissées comme s'il était terriblement fatigué. Sentant le regard d'Anne posé sur lui, il tourna la tête vers elle.

— Comme cela, la tempête s'est calmée ?

Anne haussa les épaules avec fatalisme.

— On le dirait bien. C'est dommage, j'aurais passé la nuit ici à faire de la musique avec vous.

Il y avait tant de déception dans la voix d'Anne que monsieur Canuel se releva pour venir jusqu'à elle.

— Allons ! Ce n'est que partie remise. Dorénavant, vous viendrez ici quand vous en aurez envie. Chaque fois que vous voudrez faire de la musique, vous n'aurez qu'à le dire. Cette pièce, ajouta-t-il en la montrant d'un large mouvement du bras, c'est notre secret. Vous y êtes chez vous, ma chère enfant. Mais pour l'instant, les vôtres doivent s'impatienter. Il serait plus sage de rentrer.

— Les miens ?

Anne égrena un rire amer.

— Les miens se résument à une mère qui déteste m'entendre jouer du piano. Elle dit que je pioche et que ça lui donne la migraine. Alors, si elle s'inquiète, si elle s'impatiente, comme vous dites, je m'en soucie comme d'une pomme. Mais vous avez raison, je vais rentrer quand même. Je n'ai pas le choix.

Et sans rien ajouter, Anne quitta la pièce et se dirigea vers l'escalier qui donnait dans la boutique. Il lui fallait partir le plus vite possible, sinon elle n'en serait plus capable.

Elle s'habilla en silence. Un silence que monsieur Canuel respecta. Il avait perçu tellement de colère, de rancune dans la voix de la jeune musicienne quand elle avait parlé de sa mère qu'il n'osait la relancer. Qui donc était Anne Deblois ? La jeune fille enjouée, primesautière parfois, qui s'installait dans la vitrine de sa boutique pour jouer du piano ou la femme désabusée, presque dure qu'elle avait laissé entrevoir ?

Au moment où elle allait partir à l'attaque des nombreux monticules de neige qui parsemaient la rue Sainte-

Catherine, Anne sembla prendre conscience de la présence de monsieur Canuel à ses côtés. Elle le regarda longuement puis lui fit un petit sourire sans joie avant de plaquer impulsivement un baiser sonore sur sa joue.

— Merci pour tout.

Ouvrant la porte, elle enjamba la butte de neige qui s'était ramassée sur le perron de la procure et s'élança vers la rue. Laissant la porte entrouverte, Robert Canuel la suivit du regard, une main posée sur sa joue. Il aurait été brûlé par un tison que la sensation n'aurait pas été plus intense. Quand Anne se retourna pour le saluer d'un grand signe du bras, il y répondit aussitôt. Quand elle eut disparu au coin de la rue, il referma lentement la porte et y appuya le front. La fraîcheur de la vitre lui fit du bien. Il revint alors sur ses pas, poussa le bouton de l'interrupteur et là, dans le noir, il murmura en regardant le piano qui luisait dans la lumière du réverbère:

— Je vous aime, mademoiselle Anne. Je vous aime.

Puis il monta chez lui et s'enferma dans la salle de musique…

* * *

Depuis six nuits, Blanche ne dormait plus du tout.

Tout avait commencé, il y a quelques semaines de cela, par des nuits agitées, entrecoupées de longues périodes d'insomnie. Un peu de lait chaud au miel lui avait apporté un semblant de réconfort et avait permis de retrouver la chaleur de ses draps et un sommeil léger. Malheureusement, la médecine n'avait pas été efficace très longtemps. Trois ou quatre nuits plus tard, ni lait chaud ni miel n'arrivaient à la réconforter.

L'insomnie était devenue récurrente.

Maintenant, au fil des heures normalement vouées au sommeil, il ne restait plus que de trop courtes minutes d'une somnolence troublée par l'anxiété qui survenait un peu n'importe quand, de jour comme de nuit. En tout, Blanche calculait que cela faisait plus d'un mois qu'elle n'avait pas dormi une nuit normale.

Comment voulez-vous, dans de telles conditions, qu'elle soit de bonne humeur ? Elle déjà si fragile, comment pouvait-elle, sans sommeil, être attentive et disponible aux demandes et aux caprices d'une enfant qui se montrait aussi obstinée, pour ne pas dire entêtée, qu'une vieille bourrique !

Blanche ne se pouvait plus d'inquiétude.

Ajoutez à cela les contraintes d'un budget plus que restreint, elle ne survivrait probablement pas à l'hiver.

C'était ce qu'elle pensait jusqu'à vendredi dernier. Depuis samedi, c'était devenu une certitude. La conviction angoissée qu'Anne allait la rendre folle. Et cette fois-ci, ce serait vrai et irréversible.

Car, jusqu'à aujourd'hui, par un déconcertant tour de force, Blanche avait réussi à contrôler ses appréhensions de tout acabit en se disant que les absences de sa fille n'étaient autres que des bouderies. C'était dans la nature d'Anne de la contrarier.

Mais depuis ce matin…

Pourtant, la journée avait commencé normalement et Blanche n'aurait pu se douter de quoi que ce soit. Lorsqu'elle avait entendu la porte d'entrée se refermer silencieusement, elle avait vite compris qu'Anne s'esquivait une fois de plus. Elle s'était redressée carrément dans son lit comme un ressort trop remonté et, boudant les pantoufles qui attendaient sagement auprès de son lit, elle s'était précipitée à la fenêtre. Le capuchon rouge de sa fille se dandinait sur le trottoir en bas de chez elle, direction sud. Blanche avait regretté de ne pas être plus matinale. Si elle avait été habillée, elle aurait pu la suivre. Elle avait soupiré avec humeur. Elle en serait quitte pour faire les courses elle-même, au péril de sa santé, car il y avait ce petit grattement au fond de la gorge qui ne présageait rien de bon et en hiver, les pneumonies courent les rues, c'est bien connu. Il aurait mieux valu qu'elle reste bien au chaud, chez elle.

Quand elle était entrée dans la cuisine, la mauvaise humeur avait cédé le pas à l'inquiétude et Blanche avait oublié qu'elle aurait dû se tracasser de voir Anne quitter si tôt un samedi matin. Elle s'était contentée de lui en vouloir d'avoir filé comme une voleuse sans se soucier d'elle.

Trois cafés plus tard, elle n'avait toujours pas décoléré. À cause d'Anne, elle avait les nerfs en pelote. Elle se sentait comme un volcan en activité sur le point de faire éruption. Elle en profita pour entretenir la lave de la rancune que lui inspiraient les agissements de sa fille. Si ce n'était de perdre la face, elle la réexpédierait à son père sans aucune forme de discussion.

En un mot, elle en avait assez !

Ce fut la tempête, aussi subite qu'imprévue, un peu après midi, qui ramena l'inquiétude. Une inquiétude vive, douloureuse, enrobée d'impatience.

L'après-midi traîna en longueur d'une bourrasque qui se lamentait à la fenêtre du salon à une porte de hangar qui claquait près de celle de la cuisine. Blanche passa cet interminable après-midi à battre de la semelle d'une fenêtre à l'autre, à sursauter d'un bruit à l'autre. Mais où donc pouvait bien être sa fille ? Avait-elle trouvé un abri ? Et pourquoi ne téléphonait-elle pas ?

La noirceur tomba subitement, transformant l'inquiétude en angoisse.

Anne avait été attaquée, agressée par un quelconque quêteux qui hantait les rues. À l'heure actuelle, elle gisait inanimée au fond de l'un de ces trop nombreux hangars qui déparaient les arrière-cours.

L'amour maternel connaissait un sursaut de vitalité. Blanche s'affaissa dans le premier fauteuil venu en se tordant les mains. À chaque rafale de vent, elle cessait de respirer durant une fraction de seconde, épiant le moindre bruit. On allait frapper à sa porte et lui annoncer l'irréparable.

Puis le vent se tut et le ciel ne laissa plus tomber qu'une neige en gros flocons, digne d'un conte de Noël. Sur le sapin illuminé de l'épicerie, qu'elle voyait en diagonale depuis son salon, l'effet était magique. Le temps d'une profonde inspiration, Blanche se laissa aller à cette magie. Le bruit d'une sirène qui hurlait au loin lui ramena son impatience et son inquiétude. Mais où donc se cachait Anne ? Elle était partie depuis près de douze heures.

C'est alors que l'idée surgit. Une idée qu'elle ne prit pas le temps d'analyser puisqu'elle était guidée par son amour maternel qui n'en pouvait plus de s'inquiéter. Elle allait en avoir le cœur net, une bonne fois pour toutes. Sûrement qu'il y avait des indices pouvant expliquer fugues répétées et silences butés.

Blanche emprunta le corridor d'un pas décidé, entra dans la chambre d'Anne, ferma les yeux sur le fouillis indescriptible qui régnait en ces lieux et se dégagea un passage *manu militari* vers le fond de la pièce. À la poussière qui recouvrait la table de travail, il ne faisait aucun doute qu'Anne n'avait pas beaucoup étudié ces derniers temps. Seconde inspiration profonde en moins de quelques minutes, mais qui, cette fois-ci, n'avait rien à voir avec la magie des fêtes, et Blanche s'installait sur la petite chaise de table à cartes qui faisait office de fauteuil dans la chambre de sa fille.

Il faisait particulièrement froid dans la pièce et cela interrompit momentanément l'inquisition de Blanche. Elle regarda méthodiquement autour d'elle. La fenêtre lui sembla la coupable. Le bois ayant gauchi avec les années, le cadre laissait s'infiltrer un filet d'air qui sifflait désagréablement en agitant les rideaux. Agacée, Blanche attrapa la première couverture venue et s'en drapa en frissonnant. Il n'était pas dit qu'elle mourrait frigorifiée à cause de sa fille.

Puis elle commença son inspection.

Vêtements et cahiers cohabitaient en désordre aussi bien sur le plancher que sur le pupitre. Blanche plongea courageusement la main dans le tas et extirpa une liasse de feuilles brochées ensemble. C'était un examen de mathématiques. Nul besoin de le feuilleter, la note, soulignée de rouge au crayon gras, était suffisamment éloquente. Sans équivoque, c'était un lamentable échec. Blanche ferma les yeux de découragement. Non seulement Anne brillait-elle souvent par son absence mais en plus, les quelques heures qu'elle passait enfermée dans sa chambre n'étaient, de toute évidence, nullement consacrées aux études.

Mais que faisait-elle de son temps?

Blanche ne savait plus trop si elle était inquiète, découragée ou en colère.

Elle opta pour un amalgame des trois. Après tout, elle

était la mère et chacune de ces émotions était légitimée par l'attitude pour le moins étrange de sa fille. L'ennui de la musique et les bouderies ne pouvaient à eux seuls tout justifier, cela aurait été trop facile de le croire et avec Anne, rien, jamais, n'avait été facile.

Dès lors, la fouille de Blanche devint systématique.

Aucun détail n'échappa à son œil critique et vigilant. Des sous-vêtements empilés dans un coin aux chandails tire-bouchonnés, des jupes en accordéon aux livres et manuels scolaires, Blanche manipula tout, secoua tout, ouvrit tout.

Ce fut finalement sous le lit, dans une boîte de carton ayant déjà renfermé des biscuits soda qu'elle découvrit ce qu'elle estima être le pot aux roses.

Il y avait, bien enroulés sur eux-mêmes, plus de cinquante dollars, en petites coupures de un et deux dollars. Pas de monnaie, pas de gros billets.

Blanche compta et recompta, éberluée.

Sa réaction première fut une vague de ressentiment. Alors qu'elle savait fort bien que sa mère avait de la difficulté à joindre les deux bouts, Anne n'avait pas eu la délicatesse de lui proposer de l'aider.

Sa réaction seconde fut plus anxieuse.

Mais d'où venait tout cet argent?

L'idée que Raymond puisse être à l'origine de cette fortune lui effleura à peine l'esprit. Son mari n'avait peut-être pas le cœur à la bonne place, mais il était économe. Jamais il n'aurait pu donner autant d'argent à Anne en si peu de temps.

Blanche resta un long moment, assise à même le plancher, à contempler les billets.

Ne restait plus maintenant que la curiosité, associée à une

bonne dose d'inquiétude. Comment une enfant de quinze ans pouvait-elle arriver à se procurer autant d'argent? Ce qui la ramena à l'obsession des derniers mois. Que faisait Anne de toutes ces heures hors de la maison? Comment pouvait-elle trouver autant d'argent alors qu'elle ne savait rien faire de ses dix doigts hormis piocher sur un clavier? Ce n'était sûrement pas la musique qui lui avait permis de gagner cet argent, malgré tout le respect qu'elle devait à madame Mathilde qui avait affirmé qu'Anne avait du talent. Indiscutablement, dans l'esprit de Blanche, il y avait talent et talent. Sa fille ne pouvait avoir atteint le statut de virtuose.

Blanche jeta l'argent dans la boîte, la referma et la glissa sous le lit, là où elle l'avait découverte. Brusquement, cet argent lui brûlait les doigts. Trop de suppositions méprisables, trop d'images honteuses lui encombraient l'esprit.

Sans hésiter, Blanche se releva et quitta la chambre précipitamment en refermant la porte derrière elle.

Raymond n'avait peut-être pas donné cet argent à Anne mais il était tout aussi responsable de l'état des relations qui existaient entre elles.

Elle l'avait toujours dit: Raymond avait trop gâté leur fille. Depuis qu'elle était au monde qu'il lui passait tous ses caprices. À commencer par l'achat inconsidéré d'un piano! Voir si une enfant de onze ans avait besoin d'avoir un piano chez elle! Charlotte et Émilie en avaient-elles eu des cadeaux de ce prix, elles? Non, jamais. Et c'était parce que, à cette époque, Blanche avait la santé pour voir à tout. Voilà pourquoi Raymond avait été un père sage. Mais dès qu'elle avait eu le dos tourné, il en avait profité pour combler outrageusement sa benjamine en lui offrant un piano. Insensé, ridicule ! Ceux qu'Anne utilisait chez madame Mathilde étaient bien suffisants. Aujourd'hui, à quinze ans à peine, Anne ne pouvait plus se contenter de la vie modeste mais ordonnée que sa mère avait les moyens de lui offrir. Il lui fallait plus, encore plus. Et Dieu sait quelle invention elle avait concoctée pour se procurer cet argent.

Durant quelques instants, Blanche en voulut farouchement à sa fille pour tous les désagréments qu'elle lui faisait endurer.

Puis son esprit changea de cible.

Tout était de la faute de Raymond qui n'avait jamais eu le moindre esprit pédagogique. S'il avait voulu l'écouter aussi, ils n'en seraient pas là. Mais Raymond n'en avait toujours eu que pour ses filles.

Blanche avait regagné le salon. L'affiche Coca-Cola de l'épicerie plongeait la pièce dans une lueur rougeâtre clignotante qui accompagnait à merveille l'esprit sulfureux de Blanche. Seigneur, qu'elle détestait cet homme. Et tant mieux si la grosse Antoinette l'en avait débarrassé. La seule complication était qu'il avait eu la choquante idée d'emmener Anne avec lui.

Raymond et Antoinette, par leur exemple honteux de dévergondage, avaient déstabilisé sa fille. Elle en avait la preuve aujourd'hui. Jusqu'où irait son inconduite maintenant ? Vers quelle perversion une fille de quinze ans pouvait-elle se tourner pour obtenir ce qu'elle voulait ? Blanche n'en savait rien. Elle avait toujours marché sur le chemin de la rigueur, de la dignité, ce qui n'était pas le cas de Raymond qui, dès les premiers jours de leur mariage, avait fait preuve d'une concupiscence dégradante pour elle. Le reste avait été à l'avenant. Comment se fier à un homme pour qui la bagatelle avait tant d'importance? Quand elle fermait les yeux, il n'y avait que des images de grossière indécence qui lui venaient à l'esprit. Raymond ne pensait qu'à ça. C'était un obsédé! Dieu seul savait jusqu'où cela pouvait mener une enfant comme Anne d'être témoin d'une telle infamie sachant que la grosse Antoinette appréciait l'attitude de son mari.

Blanche resta prostrée durant plus d'une heure, balançant entre la colère et l'inquiétude. Elle erra un long moment entre le pardon inconditionnel pour une enfant qui n'était pas responsable des actes de son père et l'autorité essentielle à toute bonne éducation.

Après avoir longuement et consciencieusement soupesé le pour et le contre, elle opta pour la bonne éducation. La mollesse n'avait jamais rien donné de bon. Et comme il semblait bien qu'avec sa plus jeune, Blanche avait perdu la main, elle s'en remettrait à des expertes en la matière. Il y allait de l'avenir de sa fille qui, pour l'instant, semblait attirée irrésistiblement par la vie de bohême proposée par la rue.

Anne était attirée par la vie de débauche, Blanche n'y voyait rien de moins. Quoi d'autre pourrait expliquer cet argent trouvé au fond d'une vieille boîte, cachée sous son lit? Si l'argent avait été acquis selon les normes, Anne lui en aurait parlé. Ce qui n'avait pas été le cas.

Nul doute qu'il y avait anguille sous roche.

Blanche était épuisée de tant de réflexion, épuisée par anticipation de toute cette abnégation dont il lui faudrait faire preuve.

C'était là en effet ce qu'elle s'apprêtait à faire. Une fois encore, Blanche allait s'oublier pour une de ses filles et elle pilerait sur son orgueil pour faire son devoir de mère jusqu'au bout.

Et pour y arriver, elle profiterait de l'occasion des fêtes pour contacter ses frères. Elle avait besoin de leur aide. Sans eux, point de salut pour Anne. Ils devraient assez facilement le comprendre. Si le souvenir qu'elle gardait d'eux était fidèle à cette constance qu'elle leur attribuait, à savoir une ressemblance certaine avec son père, ils écouteraient ses arguments et n'hésiteraient pas à lui venir en aide. Ou plutôt à venir en aide à sa fille, puisque c'était pour elle que Blanche allait se compromettre devant ses frères et avouer en toute modestie qu'elle avait besoin d'eux.

Et après, quand Anne serait en sécurité sous la tutelle des religieuses d'un couvent, Blanche pourrait enfin penser à son avenir personnel. Me Labonté, l'avoué de son père qui maintenant était son conseiller, le lui avait clairement signifié : avec les preuves qu'elle détenait, obtenir une séparation n'était qu'un jeu d'enfant. Quelques cas de jurisprudence en faisaient foi. Et qui dit séparation, dit aussi réparation. Avec un peu de chance, les soucis financiers de Blanche ne seraient plus qu'un douloureux souvenir.

Le bruit de la porte d'entrée qui claqua trois étages plus bas la fit sursauter. Était-ce sa fille qui revenait ? Allait-elle l'attendre au salon et pointer du doigt l'inconvenance de sa conduite ? N'écoutant que son intuition de mère et l'inconfort qu'elle ressentait trop souvent devant Anne, Blanche fonça vers sa chambre. Quelques instants plus tard, le cliquètement d'une clé que l'on tournait délicatement dans la serrure de la porte du logement la fit sourire. Un pressentiment de mère ne pouvait se tromper. C'était bien Anne. Cette constatation la réconforta et apporta la preuve, si preuve était nécessaire, que les décisions prises ce soir étaient les bonnes.

Blanche enfila prestement sa jaquette et se glissa sous les draps en poussant un profond soupir de soulagement.

Maintenant que sa fille était rentrée, elle pouvait remiser ses inquiétudes et s'en remettre aux propos acrimonieux que les souvenirs du temps de Raymond avaient fait germer en elle.

Et en plus, les courses de la semaine n'étaient pas faites. Tous cela, à cause de Raymond qui n'avait pas su s'occuper adéquatement d'Anne quand elle avait été hospitalisée.

Un flot de bile haineux envahit les veines de Blanche.

Elle s'en délecta pendant un bon moment, y puisant le courage dont elle aurait besoin pour renouer avec ses frères. Quand elle eut fait le plein de ressentiment qui lui donnait raison, elle se tourna sur le côté, replia les jambes contre sa poitrine et ferma les yeux.

Ce soir-là, Blanche s'endormit rapidement et ronfla du sommeil du juste jusqu'au lendemain matin.

## CHAPITRE 4

# *Prendre ses désirs pour des réalités*

Depuis qu'il avait neigé, Raymond prenait plaisir à se rendre au bureau à pied. Il y allait deux matins par semaine, les mardis et jeudis, pour donner un coup de main à Marc et à Gilbert, le jeune notaire qu'il avait engagé. Raymond détestait toujours autant l'hiver, mais il aimait bien entendre la neige crisser sous ses pas.

Et puis, c'était moins long d'aller à pied que de prendre le temps de déneiger et réchauffer la voiture.

Et puis cela lui donnait le temps de penser à Antoinette.

Et puis les devantures de magasin étaient si jolies.

Dans moins de dix jours, ce serait Noël. « Enfin », soupira-t-il en insérant la clé dans la serrure dorée qui avait connu des jours meilleurs.

L'automne avait été long et difficile. La période des fêtes lui apparaissait comme un point tournant. Bien des choses étaient en train de se placer et cela allégeait le cours des jours. De toute façon, pour Raymond, Noël resterait toujours Noël. C'était sa manière toute personnelle de se garder le cœur jeune. Même si cette année, cette fête serait bien particulière, faite de joie, de désappointement et d'espoir.

Antoinette et Jason allaient lui manquer, voilà pour la déception. Elle était de taille, mais il commençait à avoir l'habitude de ces tiraillements entre ses désirs et la réalité. Par contre, ses filles seraient toutes là, à ses côtés, Blanche l'avait confirmé, et cela le comblait de joie. Sa mère préparait un gros réveillon qui regrouperait ses sœurs et leurs familles, comme ils n'en avaient pas vécu depuis fort longtemps, et c'était bien suffisant pour avoir envie de se réjouir. Quant à l'espoir, il reposait entre les mains d'André, son avocat, qui lui avait promis d'enclencher le processus qui lui permettrait d'avoir Anne avec lui aussitôt le nouvel an célébré.

Mais le plus important, aux yeux de Raymond, c'était d'avoir ses filles avec lui. Toutes les trois.

Ses filles…

Raymond avait l'impression que lentement les choses importantes dans leur vie familiale trouvaient leur place. S'être inquiété à ne plus en dormir et voir que finalement, la vie elle-même se chargeait de tout arranger. Il suffisait de si peu parfois.

Il entra dans le bureau bien avant les autres. Il ne faisait pas encore jour.

Raymond fit à peine un peu de lumière dans l'antichambre puis se dirigea à tâtons ou presque vers le secrétariat.

Il avait toujours apprécié le silence de son étude, le matin au petit jour, alors que seuls quelques bruits de la rue venaient briser la quiétude du moment. Combien de mises au point avaient été faites, de décisions avaient été prises, de regrets avaient été entretenus dans ce même bureau, à cette même heure de la journée !

Incapable de résister, Raymond tourna sur sa droite et entra dans la pièce qu'il avait occupée pendant tant d'années. Aujourd'hui, c'était Marc qui était le maître des lieux. Pourtant, le jeune homme n'avait rien changé à la décoration. Lui plaisait-elle réellement ou était-ce faute de temps que Marc n'avait rien modifié ? À peine un court moment où la question lui effleura l'esprit et déjà Raymond avait l'impression que les années s'effaçaient. Ici, c'était chez lui. Le seul endroit qui lui avait appartenu sans réserve. Jeune notaire, il avait décoré la pièce à sa ressemblance, devinant peut-être par intuition que ce serait là l'unique espace qui lui serait alloué. Il s'y était tout de suite senti à l'aise, alors que chez lui, la maison ressemblait surtout à Blanche.

Raymond regarda autour de lui, l'œil aux aguets. Non, rien n'avait changé. Pas même l'odeur de la cire que Carmen, sa secrétaire, avait tenue à employer elle-même, une fois pas mois, pour polir les meubles. Il s'y sentait toujours à l'aise. Tant mieux si Marc n'avait rien chambardé.

Il s'approcha de la fenêtre.

Sous la corniche, quelques moineaux piaillaient pour saluer l'arrivée du jour qui, pour l'instant, se contentait d'envelopper les édifices d'une ombre rosée. Raymond ébaucha un sourire. Il avait toujours associé le cri de ces petits oiseaux à la ville. Ici, hiver comme été, sous l'orage ou dans la tempête, la vie continuait de battre derrière les façades de maison et sous les toits. À Bridgeport, c'était fort différent. L'an dernier, il avait eu le sentiment que la localité ne vivait vraiment qu'en été. Durant les trois autres saisons, la nature, la ville et même les gens semblaient retenir leur souffle, en attente de l'arrivée des touristes qui donnaient sa raison d'être à la place. Il devait l'admettre : il s'était ennuyé de Montréal. Pas au point de tout remettre en question, mais suffisamment pour entretenir une forme de nostalgie. Ici, l'hiver lui paraissait plus court.

— Curieux, murmura-t-il, conscient qu'en temps réel, la rude saison était beaucoup plus brève et clémente au Connecticut.

Par contre, la sérénité du quotidien auprès d'Antoinette

lui manquait cruellement. L'immensité de la mer aussi. Et ces deux atouts combinés faisaient en sorte qu'il se plaisait bien au bord de la plage. Sans oublier l'imprimerie. Il s'ennuyait de l'odeur de l'encre et du travail manuel.

Le bruit des roues d'un camion lui fit tourner la tête. C'était le laitier, fidèle au poste. Raymond se demanda quel âge il pouvait bien avoir. C'était un vieil homme maintenant, légèrement courbé d'avoir si longtemps promené ses pintes de lait à bout de bras. Raymond l'avait connu presque jeune, droit comme un « i ». Il l'avait salué, matin après matin, pendant des années, quand leurs routes se croisaient. Un geste de la main, un *Bonjour!* à l'occasion, lancé sur différents tons selon l'humeur du moment, et la journée de Raymond commençait. Cette routine qui avait été la sienne, il l'avait trouvée lourde par moments, insipide très souvent, mais elle lui avait permis de survivre.

La routine et ses filles avaient donné un sens à sa vie.

Charlotte, Émilie, Anne…

Quand Blanche lui avait annoncé qu'ils allaient avoir un bébé, tout de suite Raymond avait imaginé que ce serait un garçon. Un fils avec qui il pourrait faire du sport, à qui il léguerait son étude un jour. Il se voyait déjà à la tête d'une dynastie! Les Deblois, notaires de père en fils. Quand l'infirmière avait déposé Charlotte dans ses bras, si petite, il en était tombé amoureux dès le premier instant où il avait croisé ce regard bleuté, un peu flou qui semblait pourtant le fixer intensément. Comment avait-il pu croire qu'il voulait un héritier? Sa fille, sa minuscule petite fille, était la huitième merveille du monde! Charlotte! À partir de ce jour, il avait su pourquoi il existait et c'était pour rendre cette enfant-là heureuse.

Avait-il réussi?

Raymond évita de se poser la question trop ouvertement. L'important, c'était le résultat obtenu.

Sa Charlotte qui avait tant donné à la vie, aux siens, aujourd'hui, c'était à son tour de recevoir. Dans quelques mois, elle marierait un homme solide, aimant, sur qui elle pourrait compter.

Raymond se demanda si elle pensait encore parfois à ce peintre qu'elle avait dit tant aimer. Il y avait longtemps qu'elle n'en avait plus parlé. Pourtant, il semblait avoir eu une grande importance dans la vie de sa fille et aujourd'hui encore, en dépit de ce que Charlotte avait prétendu, il se demandait si cet homme n'était pas le père d'Alicia. Malgré les dates que Charlotte avait scrupuleusement avancées, il lui restait un doute. Raymond haussa les épaules. Qu'importait aujourd'hui qui était le père de sa petite-fille! Dans quelques mois, elle serait probablement l'aînée de la famille Leclerc et le passé n'aurait plus d'importance.

Puis Raymond pensa à Émilie. La toute fragile Émilie qui cachait des trésors de persévérance, de courage. Car il lui en avait fallu de la hardiesse, du courage justement, pour venir frapper à sa porte comme elle l'avait fait l'autre matin. Il y avait eu un instant de flottement, comme extrait à la spirale du temps, puis Raymond avait ouvert tout grands les bras et Émilie s'y était précipitée.

Ils avaient longuement parlé. Du temps présent mais aussi de l'enfance d'Émilie. Elle lui avait posé des tas de questions auxquelles il avait répondu avec le doigté qui était le sien. Puis ils avaient fait la paix. Raymond avait compris ce qui l'avait poussée à agir. Émilie avait accepté son erreur de ne pas lui avoir parlé franchement. Ensuite, la conversation s'était faite légère, porteuse d'espoir, car ils avaient discuté de ce bébé que Marc et elle voulaient adopter. Après les fêtes, ils prévoyaient se présenter à la crèche de la Miséricorde et ils entreprendraient les démarches nécessaires. Avant de se quitter, ils avaient parlé d'Anne. Émilie avait eu un moment d'hésitation, puis elle avait promis d'être de son côté si jamais Blanche ne revenait pas sur sa position afin de permettre à Anne de vivre avec son père. Elle était consciente que sa sœur serait beaucoup plus heureuse avec lui malgré que jamais elle ne regretterait ce qu'elle avait fait pour sa mère.

— C'était trop injuste, papa. Si tu avais vu maman comme je l'ai vue, tu aurais compris. Mais pour Anne, si tu as besoin de moi, je serai là. Promis.

Raymond avait refermé la porte sur le lourd secret qu'il emporterait avec lui dans la tombe. Jamais il ne dirait à Émilie ce qui s'était réellement passé pour qu'un jour, il atteigne la limite du supportable et qu'il demande aux médecins d'enfermer sa femme. La vie semblait enfin consentir à donner un peu de lest à sa cadette et il considérait que c'était mieux comme ça. Émilie était beaucoup plus forte que ce que les apparences laissaient croire, elle saurait se bâtir un bonheur à sa ressemblance. Avec Marc à ses côtés, Raymond n'avait aucun doute quant à l'avenir d'Émilie.

Ne restait plus que sa petite musicienne qu'il se languissait d'avoir auprès de lui. D'une semaine à l'autre, le dimanche quand ils se rencontraient, il la voyait s'étioler un peu plus. Il s'était juré qu'à l'été, ils seraient de retour tous les deux auprès d'Antoinette. Il l'avait promis à Anne et il tiendrait promesse. Maintenant qu'il avait l'assurance d'avoir Émilie à ses côtés, il pouvait aller de l'avant. Il avait rencontré son avocat et, la période des fêtes terminée,

Blanche recevrait une mise en demeure. Raymond lui intentait un procès pour avoir la garde d'Anne. Il ne voulait pas de séparation et consentait à lui payer une pension. De son côté, Blanche non plus ne demanderait pas une séparation qui aurait presque automatiquement scellé le sort d'Anne. Raymond n'était pas le premier homme à avoir pris maîtresse! Alors la présence d'Antoinette dans le décor ne pourrait à elle seule justifier une demande de séparation de la part de Blanche. André et lui avaient épluché des montagnes de documents et ils étaient certains que Raymond avait enfin le gros bout du bâton. Il exigeait d'avoir sa fille auprès de lui parce qu'il considérait que Blanche n'avait pas la santé mentale pour s'en occuper. Au-delà de ce fait, il n'exigeait rien et il était prêt à aider Blanche financièrement.

— Toute cette histoire aurait été bien plus facile à régler si tu avais voulu agir quand Blanche était hospitalisée, avait soupiré André. Ça n'aurait probablement été qu'une formalité.

Raymond avait longuement soutenu le regard de son ami, mais il n'avait pas répondu. Il n'y avait rien à répondre sinon le respect que Raymond entendait entretenir à l'égard de celle qui était la mère de ses filles. S'ils avaient à se battre, ils le feraient à forces égales. Pour lui, il aurait été déloyal de s'en prendre à elle quand elle était au plancher.

La seule chose qu'André avait réclamée avait été de rencontrer ses trois filles avant d'entreprendre les procédures.

— Je n'ai pas envie de me ridiculiser devant le juge. Je suis d'accord avec toi qu'il faut faire quelque chose, mais laisse-moi te dire qu'il va falloir monter un dossier en béton pour faire bouger la magistrature. C'est énorme ce que tu demandes là. C'est du jamais vu.

Malgré tout, Raymond était confiant. Il avait trente ans d'arguments à présenter au juge, trois filles prêtes à témoigner que leur mère était une femme malade et quelques médecins prêts à jurer que Blanche Deblois était une femme dérangée, à l'esprit fragile.

Et quand tout serait fini, quand il retrouverait Antoinette au Connecticut, ils annonceraient enfin à Jason et Anne qu'ils étaient frère et sœur. Raymond pourrait vivre son amour au grand jour auprès de ses enfants. Tous ses enfants. Plus le temps passait, plus il avait hâte de dire toute la vérité à Jason. Il avait trois filles, certes, qui avaient conditionné sa vie. Mais il avait aussi un fils et il était temps qu'il prenne sa place à ses côtés. Il n'avait pas la prétention de remplacer Humphrey dans le cœur de Jason. Il voulait tout simplement lui dire qu'il était là. Qu'il serait toujours là pour lui comme il l'avait été pour ses sœurs.

Après un long, un très long détour en enfer, le purgatoire de Raymond Deblois tirait à sa fin.

Début février, Blanche aurait reçu les papiers officiels et les procédures pourraient suivre leur cours.

Mais avant, il y avait Noël.

Cette année, Raymond entendait choyer les siens au-delà de tout ce qu'il avait fait jusqu'à maintenant.

Il poussa un profond soupir de satisfaction, de plaisir anticipé à l'idée qu'il avait l'intention de courir les magasins dès son ouvrage terminé. Le soleil venait tout juste de glisser au-dessus du toit de la maison d'en face, embrasant de ses rayons la récente neige tombée. Un écrin venait de s'ouvrir dans l'ombre lourde des maisons qui se découpaient à contre-jour et des milliers de diamants scintillaient sur les trottoirs. Comme l'avait déjà dit sa mère, Raymond aussi aurait voulu avoir le talent d'Émilie pour immortaliser tant de beauté.

— Immortaliser le bien-être que je ressens présentement, murmura-t-il pour lui-même, en reniflant discrètement.

Il resta immobile, à la fenêtre, à contempler la rue, à savourer la paix qui irradiait en lui à chaque battement de cœur.

La ville s'éveillait.

Quelques autos passèrent, arrachant un long grincement à la neige durcie. Puis il y eut des passants qui marchaient à petits pas prudents, un long panache de buée serpentant derrière eux. Et ce fut le tour des enfants d'envahir le quartier. Ils couraient le long du trottoir d'en face en riant, se poursuivant avec des boules de neige. Noël n'était pas loin et cela se sentait.

Au moment où il entendit Carmen, sa fidèle secrétaire, qui secouait ses bottes sur le paillasson de l'entrée, Raymond se détourna. Il jeta un dernier regard affectueux sur son ancien domaine puis battit en retraite vers le petit cagibi qui lui servait de bureau. Il n'avait pas envie d'expliquer à sa secrétaire ce qui faisait qu'à tout juste huit heures le matin, il avait encore les yeux mouillés. C'était arrivé trop souvent par le passé.

L'après-midi était largement entamé quand Raymond réussit à s'extirper de son bureau.

— Enfin, fini !

Carmen sursauta, leva la tête et couva Raymond d'un regard maternel. Si elle était toujours au poste, malgré ses soixante ans bientôt, c'était pour lui qu'elle l'avait fait. Quand il lui avait appris qu'il partait rejoindre Antoinette et que, d'un même souffle, il lui avait demandé si elle acceptait de rester pour seconder Marc, Carmen avait remisé ses ambitions de retraite. Elle avait consenti à rester pour que son patron, l'homme qu'elle avait admiré et aimé en silence, puisse partir au loin l'esprit tranquille et ait enfin le droit d'être heureux. Elle savait que c'était le prix à payer pour que Raymond se sente enfin libre. Pourtant, ils n'avaient jamais vraiment parlé ensemble, de ces choses que l'on parle parfois en toute intimité. Raymond était un homme discret. Par contre, ils avaient cheminé l'un à côté de l'autre, sans relâche, se complétant harmonieusement l'un l'autre, se comprenant implicitement à travers les silences, les demi-vérités et les regards. Carmen avait toujours su qu'elle n'était qu'une figurante dans la vie de Raymond Deblois, mais elle osait croire que sa seule présence avait modifié le paysage. Et ce fut exactement ce que Raymond se dit lorsque son regard croisa celui de sa secrétaire. Il avait toujours pu compter sur elle, sur son indéfectible fidélité. À sa manière, leur relation avait été beaucoup plus authentique et sincère que celle qui l'avait uni à Blanche. Le dévouement de Carmen avait été entier, absolu.

— Carmen, que faites-vous ce soir ? Nous pourrions peut-être souper ensemble. Je vous invite.

Un simple regard et les plans de Raymond s'en trouvaient bouleversés. Il n'avait que trop tardé à lancer cette invitation.

L'interpellée se mit à rougir comme une jeune fille timide. Trop courte, trop ronde, trop quelconque, elle n'avait jamais rien demandé de plus que ce qu'elle n'avait déjà. Cette invitation allait bien au-delà de tout ce qu'elle avait pu espérer. Elle savait bien que les intentions de Raymond étaient toutes professionnelles. Mais la gentillesse de l'invitation la touchait.

— M$^{e}$ Deblois! protesta-t-elle aussitôt pour la forme, joignant ses doigts boudinés sur son ample poitrine pour comprimer ce cœur qui s'était mis à battre un peu trop vite. Vous avez sûrement mieux à faire que…

— Non, justement. Je n'ai rien de mieux au programme. Allez, Carmen! Dites oui. Ce serait un honneur pour moi si vous acceptiez mon invitation.

Alors Carmen accepta en bafouillant que c'était trop, vraiment trop gentil et qu'il ne devrait pas. Mais M$^{e}$ Deblois insista.

Carmen Lafrance s'était habituée à ce rôle secondaire qu'elle avait vécu dans l'ombre, depuis plus de trente ans déjà, se disant privilégiée de pouvoir côtoyer un homme tel Raymond Deblois jour après jour. Ce soir, ce serait différent. Elle remplacerait l'héroïne de la pièce, qui tour à tour avait été madame Blanche ou mademoiselle Antoinette, selon les disponibilités de son patron. De loin, Carmen avait surveillé les amours de Raymond comme une mère se préoccupe de son enfant. Elle avait même suspecté que pendant un certain temps, madame Blanche et mademoiselle Antoinette s'étaient disputé le premier rôle. Finalement, il avait été évident que madame Blanche avait gagné un sursis qui avait duré plus de dix ans. Puis, alors qu'elle ne s'y attendait plus du tout, mademoiselle Antoinette était revenue en scène au moment où madame Blanche tirait sa révérence. Cette fois-là, quand Raymond lui avait appris qu'il quittait Montréal pour le Connecticut, elle avait sincèrement cru que le rideau venait de tomber. Raymond sortait de sa vie pour ne jamais y revenir. Mais il y avait eu un rappel et monsieur Raymond avait été obligé de revenir, affichant sa morosité au bureau, deux fois par semaine. Et ce soir, c'était à elle qu'il avait demandé de quitter les coulisses. Carmen se demanda si elle saurait être à la hauteur.

Elle passa des heures à se préparer, consciente avec une acuité toute nouvelle et d'autant plus douloureuse qu'elle était trop courte, trop ronde, trop quelconque et maintenant trop vieille.

La soirée passa vite, trop vite. Le repas fut bon, si bon et le vin qu'elle n'avait pas l'habitude de boire lui monta à la tête. Quand, au moment du dessert, Raymond lui offrit une broche en or sertie d'une émeraude, les larmes lui montèrent aux yeux.

— Mais c'est beaucoup trop!

Elle ne trouvait plus ses mots, elle qui était une virtuose quand venait le temps de rédiger un contrat ou un testament.

— Trop? Allons donc! Ce n'est pas assez, Carmen. Pas assez et trop tard. C'est avant, bien avant que j'aurais dû vous montrer à quel point j'appréciais votre présence. Les fleurs que je vous offrais à l'occasion étaient bien modestes et combien insuffisantes.

Carmen leva franchement les yeux et soutint longuement le regard de son patron. Puis, lentement, elle esquissa un sourire d'une infinie douceur qui, fleurissant à travers les larmes, atteignit Raymond d'un direct au cœur.

— Alors, merci, souffla-t-elle, incapable d'articuler autre chose.

Raymond tendit la main au-dessus de la table pour la poser sur celle de Carmen. Cette main tremblait. Alors il la pressa avec chaleur.

— C'est à moi de vous remercier. Je suis conscient que je n'ai pas toujours été facile à suivre. Je sais que je suis un homme complexe. Malgré ça, malgré mes sautes d'humeur, mes caprices, vous ne m'avez jamais abandonné. J'ai toujours pu compter sur vous. Vous étiez mon roc, l'assurance que malgré mes déboires familiaux, le bureau, lui, allait toujours de l'avant.

Embarrassée, Carmen détourna la tête pour cacher les larmes qui s'étaient mises à couler de plus en plus abondantes. Elle qui, trop souvent hélas, voyait sa vie comme une suite interminable de jours arides et vides comprenait qu'elle s'était trompée. Raymond serait toujours l'élu secret de son cœur et jamais elle n'oserait lui avouer l'amour qu'elle ressentait pour lui. Mais cet amour n'avait pas été stérile comme elle l'avait si longtemps cru. Elle avait contribué au bonheur de l'homme qu'elle aimait. Bien maladroitement, bien humblement, à sa façon, elle, Carmen Lafrance, avait été un rouage important dans la vie de Raymond Deblois, c'était ce qu'il venait de lui dire. Elle n'en demandait pas davantage.

Quand il la raccompagna à sa porte, Carmen prit la main gantée de Raymond entre les siennes et la serra très fort. L'émotion ressentie un peu plus tôt était chose du passé. Carmen n'avait jamais été un être de grands émois, de longs épanchements. Elle était une femme pour qui le mot « efficacité » s'écrivait avec des lettres d'or. Savoir qu'elle avait été utile, nécessaire, indispensable même suffisait à son bonheur.

— Je vous remercie Raymond, pour cette merveilleuse soirée.

C'était la première fois qu'elle l'appelait par son prénom. Elle savait que ce serait aussi la dernière. Le mot lui roula dans la gorge avec chaleur, sensualité. Raymond soutint son regard puis dégageant sa main, il se permit une accolade qui ne dura que quelques secondes. Le temps de lui redire, dans un murmure enroué :

— Merci à vous, Carmen. Merci pour tout.

Se retournant vivement, Raymond descendit l'escalier et regagna son auto à grandes enjambées. Il s'en voulait de ne pas avoir parlé plus tôt à sa secrétaire. Avec elle, comme avec tous les autres, il avait été aveugle et négligent.

* * *

Jason n'arrivait pas à se décider.

Il avait d'abord réagi avec son cœur. L'émotion rattachée à ses souvenirs avait guidé son refus d'accepter la réalité. Sans l'avoir recherché, il avait été confronté à l'inévitable déni quand une situation vous échappe, vous laisse meurtri.

Sa mère faisait sûrement erreur. C'était Humphrey Douglas qui était son père, le géant de son enfance. Personne, jamais, ne pourrait ravir la place qu'il occupait dans sa mémoire. Surtout pas Raymond.

Pourquoi pas lui ? Jason n'en savait rien. Peut-être parce que c'était ce nom que sa mère avait prononcé. La réaction avait été un réflexe. Elle aurait parlé du voisin que ce dernier aurait fait les frais de son refus. Elle avait prononcé le nom de Raymond, alors c'était lui qu'il disait détester. Pourtant, autrement, il le trouvait plutôt sympathique. Mais pas au point de lui donner la place de son père. C'était aberrant d'avoir pu imaginer qu'il passerait de l'un à l'autre sans sourciller.

C'est pourquoi, quand sa mère lui avait proposé d'oublier tout cela, de faire comme si elle n'avait rien dit, Jason avait été soulagé. Pensée magique : on n'a rien dit, rien n'existe. On rembobine et on change le scénario.

Mais rien de tout cela ne s'était produit. Les mots avaient distillé leur venin et Jason n'arrivait pas à oublier. Depuis ce jour-là, il traînait Raymond comme un boulet.

De toutes ses forces, il avait essayé de laisser tomber les émotions pour passer par la raison. Sa mère avait énoncé un fait, rien de plus. C'était facile à comprendre et à accepter quand on faisait abstraction des sentiments. Après tout, il était un garçon raisonnable. C'était ce que l'on disait toujours de lui: « Jason? Jason Douglas, le fils d'Humphrey? Quel garçon raisonnable! À l'image de son père. Sage et travaillant. » Le fils d'Humphrey… Même la raison passait par les souvenirs. Et ceux-ci étaient tenaces. Des tas de photos le confirmaient. Jason était le fils d'Humphrey.

Il s'était alors présenté à l'imprimerie pour se le faire confirmer. Un après-midi où il savait sa mère absente, il avait pris le chemin de l'imprimerie et retrouvé les employés. On l'avait accueilli avec chaleur.

— Mais regardez qui est là! Ma parole, il commence à ressembler à son père! Avez-vous vu cette paire d'épaules? Et ces longues jambes!

L'esprit de Jason y avait trouvé son compte. Il occulta le « commence à » pour ne garder que le « ressembler ». Il ressemblait à Humphrey, ce dont il n'avait jamais douté.

Pourquoi, alors, sa mère avait-elle voulu y changer quelque chose? Pour préparer l'avenir qu'elle voyait aux côtés de Raymond? Inutile et méchant. Or sa mère n'était pas méchante. Jason n'eut d'autre choix que de revenir à la case départ. C'était peut-être tout simplement une erreur. Jason n'y connaissait pas grand-chose mais il savait néanmoins qu'un bébé, c'était aussi une question de calcul. Sa mère avait pu se tromper.

Durant quelques jours, il s'accrocha à cette idée: sa mère s'était trompée. Ce n'était pas de la mauvaise volonté, c'était une méprise. Un matin elle viendrait l'éveiller en s'excusant, ils tourneraient la page et Jason recommencerait à bien étudier pour prendre la place qu'Humphrey lui avait léguée à l'imprimerie. Cependant, sa mère ne vint pas l'éveiller et il dut admettre qu'il n'y aurait jamais d'excuses parce que sa mère n'avait dit que la vérité. Ses émotions devraient s'accommoder de ce que sa raison avait compris depuis le début. Antoinette était une femme beaucoup trop intelligente pour s'être trompée. Une mère beaucoup trop attentive et aimante pour avoir révélé ce secret sans y avoir longuement réfléchi.

Ce jour-là, en entrant de l'école, Jason fit une razzia dans les photos de famille qui chargeaient la tablette du foyer. Il les disposa sur le pupitre de sa chambre et passa un temps infini à les examiner.

Jason, bébé, petit garçon, était sur chacune d'entre elles. Il était le cœur de cette famille qui lui souriait en noir et blanc. Pas de photos de mariage, pas de souvenirs de ces voyages à deux que les couples amoureux font parfois. Non. Que des images où Jason était le centre d'attraction! Pourtant, Humphrey et Antoinette n'avaient pas l'air malheureux. D'aussi loin qu'il se souvienne, il n'y avait jamais eu de disputes sous leur toit. Des discussions, oui, parfois vives et colorées, mais jamais de querelles. Jason avait été un enfant privilégié.

Ce fut au moment où il se faisait cette remarque que Jason pensa à Anne. En admettant que sa mère avait dit la vérité, Anne était sa sœur. Jason trouva curieux de ne pas avoir fait le rapprochement plus vite. À cette pensée, même les émotions de Jason acceptèrent de regarder la situation sous un angle différent. S'il trouvait agréable de se dire qu'Anne était sa sœur, il devrait alors accepter le fait que Raymond était son père.

Même si Jason trouvait déplaisant de faire l'exercice, il s'obligea à aller jusqu'au bout. Quelle sorte de père Raymond pouvait-il bien être ? Bien sûr, il l'avait côtoyé pendant plus d'un an. Il avait donc une bonne idée de l'homme qu'il était. Mais ce n'était pas ce qu'il cherchait à cerner. C'était avant. Quand Anne était toute petite comme lui avait été un tout petit garçon aux côtés d'Humphrey.

Raymond avait-il été pour Anne un père formidable comme Humphrey l'avait été pour lui ?

Inlassablement, son regard revenait à la photo où il était juché sur les épaules d'Humphrey. Combien de fois s'était-il promené ainsi, sur le dos de son père ? Le monde qui l'entourait, le petit Jason avait appris à le connaître en le contemplant de haut.

Jason regardait la photo si intensément que sa vue se brouilla. Il ferma alors les yeux et ce fut l'image d'Anne qui lui apparut. Anne, telle qu'il l'avait vue la première fois, à la gare où il était allé la chercher en compagnie de sa mère. Il l'avait trouvée désagréable, bougonne, sauvageonne même. Elle l'avait intimidé. Elle était dérangeante. Il ne connaissait rien aux filles et s'en portait fort bien. Ses copains et lui s'en moquaient souvent et voilà qu'il allait devoir en héberger une chez lui. Puis, lentement, d'une course sur la plage à l'escalade des rochers, de l'intérêt pour les mollusques à la petite Alicia qui les faisait rire tous les deux, Jason avait admis qu'Anne n'était pas une fille comme les autres. À commencer par le fait qu'elle ne portait jamais de robe.

En deux trop courtes semaines, elle était devenue sa meilleure amie.

Aujourd'hui, on disait qu'elle était sa sœur et il s'ennuyait terriblement d'elle.

Aujourd'hui, on disait qu'elle était sa sœur et il ne savait même pas comment il allait se sentir devant elle lorsqu'ils se reverraient.

Est-ce que ce serait pareil entre eux ?

Ce fut très tard ce soir-là qu'Antoinette s'aperçut qu'il manquait plusieurs photographies sur la cheminée. Elle s'approcha et constata que toutes celles où Humphrey était avec Jason avaient disparu.

Quand elle monta se coucher, Antoinette passa par la chambre de Jason comme elle ne le faisait plus que très rarement. Son fils dormait profondément. Un rayon de lumière venu du corridor éclairait sa table de travail. Le jeune homme avait classé les photos soustraites à la tablette du foyer par ordre chronologique. Sur la première, il n'était qu'un bébé dans les bras d'Humphrey qui posait plus fier que d'Artagnan. Le dernier cliché le montrait sur la plage. Cette photo avait été prise l'été dernier, quelques jours avant le départ d'Anne. Ils posaient tous les deux devant un immense château de sable et ils se tenaient par la taille.

Antoinette quitta la chambre sur la pointe des pieds.

Le sommeil fut très long à venir. Elle était inquiète.

Depuis qu'elle avait parlé à son fils, un lien s'était rompu entre eux. Sensation subtile, à peine perceptible, mais bien réelle. Antoinette avait l'impression que Jason avait reculé d'un pas pour se tenir dans l'ombre sécurisante du silence alors qu'il avait toujours été un garçon de lumière, franc et direct. Elle avait appris qu'il était passé à l'imprimerie, mais il n'en avait pas parlé. Elle-même n'avait osé le faire.

Et ce soir, il y avait ces photos. Toutes ces photos. Jason n'avait gardé que celles où Humphrey était présent plus celle où on le voyait souriant aux côtés d'Anne. Les autres, il les avait replacées au salon. Antoinette l'avait remarqué à cause de la fine poussière de suie qui barbouillait la tablette du foyer. C'était normal qu'il agisse ainsi, qu'il revienne à son enfance, à ses souvenirs.

Mais alors que faisait la photo d'Anne perdue au milieu de celles d'Humphrey ? Acceptation ou refus ? Joie ou désespoir ?

Antoinette passa une longue partie de la nuit à s'interroger. Elle s'endormit sans avoir trouvé de réponse. Elle s'endormit le cœur lourd, sachant qu'elle ne demanderait pas d'explications à Jason. Il n'était plus un enfant, il avait droit à sa vie.

Et elle avait trop peur de sa réponse.

# CHAPITRE 5

## *Les erreurs du passé*

André avait connu Raymond Deblois au glorieux temps des études universitaires, où tous les hommes ont encore cette faculté indissociable de la jeunesse de réinventer le monde. Raymond et André étaient tous deux adeptes de sports — tennis, natation et ski selon les saisons —, ce qui les avait rapprochés, et pour compenser la sueur de l'effort, ils s'attablaient régulièrement devant une bière à la taverne au coin de la rue perpendiculaire à l'université. Si les murs de cet auguste tripot avaient pu parler et mettre en application les hauts principes avancés en ces lieux obscurcis par la fumée dense des pipes et des cigarettes, le monde aurait changé de vocation et de rotation régulièrement, au rythme des générations d'étudiants qui s'acharnaient à vouloir tout réformer, à commencer par les erreurs magistrales laissées par la génération de leurs parents. Eux ils feraient mieux.

André et Raymond n'avaient pas échappé à la règle établie qui décrétait que devant un pot, la discussion était de mise. Les perles philosophiques étaient fréquentes, les idéaux sociaux innovateurs, les projets d'avenir impressionnants. Les femmes et le droit avaient priorité dans leurs préoccupations car sans eux, point de salut et point de changement.

« Les grands bouleversements ont besoin d'assises solides, entendait-on régulièrement. Une profession de prestige qui mène aux postes de décision et une femme de confiance qui est en mesure de voir à la famille sans eux, voilà la base ! »

Quelques irréductibles suspicieux osaient prétendre que les jupons n'étaient qu'un embarras mais dans la jeune vingtaine, ils n'étaient pas légion. Néanmoins, André faisait partie de ceux-là.

Porté par de grandes ambitions, il n'avait qu'un but dans la vie: devenir un brillant plaideur qui évoluerait habilement jusqu'à s'imposer comme un astucieux politicien. Alors il pourrait changer le monde, car il serait celui qui prescrirait les lois. Ce fut à cette époque que sa route s'était éloignée de celle de Raymond qui, lui, depuis l'instant où son regard avait croisé celui de la fragile et tendre Blanche, n'avait eu que deux mots à la bouche: famille et stabilité! Il n'avait plus de temps pour le sport, encore moins pour les discussions. De toute façon, la timide Blanche supportait mal les confrontations idéologiques et sa délicate constitution ne tolérait aucun sport.

Pendant plusieurs années, Raymond et André s'étaient perdus de vue. Mais Montréal étant ce qu'il est, à savoir un grand village, certaines obligations professionnelles les avaient remis en présence lors d'une assemblée politique. Le plaisir de se revoir avait été sincère.

La poignée de main restait franche et cordiale même si les propos s'étaient faits plus nostalgiques que corrosifs, car les cheveux avaient grisonné pour l'un et disparu pour l'autre. D'emblée, Raymond signala qu'il avait atteint ses buts: une étude prospère et une famille admirable, trois filles, toutes plus belles et intelligentes les unes que les autres. André, pour sa part, s'était pris au jeu des plaidoiries et avait remisé ses ambitions politiques. Il était devenu l'un des plus farouches avocats de la ville et sa réputation d'irréductible combattant et d'habituel gagnant le précédait toujours lors des procès. Quant à la famille, à cinquante ans, il n'avait toujours pas trouvé le temps de s'y mettre.

Ce fut à quelques mois de ces retrouvailles que Raymond l'avait contacté pour solliciter un rendez-vous. C'était important.

André avait tout de suite pensé à un problème d'ordre professionnel. Quoi d'autre aurait pu clocher dans la vie remarquable de Raymond Deblois !

Quand ce dernier, la mine sombre et l'œil abattu, lui avait raconté sa vie, celle dont personne ne se doutait, André avait dû faire appel à tout le talent de comédien qu'il avait peaufiné au fil des ans, pour ne rien laisser voir de sa stupéfaction. Raymond ? Raymond Deblois en pleine déconfiture ? Ce n'était pas ce que l'on disait de lui. Ce n'était pas ce qu'il avait cru lors de leur précédente rencontre. Il lui avait été facile de le laisser parler jusqu'au bout : pour une des rares fois dans sa vie, André était sans voix.

Les vieux serments d'autrefois avaient été dépoussiérés et remis à l'ordre du jour. Loyauté, confrérie, solidarité et amitié avaient retrouvé aussitôt leurs lettres de noblesse. Raymond était un ami, un vrai, qu'importe ce que la vie avait mis de distance entre eux, jamais André ne le laisserait tomber.

Quelques années plus tard, le brillant avocat faisait toujours face à un mur. Malgré ses exhortations pressantes et ses prédictions funestes, servies avec la verve qui était la sienne, Raymond était resté aussi buté qu'une mule quant aux procédures à employer sauf, et cela bien à contrecœur, quand il avait fait appel au docteur Clément. Et même à ce moment, alors qu'André croyait qu'il y avait enfin une faille dans la carapace de Raymond, celui-ci s'était avéré intraitable : Blanche était la mère de ses filles, jamais il ne frapperait sur elle alors qu'elle était incapable de se défendre. En clair: pas question de demander la séparation alors que Blanche était internée.

André aurait bien voulu avoir encore quelques cheveux pour pouvoir se les arracher.

Pourtant, curieuse contradiction, Raymond l'avouait sans ambages: il était amoureux fou d'Antoinette depuis de nombreuses années. André ne comprenait pas. Question alcôve, il n'y connaissait pas grand-chose, mais il gardait souvenance d'une certaine secrétaire de département plutôt bien tournée, au discours pertinent. Quant à elle, la belle Antoinette avait marqué la jeunesse de nombre d'étudiants en droit. Qu'est-ce que Raymond attendait puisqu'il disait que son amour était partagé? Malgré ce qui semblait évident aux yeux d'André, Raymond et Antoinette ne partageaient pas son avis et, comme les deux tourtereaux semblaient tenir un même discours à l'égard de Blanche et de la situation, André n'avait eu d'autre choix que de se plier aux exigences de son client. Exigences qu'il appelait, dans l'intimité de ses réflexions profondes, incohérence.

Cependant, durant quelques mois, la vie avait semblé donner raison à Raymond. Il s'était installé au Connecticut avec sa benjamine et tout semblait aller pour le mieux. Jusqu'au soir où André avait reçu un appel catastrophé de Bridgeport: Blanche, par quelque machiavélique complot, était sortie de l'asile et réclamait la présence d'Anne à ses côtés. La missive que Raymond avait reçue n'avait rien d'officiel mais le ton était querelleur. L'avoué qui l'avait signée au nom de Blanche était un fin renard qu'André avait été surpris de voir entrer dans l'arène des combats juridiques. Il le croyait au mieux décédé, au pire à la retraite. Quant au docteur Clément, qu'André s'était fait un devoir de contacter dans l'heure même si elle était tardive, il s'était montré toujours aussi louvoyant et obséquieux. Il n'y était pour rien dans ce fâcheux revirement. Il en était sincèrement désolé mais, effectivement, il se devait de l'admettre bien humblement, contre toute attente, la patiente allait beaucoup mieux. Tout au long de ces années, il n'avait fait qu'observer son serment d'Hippocrate: il avait tout mis en œuvre pour le mieux-être de sa patiente. Dans un premier temps, il avait protégé madame Deblois contre elle-même alors qu'elle était dans un état de crise avancé et plus tard, grâce à l'aide d'un confrère qui lui avait ouvert les yeux quant aux réelles possibilités de récupération de sa patiente, il avait aidé celle-ci à émerger des enfers. Aujourd'hui, Blanche Deblois allait définitivement mieux. Quel juge irait lui reprocher son attitude? André lui avait raccroché au nez, écœuré de constater que cet aigrefin était sincère. Il croyait dur comme fer en ce qu'il disait. Quant aux pots-de-vin versés par Raymond, ils n'étaient pas une menace. Le docteur Clément savait aussi bien qu'André qu'on n'en reparlerait jamais. Les mentionner serait signer l'arrêt de mort de Raymond Deblois qui avait fait interner son épouse légitime pour fuir auprès de sa maîtresse. La législation était un élastique assez souple quand venait le temps d'excuser les escapades masculines, mais cet élastique avait quand même certaines limites quant à sa résistance.

Et ce qu'André prédisait depuis le début était arrivé: Blanche avait pris le contrôle de la situation. Pour faire plaisir à Raymond parce que lui, il n'y croyait guère, André avait épluché tous les cas qui auraient pu faire jurisprudence en matière de séparation. Il n'avait rien trouvé qui puisse, de près ou de loin, s'apparenter au dossier de son ami. Au Québec, il semblait bien que les maris n'étaient pas intéressés par l'éducation des enfants et aucun d'entre eux, à ce jour, n'avait réclamé la garde d'un fils ou d'une fille. Les quelques hommes seuls qui vivaient avec leurs enfants étaient des veufs, et la règle reconnue était qu'on les plaigne et non qu'on les envie. Pour les autres, ceux qui avaient pu choisir une séparation légale, les juges étaient unanimes: l'éducation était une question féminine. C'était un fait établi que personne n'osait ou n'avait envie de contester. Et voilà que Raymond, jusqu'à maintenant tiède et réservé, avait renversé la vapeur. Il voulait se battre et au besoin, il ferait changer les lois.

— Rappelle-toi, André! Quand on avait vingt ans, on voulait changer le monde, rien de moins. Nous y sommes! Ma lutte, je la ferai à moindre échelle, j'en conviens. Je ne veux pas changer le monde, mes ambitions sont plus modestes. Mais je vais permettre aux pères qui sont dans la même situation que moi de pouvoir faire quelque chose pour leurs enfants.

André n'avait osé riposter que ce ne serait qu'un coup d'épée dans l'eau puisque des pères qui voulaient garder leurs enfants, il n'y en avait pas, Raymond étant probablement l'exception qui confirme la règle. Néanmoins, Raymond était toujours son ami. La réputation d'André serait donc à son service. Après tout, la cause était louable.

De ce jour, Raymond s'était montré aussi déterminé que ses scrupules avaient été nombreux. Son enthousiasme était contagieux et André avait été contaminé. Cette cause serait la plus grande de sa vie et son nom passerait à l'histoire: finalement, il contribuerait à faire changer les lois.

Une fois les fêtes de fin d'année derrière eux, tel qu'ils l'avaient convenu, André rencontra les filles de Raymond.

Il avait dû reconnaître que le portrait que Raymond avait peint de ses filles était assez fidèle.

Quand Charlotte avait quitté son bureau, André était sous le charme. Quelle femme ! Grande, belle, écrivain de talent et mère exemplaire selon les dires de Raymond. André avait vite compris que l'opinion de Charlotte sur Blanche s'était forgée dès l'enfance et qu'elle n'avait pas changé depuis : sa mère était une femme malade, plus mentalement que physiquement, et son influence sur sa sœur ne pouvait être que néfaste. Elle décrivait Blanche comme une femme têtue, bornée, facilement irritable, portée sur la bouteille, hypocondriaque achevée. Par contre, si on faisait abstraction de ses travers ou peut-être justement à cause d'eux, Blanche était une femme intelligente, perspicace et manipulatrice. Alors, elle proclamait, haut et fort, que tout ce qu'elle avait fait, c'était par amour pour ses filles qu'elle l'avait fait.

Aberration ! Elle n'a jamais aimé qu'elle-même, pour qui elle a toutes les complaisances.

Charlotte parlait aisément, son raisonnement était bien articulé. Elle serait un témoin redoutable.

André l'avait regardée quitter son bureau le cœur réjoui par la beauté de la dame, l'esprit agréablement titillé par son intelligence et une intense sensation de dépit chapeautant le tout.

Que la jeunesse pouvait être bornée parfois !

Il regrettait amèrement de ne pas avoir ouvert les yeux plus grands quand il avait vingt ans. Avoir rencontré une femme de la trempe de cette Charlotte n'aurait aucunement nui à sa carrière et aujourd'hui, il serait grand-père.

Quand il avait rencontré Émilie, sa réaction avait été plus subtile, un peu à l'image de la femme qui avait laissé flotter un doux parfum de fleurs derrière elle. Pour être séduit, il était séduit, cela ne faisait aucun doute. Aussi gracile que Charlotte était majestueuse, Émilie n'en était pas moins une femme d'une beauté à couper le souffle. Tout en elle évoquait la douceur et appelait à la protection, ce qu'aucun homme digne de ce nom ne peut repousser.

Ce fut en cours d'entrevue que son opinion s'était ciselée.

Sous cette apparente fragilité, André soupçonnait une fermeté d'acier. Rien ni personne ne la ferait fléchir: sa mère avait été une bonne mère pour elle malgré les écarts et les divagations. Les intentions de Blanche, et de cela Émilie était intimement convaincue, ne découlaient pas d'une aliénation quelconque mais bien d'une inquiétude réelle, résultant d'un état de santé précaire. À tort ou à raison, Blanche avait toujours cru que sa fille Émilie était comme elle, dotée d'une santé fragile et elle s'était gouvernée en ce sens. Point à la ligne. Sur le sujet, Émilie n'acceptait aucune discussion. Par contre, et c'était là le seul point qu'André pourrait exploiter afin d'utiliser ce témoignage à bon escient, Émilie admettait que sa mère était fragile, mentalement comme physiquement, d'où était née, selon l'entendement qu'elle avait de la chose, cette propension à utiliser l'alcool comme palliatif de ses malaises récurrents. C'était une erreur, Émilie l'admettait facilement, tout comme Blanche d'ailleurs.

Ma mère n'a jamais nié avoir des problèmes! Mais c'est surtout l'absence d'empathie qui la blesse.

Ce qui faisait qu'aux yeux d'Émilie, le fait de boire était excusable.

Discours aussi cohérent que le précédent, même s'il allait

dans une direction opposée, mais beaucoup plus émotif, ce qui le rendait dangereux. André avait su aussitôt que le témoignage d'Émilie serait beaucoup plus difficile à manipuler que celui de sa sœur. Surtout dans le contexte d'un procès visant à prouver l'incapacité de Blanche à assumer son rôle de mère, si procès il y avait, bien sûr, puisque André espérait encore en arriver à une entente à l'amiable. Mais le cas échéant, il devrait préparer ses questions avec beaucoup de circonspection et d'habileté afin d'utiliser la fragilité d'Émilie comme un atout.

Il ne restait plus qu'Anne à rencontrer.

Jusqu'à maintenant, l'appréciation que Raymond avait de ses filles était conforme à la réalité. Ce qui voulait dire que d'ici peu, André ferait la connaissance d'une jeune fille un peu rebelle, qui s'exprimait aussi bien que Charlotte, à l'émotivité à fleur de peau comme Émilie et qui s'appelait Anne. Raymond l'avait décrite comme étant une pianiste de talent pour qui la musique était toute sa vie, alors que sa mère n'y voyait qu'un agréable passe-temps.

— La musique! Pour Anne, c'est plus qu'une passion, c'est une façon d'être. Tu devrais t'en servir pour bâtir ton argumentation afin d'amener le juge à décider de me laisser Anne, avait lancé Raymond lors d'une discussion animée. Cette divergence d'opinion sur la musique occupe une place importante dans la tension qui existe entre Anne et sa mère.

Opinion qu'André ne partageait pas. À l'exemple de Blanche et probablement du juge, pour lui aussi la musique n'était qu'un agréable passe-temps et au mieux, un atout culturel dans la vie d'une personne. Peu de musiciens atteignaient les hautes sphères et pouvaient en vivre. Encore moins une femme. Assurément, ce n'était pas là un argument de poids. Peut-être un incitatif, dans le meilleur des cas, advenant que le juge fut un mélomane, bien entendu.

Quand enfin il put recevoir Anne, qui avait utilisé quelques ruses pour s'absenter sans que Blanche ne s'en aperçoive, André fut médusé. La jeune fille sensible, artiste, déterminée que Raymond lui avait décrite se présenta plutôt sous les traits d'une jeune femme récalcitrante. « Rétive comme un cheval sauvage » pensa aussitôt André en tendant la main pour saisir celle qu'Anne lui présentait. Une main ferme aux longs doigts fins mais nerveux et vigoureux. Moins jolie qu'Émilie, elle lui sembla encore plus entière que Charlotte.

Anne avait un regard de braise et des allures d'insurgée avec son pantalon très masculin, sa chemise rayée et ses cheveux indisciplinés. « Une vraie walkyrie » pensa-t-il aussitôt, conscient qu'il appliquait cette épithète plutôt extrême à une enfant.

— Me Dion ? Anne Deblois. Papa m'a dit que vous pouviez m'aider.

Cette fois-ci, André jugea que la description de Raymond n'était qu'une pâle copie de la réalité. Anne avait le regard d'une femme qui a fait toutes les guerres du cœur et de l'âme, avec une fragilité émouvante dans la voix. Pourtant, au sens strict des lois, Anne n'était encore qu'une enfant. À peine quinze ans. Tandis que la jeune fille s'assoyait en face de lui, André s'aperçut, confondu, qu'en tout juste quelques secondes, il avait dû se rappeler à l'ordre deux fois en se répétant qu'Anne n'était qu'une enfant. Il devrait se montrer vigilant.

— J'aimerais que vous me parliez de votre mère.

Anne soutint son regard. Lentement, un sourire narquois

fit son apparition et illumina ses traits, la rendant brusquement au moins aussi jolie que ses sœurs.

— Ma mère? Est-ce que j'ai une mère? La femme que l'on prétend être ma mère passe son temps à dire qu'elle n'a jamais voulu de moi. Mais si c'est à elle que vous faites allusion, alors je peux vous en parler.

Le début de l'entrevue fut un long monologue dont André connaissait déjà le fil conducteur. Blanche était une belle femme malade. De ses plus jeunes années, Anne gardait surtout le souvenir d'une grande sœur attentionnée qui veillait sur elle mieux que sa mère. Elle se souvenait aussi qu'Émilie était souvent malade, mais que cela ne la touchait pas vraiment. À cette époque, elle avait l'impression de vivre dans une famille divisée en deux: sa mère et Émilie d'un côté, Charlotte et elle de l'autre avec un père qui chapeautait le tout, travaillant beaucoup mais sachant s'amuser aussi par moment. Puis Charlotte était partie en Angleterre à cause de la guerre, Émilie s'était mariée et la vie était devenue intolérable. Sa mère buvait de plus en plus et Anne en avait peur. À cette époque elle avait demandé à son père de l'inscrire à des cours de piano pour ne plus avoir à arpenter les rues, le soir après l'école, en attendant que son père revienne du travail, car elle ne savait jamais dans quel état elle allait retrouver Blanche. Et durant quelques années, Anne avait cru que leur vie s'en tiendrait à cela: une mère absente, qui ne vivait que pour sa bouteille; un père qui faisait de son mieux; deux sœurs qui avaient désormais leurs vies respectives et elle, se donnant corps et âme à la musique. Mais un jour, sa mère avait exagéré sur l'alcool et elle était tombée dans l'escalier. Elle avait été hospitalisée pendant de longs mois. Pour Anne, ce fut à cette occasion bien précise que sa vie avait été bouleversée. Quelques jours après l'accident de Blanche, elle avait connu Jason et sa mère Antoinette chez qui son père l'avait envoyée en vacances en compagnie de sa sœur Charlotte. Antoinette était une amie d'enfance de son père, à ce qu'elle avait compris. Pour elle, cette femme gentille et attentive avait été beaucoup plus qu'une amie ou une connaissance. Elle avait été l'incarnation d'une vraie mère. Plus jamais, par la suite, Anne n'avait été capable de considérer Blanche de la même manière. Les comparaisons entre sa mère et Antoinette se multipliaient, toujours à l'avantage de cette dernière. Et quand finalement sa mère était sortie de l'hôpital et qu'elle avait condamné l'accès au salon où était son piano, cela avait été le début des hostilités ouvertes entre Blanche et Anne. Sa plus grande joie avait été celle que son père lui avait faite quand il lui avait annoncé que sa mère avait eu une grave crise d'angoisse en apprenant la mort du bébé de sa sœur Émilie et qu'elle serait hospitalisée pour un très long moment. Le reste, pour Anne, avait coulé de source. Ils avaient revu Antoinette et Jason de plus en plus souvent, parfois au bord de la mer et parfois chez eux, à Montréal, et son père était tombé amoureux d'Antoinette. Après avoir compris que Blanche ne ressortirait plus de l'asile, ils avaient décidé de s'installer au Connecticut. L'année qu'elle avait vécue là-bas avait été la plus belle de sa vie. Jusqu'au jour où elle avait appris que sa mère était ressortie de l'hôpital et la réclamait auprès d'elle.

— Si Blanche a exigé que je vienne vivre ici, à Montréal, c'est juste pour faire son devoir de mère. Elle ne m'aime pas, elle me l'a dit. Mais je n'avais pas besoin de cette confirmation pour savoir que j'étais de trop. Tout au long de mon enfance, Blanche me l'a fait sentir de bien des façons. Comme elle me le répète sans arrêt, je suis une « insignifiante ».

Du long monologue qu'Anne venait de lui servir, André n'avait pas appris grand-chose. À l'exception de quelques modifications chronologiques quant au caractère amoureux de la relation entre Raymond et Antoinette, Anne n'avait fait que confirmer ce qu'il savait déjà. Même le mot « insignifiante » n'était pas étranger à son oreille.

— Il ne faut pas croire tout ce que les gens nous disent, affirma-t-il avec une rhétorique de vendeur itinérant dans la voix. Insignifiante est un mot comme un autre. Un mot qui ne veut peut-être rien dire sauf exprimer une banale impatience.

Anne ne rétorqua rien. Elle n'avait pas l'intention de s'étendre sur le sujet, il était trop éculé. Elle se borna à détourner la tête vers la fenêtre et André appréhenda qu'elle ne note, dans ses propos, qu'une bêtise d'adulte, une ineptie inutile. André toussota pour reprendre contenance. Il n'avait jamais su parler aux enfants. Valait peut-être mieux s'en tenir à l'impression première qu'Anne lui avait faite. Elle n'était plus tout à fait une enfant.

— Anne… vous permettez que je vous appelle Anne, n'est-ce pas ?

Un haussement d'épaule en guise de réponse et la jeune fille délaissait la fenêtre pour poser l'incandescence de son regard sur André.

— Il y a quelques minutes, vous m'avez dit qu'après la crise d'angoisse de votre mère, au moment où elle avait été hospitalisée pour la seconde fois, votre père et vous aviez rencontré Antoinette et Jason de plus en plus souvent. C'est bien ce que vous avez dit ?

— Oui, pourquoi ? Je ne vois pas ce qui…

Dans la voix crispée d'Anne, la plus infime intonation disait la méfiance.

— Je ne vois pas ce qui nous l'aurait interdit.

— Rien, Anne, rien n'interdisait que vous visitiez vos amis ou qu'ils vous rendent visite. Je veux simplement avoir quelques précisions. C'est tout. Quand nous nous retrouverons devant le juge, l'important est de ne rien laisser au hasard. Parce que l'avocat de votre mère, lui, ne négligera aucun détail.

— Que voulez-vous savoir ? soupira Anne, ne voyant pas du tout la pertinence de reparler d'événements qui dataient de plusieurs années déjà.

— Tout ce qui vous vient à l'esprit. Racontez-moi ce que vous faisiez, où vous vous rencontriez. Ce que vous ressentiez face à eux, à cette époque, est aussi très important.

— Ce que j'éprouvais face à eux ?

Anne ne comprenait plus rien. Où M^e^ Dion voulait-il en venir ? Ne savait-il pas tout cela déjà ? Une goutte d'impatience se mêla à l'incompréhension que l'avocat entendit dans la voix qui reprenait.

— Rappelez-vous que je n'étais qu'une petite fille de onze ans. J'avais peur de ma mère. Pourquoi est-ce que je dois le répéter ? J'avais peur de ce que j'allais trouver en rentrant chez moi. Déjà de ne plus la voir était une véritable délivrance. Si en plus j'avais le plaisir de rencontrer des gens gentils avec moi…

Anne observa une pause, le regard tourné vers le passé. Pourquoi lui demander tout cela ? L'ami de son père ne savait-il pas déjà qu'elle ne voulait plus vivre avec Blanche ? De quoi avait-il parlé avec son père sinon de ce qui s'était passé avant? Un soupir discret la ramena à M^e^ Dion et à ses questions un peu singulières.

— Auprès d'Antoinette et Jason, je me sentais libre. Antoinette est quelqu'un de bien. Avec elle je ne me sens jamais de trop. Et ce n'est pas parce qu'elle vit avec mon père qu'elle est comme ça. Elle a toujours été gentille avec moi. Et c'est ce que j'ai déjà essayé d'expliquer à Blanche. Bien calmement. Mais elle ne veut rien entendre. Avec Antoinette, je suis heureuse. Quand j'allais chez elle ou qu'elle venait chez nous avec Jason, c'était toujours la fête même avant que papa ne me propose d'aller vivre aux États-Unis. Antoinette, c'est quelqu'un qui rayonne et ça fait du bien. Dès qu'elle s'installait chez nous, toute la maison était différente. Blanche elle, n'arrête pas de se lamenter que je la fatigue, qu'elle est morte d'inquiétude, que je la fais mourir à petit feu et partout où elle va, elle traîne sa mauvaise humeur chronique dont elle me tient responsable. J'en ai assez!

Tandis qu'Anne continuait de plaider sa cause, André avait fermé les yeux. Menton appuyé sur ses mains réunies en pyramide, il écoutait religieusement tout ce que la jeune fille disait. Jusqu'au moment où quelques mots irritèrent son oreille. Du coup, André cessa d'écouter ce que disait Anne. La voix n'était plus qu'un bourdonnement alors qu'il avait froncé les sourcils. Mais quel était ce petit détail qui avait agacé son oreille? Avant même qu'il n'eut terminé de formuler la question, le détail en question avait pris forme et s'était enraciné dans son esprit.

Seule une longue pratique de la comédie de parquet l'empêcha de sursauter. Avait-il bien compris? La question était un banal exercice de sémantique pour gagner du temps, car André savait qu'il avait fort bien compris ce qu'Anne avait mentionné et les implications qui allaient en découler. Pourquoi, grands dieux, Raymond lui avait-il caché ce détail ? Mais était-il au fait de son importance ? Probablement pas.

Ainsi donc, Raymond avait invité Antoinette dans sa demeure. Il n'avait pu résister à la tentation d'installer la belle dame chez lui comme il aurait dû le faire à l'aube de ses vingt ans. Antoinette avait vécu sous le toit conjugal pendant quelque temps.

Illusion d'une jeunesse révolue. Désolation d'une jeunesse gaspillée.

C'était embêtant. C'était surtout fort probablement suffisant. De là découlaient les menaces de Blanche, c'était clair comme de l'eau de roche. Elle savait ce qui s'était passé, elle avait été instruite de l'importance de l'atout qu'elle détenait. Et à son tour, elle n'avait pu résister à l'envie d'utiliser cette carte maîtresse.

André retint un sourire mauvais devant le vilain jeu de mots.

Entre Blanche et Raymond, c'était aussi la guerre des subtilités, ils avaient eu la fâcheuse propension à le négliger. Malgré d'évidents défauts, Blanche était une femme intelligente. Comment Charlotte avait-elle dit cela, encore, l'autre jour ? Perspicace et manipulatrice. L'avoir oublié avait été une erreur de débutant.

Le château de cartes de toutes les élucubrations de Raymond venait de s'écrouler. Blanche avait pigé le joker.

Anne soliloquait toujours. André se releva et, faute de mieux, vint se poster à la fenêtre pour se ménager un espace de manœuvre.

Le givre grignotait le bas des carreaux, la clarté de ce petit soleil de janvier était anémique.

Brusquement, Anne s'était tue et André sentit son regard qui vrillait sa nuque. Qu'allait-il pouvoir lui dire?

Le silence s'éternisa, s'enlisa dans les bruits disparates qui montaient de la rue. Un coup de klaxon, des pneus qui glissent sur la chaussée glacée, quelques cris.

Et ce silence entre eux qui prenait des proportions gigantesques…

André savait déjà que le procès n'aurait jamais lieu. Au mieux, il tenterait de s'entendre avec M^e^ Labonté. Mais il n'y croyait pas non plus. Il s'en voulait de ne pas avoir vérifié les dires de Raymond jusque dans leurs moindres retranchements. Faute professionnelle régie par la grande amitié qui le liait à Raymond. Il s'était fié à ce qu'il lui avait dit sans chercher plus loin.

Et Anne qui était là dans son bureau et qui attendait. Avant même qu'elle n'ait ouvert la bouche, André sentit qu'elle allait parler.

— Vous allez nous aider, n'est-ce pas? Je sais que papa veut retrouver Antoinette et moi aussi, c'est ce que je veux. Je m'ennuie terriblement de Jason, vous savez. Si c'est vous qui parlez au juge, je suis certaine qu'il va comprendre que je ne demande pas grand-chose, dans le fond.

Pour la première fois depuis le début de l'entrevue, André entendait l'enfant qui s'exprimait par la bouche d'Anne. L'enfant qui croyait encore à la pensée magique. L'enfant soulagée de pouvoir s'en remettre à un adulte qui allait tout régler à sa place. André chercha les mots d'un réconfort qui n'existait pas. Il n'avait jamais su parler aux enfants. Il se retrancha frileusement derrière les formules consacrées qu'il possédait jusqu'au bout des ongles et utilisait avec un achèvement consommé.

— Bien sûr que je vais vous aider. Mais qu'est-ce que c'est que ces idées ? Avec la grâce de Dieu, nous allons y arriver.

Il avait mis toute la conviction dont il était capable dans ces quelques mots creux. S'il ne savait pas parler aux enfants, les consoler était encore pire. Rien de tel que quelques larmes dans les yeux d'un enfant pour que tous les acquis d'une vie s'envolent en fumée. Mais André s'en faisait inutilement. Il le comprit dès que son regard navré croisa celui d'Anne. La femme résignée était de retour.

— La grâce de Dieu ? murmura-t-elle d'une voix égale, impersonnelle. Si vous parlez de Dieu, c'est que vous n'y croyez pas.

— Allons ! Ce ne sont que des mots.

La neutralité affichée par Anne se métamorphosa aussitôt en un cynisme froid qui marqua son regard d'une lueur étrange, faite de clarté sombre, comme une lumière sous le boisseau qui dessine de lourds pans d'ombre.

— Que des mots ! Je m'attendais à cette réponse. Les adultes disent souvent ça quand ils préfèrent ne pas exprimer le fond de leur pensée. À les entendre, la vie serait le résultat de mots sans importance. Moi, voyez-vous, je préférerais que la vie ne soit que des notes. La musique est plus sincère. Elle exprime toujours ce qu'on ressent. Dans le fond, à bien y penser, c'est tout ce que je demande. Le droit de faire de la musique avec des gens qui l'apprécient au lieu de me faire dire que je pioche sur un piano.

Et avant qu'André n'ait eu le temps de répliquer, Anne s'était relevée, avait marché jusqu'à la porte et la refermait doucement sur elle.

* * *

Charlotte vivait un conte de fée.

Ce que la vie lui avait refusé de jeunesse et d'insouciance, Jean-Louis lui en faisait cadeau sur un plateau d'argent. À Noël, il lui avait offert une bague sertie d'un diamant à faire pâlir d'envie une princesse des *Mille et une nuits*. Hier soir, après avoir visité un nombre incalculable de maisons au cours des dernières semaines, il avait enfin signé une offre d'achat pour une résidence située dans l'ouest de Montréal.

— Mais c'est bien trop grand ! C'est bien trop beau !

— Rien n'est trop beau pour ma Charlotte, avait-il répliqué joyeusement mais fermement. Il est temps que je fasse fructifier cet argent qui dort à la banque depuis toutes ces années où j'ai bûché comme un malade, faute de mieux.

Charlotte avait levé un sourcil moqueur.

— Fructifier ? Tu appelles ça faire fructifier de l'argent, toi, acheter une maison qui vaut une petite fortune ?

— Oui, si c'est pour rendre la femme que j'aime heureuse.

— Mais je n'ai rien demandé, moi !

— Pas besoin de demander pour recevoir.

C'était si nouveau pour Charlotte d'être mise sur un piédestal qu'elle n'en portait plus à terre. Elle avait commencé à biffer les jours sur le calendrier, chaque soir, avec Alicia qui partageait l'euphorie de sa mère en y ajoutant une bonne mesure d'excitation.

— Dans moins de cinq mois, Jean-Louis et toi vous vous mariez et dans…

Soulevant les pages du calendrier, Alicia comptait les semaines en pointant tous les dimanches avec le crayon.

— … dans quatorze semaines et trois jours, on déménage !

— Petite rectification, ma puce. Le premier mai on ne

déménage pas, on prend possession de la maison, ce n'est pas tout à fait pareil.

Faisant fi des nuances apportées par sa mère, consciencieusement, Alicia entoura le *1* du mois de mai, comme s'il était possible d'oublier une telle date, puis elle laissa retomber les pages du calendrier qui poussèrent un petit soupir en reprenant leur place. Le deuxième samedi de juin, date prévue pour le mariage, était quant à lui entouré de rose depuis belle lurette.

— C'est donc bien loin, tout ça, se lamenta Alicia.

Puis elle se reprit.

— Mais ça ne fait rien. Je sais que ça va finir par arriver.

Depuis toujours, Charlotte lui avait appris qu'il est aussi plaisant d'espérer une joie que de la vivre. Alicia avait présentement une occasion en or pour vérifier. Jamais de toute sa vie elle n'avait attendu un événement avec autant de frénésie. Sa mère se mariait ! C'était autre chose que les noces de Françoise ! Et en plus, au souper, sa mère avait annoncé que ça y était, Jean-Louis et elle avaient déniché la maison de leurs rêves. Ce qui faisait deux événements d'envergure en attente. C'était beaucoup.

Est-ce que cela pouvait être trop ? N'y avait-il pas un risque de voir quelque chose ne pas se réaliser ?

Alicia fronça les sourcils, indécise.

Incapable de répondre à cette question, pressentant que sa mère rirait probablement d'elle si elle la posait, Alicia décida de l'éluder sur-le-champ et se contenta de soupirer bruyamment en traçant un grand *X* sur le carreau de la journée qui s'achevait.

— Et voilà ! Une de moins. Il en reste…

Investie de son rôle de gardienne du calendrier, gonflée de

zèle, Alicia recommença à calculer, jour par jour, en pointant chaque chiffre avec son crayon.

— … neuf, dix, onze…

— Minute papillon ! Tu ne vas tout de même pas compter les jours comme ça chaque soir, non ? Ça ne fait toujours qu'une journée de moins qu'hier !

Une bonne mesure d'agacement se tourna vers Charlotte.

— Mais maman !

— Pas de *mais maman* qui tienne ! C'est l'heure de se coucher.

Alicia avait envie de trépigner.

— Déjà ? Je ne suis pas fatiguée ! C'est ridicule d'envoyer les enfants au lit sans demander leur avis.

— Tu trouves ? C'est ton droit. Mais ce n'est pas mon avis à moi. Si tu considères que c'est ridicule, tu feras à ta guise quand tu auras des enfants. En attendant, c'est moi qui mène. Allez hop, jeune fille ! Au lit !

Sachant qu'il ne servait à rien d'insister, la ténacité de sa mère étant proverbiale, Alicia tourna les talons et entreprit de monter l'escalier en se traînant lourdement les pieds, grommelant que c'était terriblement vexant de n'avoir jamais le droit de décider quoi que ce soit dans cette maison.

Charlotte réprima un rire qui n'aurait que jeté de l'huile sur le feu. À la place, elle demanda, pince-sans-rire :

— Et si je te laissais le droit de décider si tu veux lire avant de dormir, est-ce que ce serait moins vexant ?

Le bruit des pieds martelant les marches cessa net et le bout d'un nez tacheté de son apparut au-dessus de la rampe.

— Tu veux que je lise ?

— Je viens de le dire : je te laisse décider.

— Oh oui alors!

Le martèlement des marches reprit mais en sens inverse, aussi fracassant qu'une corde de bois déboulant l'escalier et Alicia se jeta sur sa mère, entoura sa taille en la serrant très fort et repartit vers l'étage en courant.

— Merci!

Et avant que Charlotte ait pu réagir, la petite fille avait tourné les talons et grimpait les marches deux à deux. Rien ne lui plaisait autant que de lire avant de s'endormir. Charlotte ferma les yeux et se boucha les oreilles quand elle entendit la porte de chambre lancée à la volée qui ébranlait la charpente de la vieille demeure. Tant pis pour le claquement de la porte, sa fille était heureuse, elle n'irait pas la réprimander pour si peu. Un fragile sourire apparut au coin de ses lèvres. Alicia... Elle avait été toute sa raison d'être depuis les dix dernières années. L'Angleterre, son premier mariage, la rupture d'avec sa sœur Émilie, les sacrifices, l'hôpital... Toutes ces choses qui avaient inexorablement fait chavirer sa vie auraient été inconcevables si elles n'avaient pas été engendrées par sa fille. Charlotte ne regrettait rien. L'amour qu'elle ressentait pour ce petit bout de femme allait bien au-delà des mots qui savaient parler d'amour.

Lentement, Charlotte attaqua le long escalier qui menait aux chambres. Comme tous les soirs depuis une semaine déjà, elle avait une montagne de correspondance à éplucher. Les réponses aux invitations lancées pour le mariage commençaient à arriver.

Quand Charlotte posa le pied sur la cinquième marche, celle-ci protesta d'un long grincement. D'aussi loin que Charlotte se souvienne, cette marche avait toujours gémi quand on posait le pied dessus. Ce bruit familier l'émut étrangement, effaçant par sa lamentation entêtée le sourire qu'elle avait laissé flotter sur ses lèvres.

Qu'adviendrait-il de la vieille maison de mamie maintenant qu'elle s'en allait? Même si elle avait rapidement détourné la tête, Charlotte avait remarqué la tristesse qui avait assombri le regard de sa grand-mère quand elle avait annoncé que Jean-Louis et elle se cherchaient une maison près de l'hôpital. Malgré tout, la vieille dame avait encouragé leur exploration, s'informant régulièrement de leurs recherches, mais la voix sonnait faux. Elle devait espérer que, tôt ou tard, Charlotte changerait d'avis et déciderait de rester ici avec son mari. Peut-être même entendait-elle au creux de ses espoirs l'écho des cris d'enfants qui auraient redonné une seconde jeunesse aux vieux murs. Ce soir l'espoir avait été réduit en cendres, le glas avait sonné: Charlotte ne resterait pas.

Madame Deblois s'était vite levée de table et avait interdit l'accès à sa cuisine. Elle était encore bien capable de faire la vaisselle toute seule.

Quand Charlotte arriva sur le palier, elle n'avait plus le cœur aussi léger. Elle détestait chagriner les gens, surtout cette vieille dame merveilleuse qu'elle appelait mamie.

La veilleuse posée sur un guéridon projetait une lumière ambrée, un halo négligeable qui suffisait à peine à éclairer le tapis élimé qui couvrait le plancher. Les ombres qui grimpaient sur les murs lui semblèrent écrasantes, oppressantes. Un clou éclata au-dessus de sa tête, dans le grenier, rappelant combien il faisait froid en cette fin de janvier. Charlotte frissonna. Impulsive, elle décida de faire un détour par la chambre d'Alicia avant de regagner la sienne. Après avoir frappé doucement, elle entrouvrit la porte. La pièce était plongée dans la demi-clarté d'une lampe de verre laiteux posée sur la table de nuit.

Sa fille ne lisait pas. Assise devant la fenêtre, du bout de l'ongle, elle grattait la dentelle de givre qui tapissait la fenêtre en entier. Un petit monticule de neige grandissait sur la tablette peinte en rose à sa demande.

— Je peux entrer?

— Si tu veux…

Charlotte rejoignit sa fille qui se poussa pour lui faire un peu de place sur le large rebord de la fenêtre. Elle épousseta prestement le petit tas de givre qui s'envola comme une bordée de neige jusqu'au plancher et leva les yeux vers sa mère.

Les mots auraient été superflus. Charlotte sentit son cœur se serrer. Quand Alicia avait ce reflet émeraude dans le bleu profond de son iris, c'était qu'elle était craintive ou contrariée. Charlotte passa un bras autour de ses épaules et attendit. Si Alicia voulait se confier, elle le ferait. Sinon, la présence de Charlotte suffirait. C'était à elle de choisir. Les confidences ne se commandent pas, elles viennent naturellement ou restent à jamais enfouies dans le secret des cœurs. Charlotte mieux que quiconque pouvait le comprendre.

Machinalement, Alicia avait recommencé à gratter le frimas et Charlotte joignit sa main à la sienne. En peu de temps, un bout de rue apparut, aussi blanc que le givre arraché à la vitre, aussi glacé que le frimas qui tombait sur leurs doigts. Alicia soupira.

— Comment est-ce que ça va être, maman?

Nul besoin d'être plus précise, Charlotte avait compris.

— Ça ne sera pas tellement différent de maintenant. On est habituées, toutes les deux, de vivre avec d'autres personnes. On va donc s'habituer à vivre avec Jean-Louis.

— C'est vrai.

Il y eut un bref silence avant qu'Alicia reprenne.

— C'est vrai qu'on n'a jamais été vraiment seules toutes les deux, constata-t-elle. *Grand-ma* Mary-Jane, papa, Françoise et maintenant mamie... Il y a toujours eu quelqu'un avec nous. Jason, lui, a vécu longtemps seul avec sa mère. Parfois, je le trouve chanceux.

Reproche déguisé ou simple constatation?

Charlotte raffermit l'étreinte de son bras. Elle sentait la fragilité de l'épaule qui se pressait contre son sein. Alicia avait à peine neuf ans. Une si courte vie pour être déjà stigmatisée par les amours bafouées, les départs précipités, les déchirures du cœur. Comment expliquer les hasards de la vie à une enfant qui prend à peine conscience qu'elle vit?

— Ça me fait peur tout ça.

— Peur?

— Oui. J'ai peur que ça ne dure pas. Comme avant, en Angleterre. J'aimais vivre là-bas et d'un seul coup, tout a disparu. Mon papa Andrew, ma maison, ma *grand-ma*...

— Je sais. Ça n'a pas été facile. Mais on s'en est bien sorties, toutes les deux, non?

— Si on veut. Mais j'ai peur quand même. J'aime beaucoup Jean-Louis. Tu le sais, ça. S'il fallait que lui aussi s'en aille, je ne sais pas comment je ferais pour tout recommencer. J'en ai assez, maman, de toujours tout recommencer.

«Moi aussi, songea Charlotte. Moi aussi j'en ai assez de toujours tout reprendre à zéro.»

Comme son père l'avait si souvent fait avec elle, Charlotte glissa un doigt sous le menton d'Alicia pour l'obliger à lever les yeux vers elle. Finalement, elles en étaient au même point, toutes les deux. Elles avaient envie de croire que la vie allait enfin se montrer clémente mais elles avaient peur. Pourquoi mentir ? Pourquoi se mentir ?

— Est-ce que je peux te confier un secret ?

— Oui, tu le sais bien que jamais je ne répète les secrets.

— Oui, je sais que je peux te faire confiance. Vois-tu, moi aussi j'ai un peu peur. Parce que moi aussi, j'aimais bien vivre en Angleterre et que j'ai trouvé ça profondément injuste de devoir partir. Alors il reste en moi un drôle de goût qu'on appelle l'amertume. C'est un peu la même chose que la peur que tu ressens. Malgré cela, il me reste aussi une certitude. C'est que toi et moi, on s'en est sorties. Je sais que toi et moi on est capables de bien des batailles, s'il le faut. On l'a déjà prouvé. Alors, quoi qu'il puisse arriver, on va encore s'en sortir. Mais ça, c'est juste si ça ne tourne pas rond. Et rien, jusqu'à maintenant, ne nous indique que ça va mal aller. Jean-Louis est un homme fort et il nous aime autant que nous l'aimons. Là-dessus, je ne veux pas que tu aies le moindre doute. Il n'y a donc aucune raison pour que cette belle aventure finisse plus vite que prévu. Aucune.

Alicia buvait les paroles de sa mère. Elle avait tant besoin d'être rassurée.

— Je t'aime, ma puce. Et pour moi, rien n'a plus d'importance que ça. Rien, tu m'entends, rien ni personne ne viendra changer ça. Tu ne dois jamais l'oublier. Jamais, quoi qu'il arrive et où que tu sois.

— Moi aussi je t'aime, maman.

— Tu vois? Dans le fond, nous sommes chanceuses. Le reste, tout le reste, on n'a qu'à le vouloir très fort et il va se réaliser. En tout cas, je te jure que moi, je vais tout faire pour que notre rêve d'avoir une famille comme toutes les autres se réalise. Parce que c'est ce que je veux, du plus profond de mon cœur et que je sais que toi aussi, c'est ce que tu veux. D'accord?

— D'accord.

Après un dernier câlin, Alicia se dirigea vers son lit en bâillant. Puis elle fit une petite grimace, songeuse.

— Maman? Est-ce que tu crois que je pourrais visiter la nouvelle maison, moi aussi? Il me semble que ça irait mieux si je pouvais y penser réellement au lieu de juste l'imaginer. Après tout, c'est pas comme un roman que je lis, tout ce qui va nous arriver. C'est la vraie vie.

L'atmosphère s'était allégée d'un coup.

— Je crois que je pourrais arranger ça. Jean-Louis me disait justement au téléphone ce soir qu'il aimerait y jeter un autre coup d'œil. Tu n'auras qu'à venir avec nous.

— C'est vrai? Chouette alors! Comme ça, je vais pouvoir commencer tout de suite à me sentir chez moi ailleurs, énonça-t-elle en plissant comiquement le nez, consciente de l'ambiguïté de sa phrase. Tu vois ce que je veux dire, n'est-ce pas?

— Tout à fait. Tu es comme moi, tu es une fille d'images. On a besoin de voir pour vrai avant de se faire une opinion.

— C'est en plein ça!

Alicia avait l'air ravi.

— Et maintenant que dirais-tu d'aller te coucher?

Cette fois-ci, Alicia ne se fit pas tirer l'oreille.

— D'accord. Mais à une condition.

— Laquelle?

— Que tu me bordes comme quand j'étais petite.

Charlotte fit mine d'hésiter en fronçant les sourcils et en dessinant une moue incertaine. Puis elle éclata de rire, subitement et irrévocablement heureuse.

— Je crois que c'est une condition tout à fait raisonnable. Allez, saute dans mes bras, je vais même te porter jusqu'à ton lit.

La gamine ne se fit pas prier même si elle détestait habituellement être traitée en bébé. Une fois n'est pas coutume et cette soirée de confidences l'avait portée à la tendresse, à l'abandon.

Et ce soir-là, Alicia s'endormit bercée par la comptine qui avait accompagné le sommeil de ses plus tendres années. Celle que Mary-Jane avait enseignée à Charlotte quand Alicia n'était qu'un bébé.

Au moment où elle fut bien certaine que sa fille dormait profondément, Charlotte se retira sur la pointe des pieds. Dans le couloir, les ombres n'étaient plus menaçantes, se limitant à souligner les boiseries et les meubles comme d'habitude. Charlotte se glissa silencieusement dans sa chambre où elle fit un peu de clarté. Sur la coiffeuse, sa grand-mère avait déposé le courrier de la journée en une belle pile. C'était sa maigre contribution, disait-elle, à la préparation de la noce.

Un événement en soi, d'ailleurs, que les préparatifs de ce mariage !

Tout avait commencé alors que Jean-Louis et Charlotte discutaient ensemble de ce qu'ils souhaitaient pour leur mariage. On était à quelques jours du nouvel an et la date venait d'être arrêtée. Raymond avait alors paru dans l'embrasure de la porte du salon et s'était amusé à les écouter débattre pendant un moment. De toute évidence, les deux tourtereaux ne s'entendaient guère sur la forme que prendrait cette cérémonie. Raymond avait donc profité d'un mouvement d'humeur du fiancé pour lui faire signe.

— Jean-Louis, suis-moi!

L'interpellé ne s'était pas fait prier. En moins de temps qu'il n'en faut pour le dire, les deux hommes s'étaient enfermés dans la salle à manger dont Raymond avait fermé la porte à double tour. Charlotte avait eu beau supplier, menacer, tempêter, rien n'y avait fait. Elle en avait été quitte pour ronger son frein pendant plus de deux heures au bout desquelles les deux hommes avaient fait leur apparition, échevelés mais avec la mine réjouie de deux chefs syndicaux qui viennent de gagner leur négociation.

— Voilà, c'est fait, avait annoncé Raymond tout souriant. La lutte n'a pas été difficile, nous avions le même point de vue. Un notaire et un médecin ne peuvent envisager un mariage sans cérémonie. Nous allons donc faire les choses en grand.

Sur ce, il avait assené une claque vigoureuse sur l'épaule de Jean-Louis.

— Je sens que nous allons bien nous entendre. Jean-Louis va me faire un excellent gendre, tout comme Marc.

Le regard de Charlotte s'était promené de l'un à l'autre sans déceler la moindre faille qui lui aurait permis de remettre les pendules à l'heure. En effet, elle, c'était une cérémonie toute simple qu'elle voulait. Voyant qu'ils étaient deux à se liguer contre elle, Charlotte avait rendu les armes sans se battre.

— Ouf! avait-elle laissé tomber platement devant la tournure et l'envergure que prenait la situation.

Ce fut ainsi qu'elle s'était vu confier la tâche de faire imprimer plus de deux cents faire-part et de les envoyer. Ce qu'elle avait fait avec diligence pour se débarrasser de la corvée, convaincue qu'elle n'en entendrait pas parler avant le printemps. Or voilà que depuis quelques jours, les réponses affluaient, à croire que les gens n'attendaient que cela pour occuper les longues soirées d'hiver. Quoi de mieux qu'une réponse à envoyer ! Parents, amis, confrères s'étaient passé le mot, tout le monde voulait assister au mariage de Jean-Louis Leclerc, fils du docteur Adrien Leclerc et de dame Marjolaine Demers, et de Charlotte Deblois, veuve d'Andrew Winslow, fille de Raymond Deblois et de Blanche Gagnon.

Quand elle avait rédigé le texte des faire-part, Charlotte avait tiqué sur le nom de sa mère. Cela faisait combien de temps qu'elle ne l'avait pas revue ? Le temps ne se comptait plus en mois mais en années. Incapable de se résoudre à aller frapper à sa porte pour lui annoncer la grande nouvelle, Charlotte s'était donc contentée de lui envoyer une invitation comme à tous les autres. Blanche ne devrait pas être trop surprise puisque Anne avait sûrement déjà préparé le terrain. N'empêche que chaque soir, Charlotte se demandait, avec un lambeau de l'appréhension qu'elle avait toujours ressentie devant sa mère, si la réponse de Blanche figurait au courrier du jour.

La pile de ce soir était impressionnante.

Charlotte prit le temps de se dévêtir et de s'envelopper frileusement dans une chaude robe de chambre. Puis elle attrapa la liasse de lettres dans une main et la liste des invités qu'elle avait dressée sur deux grandes feuilles de cahier dans l'autre. Armée d'un crayon, elle s'installa en tailleur sur son lit et ouvrit la première lettre du dessus.

Au fur et à mesure qu'elle ouvrait les enveloppes, Charlotte inscrivait une croix à côté des noms concernés et rayait le nom de ceux qui déclinaient l'invitation. À ce jour, seule une lointaine cousine de son père avait refusé d'assister au mariage. Charlotte ne la connaissait même pas.

— J'espère au moins qu'il va faire beau, murmura-t-elle, contemplant, consternée, le nombre incroyable de gens que Jean-Louis et son père connaissaient et qui assuraient qu'ils n'avaient jamais été aussi heureux de confirmer leur présence à un mariage.

— Foutaises, grommela Charlotte. Je ne connais même pas ces gens. Comment peuvent-ils être heureux de venir à mes noces ?

En soupirant, elle ajouta une famille au grand complet à la liste qui s'allongeait de plus en plus. Pour quelqu'un qui espérait un mariage sans prétention, elle était servie !

Elle tendit ensuite la main pour se saisir de l'enveloppe suivante.

La lettre l'attendait, cachée en traître entre deux réponses à son invitation.

Pas la missive qu'aurait pu lui envoyer sa mère, non, celle-là, Charlotte s'attendait à la voir apparaître un jour ou l'autre.

C'était l'autre.

C'était celle qu'elle avait tant espérée et qui n'était jamais arrivée. C'était celle qu'elle aurait préféré ne plus jamais recevoir.

Avant même d'avoir tourné les yeux, du bout de ses doigts qui palpaient la texture de l'enveloppe, Charlotte savait que ce n'était pas une réponse comme les autres. Son cœur cessa de battre et ses mains se mirent à trembler.

Elle aurait voulu être capable de la déchirer sans même la regarder. L'envoyer au panier sans même la lire et se dire, comme le font les enfants en niant une vérité trop difficile à accepter, qu'elle n'avait jamais existé.

Charlotte savait qu'elle ne le ferait pas parce qu'alors, elle vivrait avec un remords incommensurable au fond du cœur jusqu'à la fin de ses jours. Charlotte savait qu'elle la lirait jusqu'à la dernière ligne, ne serait-ce que pour aller jusqu'au bout de cet amour qui ne mourrait jamais.

Elle eut de la difficulté à décacheter l'enveloppe.

Il n'y avait qu'un feuillet plié en quatre, d'une écriture qu'elle ne reconnaissait pas. La main qui avait tracé les lettres était fatiguée, tremblante.

Charlotte survola les mots pour se rendre tout de suite à la signature.

Maria-Rosa Rodriguès...

Ce cœur qui avait cessé de battre quelques secondes auparavant reprit le temps perdu et se mit à cogner comme un fou jusque dans sa gorge. Pourquoi cette femme lui écrivait-elle ? Serait-il arrivé quelque chose à Gabriel ?

Le cerveau fermé à toute logique, sans avoir la présence d'esprit de se demander comment il se faisait que Maria-Rosa avait son adresse, sans même vérifier l'adresse qui figurait sur l'enveloppe, après tout, depuis qu'elle avait parlé à Gabriel, elle avait déménagé, Charlotte se mit à lire. Les mots valsaient devant ses yeux, elle avait de la difficulté à les déchiffrer.

*Madame,*

*Vous me pardonnerez la liberté que je prends en vous écrivant mais le temps m'est compté. J'aurais préféré vous rencontrer même si j'ai la conviction de bien vous connaître à travers les peintures que Gabriel fait de vous. Ce plaisir de vous regarder droit dans les yeux me sera, lui aussi, refusé. Je vais mourir. Bientôt, demain peut-être.*

*Gabriel vous a toujours aimée. Ai-je besoin de l'écrire? Je sais qu'il cherchera à vous retrouver le jour où je n'y serai plus et c'est bien comme ça. Malgré les apparences, Gabriel est un homme fragile qui aura besoin de soutien quand je serai partie. Je sais qu'il peut compter sur vous. C'est pourquoi ce n'est pas pour lui que je vous écris. C'est pour mon fils, Miguel. Puisqu'il semble que la vie va vous permettre de retrouver l'homme que vous aimez, vous aurez aussi à accueillir Miguel. Cet enfant est l'être que j'aurai le plus aimé sur terre. Je vous demande de l'aimer à votre tour. Je vous le confie sachant que si Gabriel vous aime, c'est que vous êtes une femme bien, une femme de cœur. Vous saurez donc l'aimer comme une mère et c'est ce dont mon fils aura le plus besoin pour oublier la déchirure que je vais bien involontairement lui faire vivre.*

*C'est tout ce que j'avais à vous dire: vous confier les êtres que j'aurai le plus aimés au cours de ma trop courte vie.*

*Cette lettre aura été la plus difficile qu'il m'aura été donné d'écrire. Je vous souhaite le bonheur auquel je n'ai plus droit. Jamais le mot «Adieu» n'aura eu autant de signification qu'en ce jour.*

*Maria-Rosa Rodriguès*

Charlotte resta un long moment immobile, persuadée que si elle osait bouger, le monde entier s'écroulerait autour d'elle.

Puis elle recommença à respirer. Une longue, une profonde inspiration tremblante et douloureuse parce qu'elle était la preuve déchirante qu'elle était toujours vivante, monta du ventre pour mourir sur ses lèvres en un long gémissement. Les larmes qu'elle avait toujours décriées et qu'elle implorait maintenant du fond de sa détresse se refusaient à elle.

Charlotte laissa tomber la lettre qui se mêla aux réponses joyeuses qu'elle avait reçues. Elle n'aurait pas besoin de la relire, elle la savait déjà par cœur. Machinalement, elle ramassa tous les papiers qui gisaient emmêlés sur son lit et les jeta pêle-mêle sur la coiffeuse. Elle ouvrit un tiroir, prit son bloc de papier à lettres et sa plus belle plume, celle qu'elle utilisait pour les lettres d'importance. Celle qu'elle avait employée pour adresser les invitations au mariage.

Elle revint s'installer sur son lit et ferma les yeux, conjurant la plume de trouver les mots qu'elle-même ne connaissait pas. Cependant, la plume resta muette alors que son cœur, lui, criait à tue-tête.

Il n'y aurait pas de réponse. La lettre ne réclamait aucune réponse. De toute façon, arriverait-elle à temps?

Charlotte lança la plume au bout du lit et laissa tomber le bloc de papier sur le sol. Elle permettrait à Maria-Rosa de mourir en paix, croyant son fils entre bonnes mains. Ce qui était la vérité puisque Miguel serait avec Gabriel.

Gabriel...

Charlotte se recroquevilla sur son lit, ramenant un pan du couvre-lit sur ses épaules. Elle avait si froid.

Elle ferma les yeux, tentant désespérément de faire revivre le visage tant aimé sur l'écran de sa mémoire. Mais il n'y avait que l'homme de ses seize ans qui daignait apparaître dans le flou insondable que le temps laisse sur les souvenirs que l'on garde des gens.

Où donc était celui qu'elle avait aimé à Paris? N'était-ce qu'un mirage? Cet homme était-il autre chose qu'une vision appartenant au passé? Un passé qui était loin derrière elle, si loin déjà et qui ne reviendrait jamais? Le passé ne revit jamais. Le Gabriel de ses seize ans n'existait plus et celui d'aujourd'hui était un inconnu. Maria-Rosa parlait de sa fragilité alors que Charlotte se rappelait une forteresse. Voilà pourquoi l'image de l'homme qu'elle avait aimé à Paris se refusait à elle. Cet homme vieilli n'était pas le Gabriel qu'elle avait aimé.

Comment Françoise lui avait-elle dit cela en parlant de Gabriel sans le savoir ? « Il ne faudrait pas que tu perdes toutes ces belles années à courir après un rêve qui ne se réalisera peut-être jamais. »

Françoise avait raison. Gabriel n'était toujours qu'un rêve. Même si elle savait que la vie de Maria-Rosa se calculait en jours, Gabriel ne restait toujours qu'un rêve.

Et il y avait Alicia.

« J'en ai assez, maman, de toujours recommencer. »

La voix de sa fille lui revint si claire, si réelle que Charlotte sursauta et ouvrit précipitamment les yeux, le cœur battant la chamade. Oui, il y avait aussi Alicia qui aimait Jean-Louis et à qui elle avait promis que cette fois-ci serait la bonne. Elle n'avait pas le droit de la décevoir encore une fois. Elle n'avait pas le droit de refuser ce merveilleux cadeau que la vie lui faisait. Jean-Louis, c'était du solide, du concret. Jean-Louis, c'était l'assurance d'aimer et d'être aimée. Parce que cela aussi, c'était du concret : elle aimait Jean-Louis. Ensemble, ils allaient vivre une vie comme elle avait toujours voulu avoir. À côté de lui, Gabriel n'était rien de plus que le souvenir qu'elle avait de ses seize ans. Rien ne pouvait garantir qu'ils seraient heureux ensemble.

L'aube découvrit Charlotte au creux de son lit, les yeux grands ouverts et toujours secs. C'était une aube d'hiver à la clarté blafarde et tardive, d'un mauve indistinct, qui s'infiltrait entre les toits sans vraiment rejoindre les fenêtres.

Charlotte se leva avec les bruits habituels de la maisonnée qui s'éveillait. L'eau glougloutait dans les tuyaux, une porte claqua. Par habitude, Charlotte se dit qu'Alicia était debout. Il n'y avait qu'elle pour fermer une porte avec autant d'entrain.

Alors Charlotte s'approcha de la coiffeuse et fouilla à travers les papiers qu'elle y avait jetés. Était-ce seulement hier soir qu'elle les avait lancés en désordre? Elle avait l'impression d'avoir vécu toute une vie en quelques heures. La lettre l'attendait, pliée en quatre comme elle l'avait laissée. Charlotte la prit et, sans la relire, elle s'approcha de la fenêtre qu'elle ouvrit sur la froidure qui figeait les arbres enveloppés de frimas.

Lentement, consciencieusement, avec acharnement, elle transforma la lettre de Maria-Rosa en milliers de confettis qu'elle lança sur la neige durcie. Le vent s'en empara, les fit tourbillonner et les emporta dans la cour voisine. Quand ils eurent tous disparu, Charlotte referma la fenêtre en murmurant:

— Adieu, mon bel amour. Jamais je ne t'oublierai.

# Chapitre 6

## *Le temps des adieux*

Gabriel avait attendu que Maria Rosa lui signifie, par certains regards plus intenses, que sa souffrance devenait intolérable, qu'il était temps qu'il tienne sa promesse. Néanmoins, il avait prolongé le sursis de quelques jours, jusqu'au matin où Maria-Rosa refusa de le voir.

Il fut toutefois incapable de se réfugier en Amérique, même si c'était là les dernières volontés de la femme qui avait partagé plusieurs années de sa vie. Il ne pouvait se résoudre à quitter le pays avant d'être bien certain qu'il n'y aurait plus de retour en arrière possible. Il avait donc préparé une fuite simulée en louant une villa meublée, cachée derrière une haie de pins parasols près de la plage. Seul Roberto, le frère aîné de Maria-Rosa, était au courant et il avait semblé apprécier que Gabriel ne s'exile pas au bout du monde. Mais comme il était bâti du même bois dur que sa sœur, il ne manifesta aucune émotion et se contenta d'un regard vague, perdu devant lui, et d'un hochement de tête pour signifier qu'il comprenait et appréciait. Gabriel avait enchaîné en disant qu'il n'était toujours pas capable de quitter la maison, qu'il attendrait jusqu'à la dernière heure pour le faire.

Cependant, un matin, quand Isabella était venue lui signifier, l'affliction dans l'âme, dans le regard et dans la voix, que Maria-Rosa avait refusé de le recevoir, Gabriel avait compris que le moment de partir était venu. Il avait donc mené Miguel à l'école comme tous les jours, le cœur en deuil. Il avait passé la journée à arpenter les rues et les ruelles de son quartier, espérant naïvement que Roberto l'apercevrait et lui crierait de revenir parce que Maria-Rosa regrettait son absence.

Mais la maison qui avait abrité ses amours avec Maria-Rosa était restée muette. Volets clos et porte verrouillée, elle semblait déjà morte.

En fin d'après-midi, après les heures de classe, Gabriel était allé chercher son fils et l'avait conduit jusqu'à la maison sur la plage. En guise d'explications, il lui avait simplement annoncé :

— C'est ici que nous allons habiter pour quelque temps. J'ai reçu une commande de peintures illustrant des marines et l'endroit est parfait pour l'inspiration. En même temps, ça va permettre à ta maman de se reposer. Ici, tu peux jouer et courir autant que tu veux. Le bruit ne m'incommode pas.

« Bien au contraire » avait pensé Gabriel, cruellement conscient qu'il aurait grand besoin des cris et des rires de Miguel pour survivre à la solitude que Maria-Rosa lui avait imposée.

Habitué d'obéir sans questionner, le petit garçon n'avait pas posé de questions et ainsi, une nouvelle routine s'était installée entre Gabriel et son fils.

Dans quelques jours, janvier ne serait plus qu'un souvenir. L'hiver portugais tirait à sa fin.

Les vapeurs mauves dont la triste saison enveloppait le paysage commençaient à se rider de jaune. L'éclat du soleil triomphait des nuages qui avaient envahi le ciel depuis quelques semaines et les ombres rétrécissaient. La chaleur gagnait en force et faisait du bien.

Chaque jour, en s'éveillant, Gabriel avait une pensée pour Maria-Rosa, se demandant si la belle saison qui arrivait à grands pas n'amènerait pas un sursis, une dernière rémission. Mais d'un jour à l'autre, il n'y avait aucune nouvelle. Les volets de la maison qu'ils avaient partagée restaient clos et la cour déserte. C'est pourquoi, chaque matin, la mélancolie, l'ennui et le chagrin le portaient jusqu'au réveil de Miguel. Dès qu'il entendait le premier appel de son fils, Gabriel remisait son vague à l'âme et se mettait au diapason de l'enfant qui voyait dans leur retraite inopinée une sorte d'aubaine, comme des vacances improvisées qui permettaient une plus grande liberté. Gabriel se garda bien de l'en dissuader.

Pendant plusieurs jours, Miguel parla très peu de sa mère. En fait, Miguel parlait très peu de ses émotions. Il avait hérité du tempérament des Rodriguès : austère et farouche. Et les quelques pas qu'il avait faits dans le grand monde de la société en dehors de sa famille l'avaient encouragé en ce sens.

Quand il était entré à l'école, il avait rapidement compris que sa mère était différente des autres mères qui venaient attendre leur enfant à la sortie des classes. Lui, c'était son père ou Isabella qui venaient le chercher. Les autres gamins s'étaient même moqués de lui. Quelle sorte de mère était la sienne pour qu'elle s'en remette à d'autres afin de venir le chercher ? Sans contredit, cette mère n'aimait pas son fils et c'était amplement suffisant pour le pointer du doigt.

Ce jour-là, Miguel était revenu chez lui en pleurant.

Maria-Rosa lui avait alors expliqué qu'il devrait apprendre à vivre avec ses différences. Maria-Rosa n'était pas n'importe quelle mère, elle était la sienne. Et oui, elle était particulière : elle était malade. Quand elle avait son âge, elle avait eu à apprendre à vivre avec son handicap. D'un même souffle, elle lui avait enseigné que la vie était aussi faite de mesquinerie et de sarcasmes, rattachés trop souvent hélas aux apparences. Les gens ne comprenaient et n'acceptaient que ce qu'ils voyaient. Et si ce qu'ils observaient de l'extérieur ne leur plaisait pas, ils le rejetaient sans aucune forme de procès. Même son rang social et leur fortune familiale ne le mettraient pas à l'abri des gens méchants. Bien au contraire. Jusqu'à la fin de ses jours, il aurait à composer avec la jalousie, les médisances, les propos acerbes, la cupidité et il devrait y répondre par le discernement, l'indulgence ou le détachement.

— C'est le prix à payer pour être différent, avait-elle conclu en l'embrassant tendrement. Mais cette différence peut être ta plus grande richesse si tu apprends à l'accepter et à t'en servir.

De ce discours un peu obscur pour l'enfant de cinq ans qu'il était, Miguel n'avait retenu qu'un mot : détachement. Il savait ce que voulait dire ce mot, c'était celui que sa mère employait souvent quand elle avait de la difficulté à se bouger.

— J'ai appris le détachement, lui avait-elle un jour expliqué quand il avait demandé comment elle faisait pour ne pas se mettre en colère contre ses jambes qui se dérobaient sous elle. Je n'ai pas eu le choix d'apprendre à dissocier mon corps de ma tête et de mon cœur. Et lentement, je me suis détachée de mon corps. Mais comme ma tête et mon cœur se portent fort bien, ça ne me dérange pas trop de voir mon corps faire le capricieux.

Alors, de ce jour, Miguel pratiqua le détachement et afficha une superbe indifférence aux taquineries et quolibets dont on l'affublait parfois. Il gardait son exubérance d'enfant pour la maison quand l'état de sa mère le permettait. Sinon, il aimait bien apprendre et la lecture faisait partie de sa vie depuis le berceau. Jamais il n'avait perçu l'obligation d'être sage comme une corvée. Il le faisait pour sa mère qui était tout pour lui, comme le sont souvent les mères pour un enfant de cinq ans.

Aujourd'hui, il avait sept ans et l'amour qu'il vouait à Maria-Rosa était toujours aussi inconditionnel. Elle lui avait tout appris, surtout le sens du mot « aimer ». En sept trop courtes années, Maria-Rosa avait sans doute donné à son fils plus que ne le feraient la majorité des mères en toute une vie. Sans être à même de l'exprimer en mots, Miguel avait pressenti toute l'importance que revêtaient les enseignements de sa mère, tout l'amour qui les encadrait.

Pendant ce temps, Gabriel avait tout observé de loin, s'interdisant de s'immiscer dans la relation privilégiée que Maria-Rosa avait tissée entre son fils et elle. Il se disait qu'il aurait des dizaines d'années pour rattraper le temps perdu.

Aujourd'hui, ce temps était venu.

Il employa leur retraite au bord de la mer à apprivoiser Miguel.

Il prit du temps pour l'écouter, comme le faisait si bien Maria-Rosa. Il l'amena à lui parler de sa journée, à raconter ce qu'il avait aimé ou détesté. D'abord réticent à s'ouvrir à celui qu'il avait toujours considéré comme un figurant dans sa demeure puisqu'il passait plus d'heures dans l'atelier que n'importe où ailleurs, le jeune garçon apprit à mieux connaître son père. Sa mère lui avait dit de ne jamais se fier aux apparences et ce fut exactement ce qu'il mit en application. Petit à petit, les liens se formèrent, se précisèrent, devinrent solides. Petit à petit, il apprit à se confier à son père comme il l'avait fait si spontanément avec sa mère. Le discours que Gabriel lui tenait en réponse à ses interrogations était différent de celui de Maria-Rosa, mais Miguel sentait un même amour derrière les propos et cela suffisait à le sécuriser. Plus le temps passait, plus il se sentait prisonnier d'une situation qui lui échappait. Les vacances au bord de la mer commençaient à s'éterniser et il commençait à s'ennuyer de sa mère, de sa maison et de ses habitudes. Les vacances avaient été bien agréables, mais le moment était venu où elles ne goûtaient plus grand-chose.

Miguel voulait retourner chez lui.

Ce soir-là, Gabriel décida qu'il était temps de dire la vérité à son fils. Ce qu'il fit avec toute la douceur que lui inspirait le souvenir des discussions qu'il avait eues avec Maria-Rosa. Ses mots avaient été simples comme seule la vérité peut l'être: sa mère avait de plus en plus mal et priait Dieu de venir la chercher. C'était pour cette raison que Maria-Rosa lui avait demandé de s'éloigner avec Miguel: elle ne voulait pas qu'ils la voient souffrir. Quand Gabriel s'était tu, le petit garçon s'était contenté de hocher la tête, comme l'aurait fait son oncle Roberto.

— Je comprends, maintenant.

Il avait alors tourné les talons et regagné sa chambre. Il n'avait plus jamais demandé à retourner chez lui. Il savait que sa mère allait mourir, ils en avaient déjà parlé ensemble, et si elle avait choisi de le faire toute seule, Miguel l'acceptait. Quand sa mère l'avait-elle trompé?

Mais le lendemain, il glissa sa main dans celle de son père pour se rendre à l'école. Plus que jamais, il avait besoin d'être rassuré. La mort était un bien grand mot entouré de mystère et de silences. Elle lui faisait peur. Il avait surtout peur que sa mère souffre encore plus que tout ce qu'elle avait souffert à ce jour. Gabriel emprisonna la main de son fils dans la sienne et se jura qu'un jour, le sourire refleurirait sur ce visage trop grave. Miguel avait droit à son enfance jusqu'au bout.

Le destin de Gabriel et de Miguel fut scellé par l'apparition d'un ruban noir accroché à la porte de sa maison à quelques jours de là.

Gabriel venait de laisser Miguel à l'école et s'apprêtait à retourner à la villa en passant devant chez lui, comme il le faisait tous les matins, entretenant l'absurde espoir qu'un jour quelqu'un attendrait son passage pour lui dire d'entrer.

Ce matin, l'invitation était au rendez-vous. C'était un ruban noir qui le conviait à passer le seuil de la maison en deuil.

Troublé, ébranlé, Gabriel frappa comme s'il était un étranger, la main tremblante. On a beau s'attendre à la mort, se faire à l'idée qu'elle est tout près, cette cruelle courtisane trouve toujours moyen de nous surprendre. Cette fois-ci, pour faire son apparition, elle avait attendu une journée de soleil comme les autres, une journée qui ressemblait trop aux autres pour être différente. La seule note discordante était qu'il faisait peut-être un peu trop beau pour la tristesse. De longs rubans de brume flânaient sur les jardins et l'air avait une senteur de rosée parfumée, humide et sucrée. Gabriel se dit que Maria-Rosa avait choisi de partir comme elle avait vécu, ne voulant pas que les gens s'apitoient sur elle.

Ce fut Roberto qui ouvrit et Gabriel se retrouva face à un visage ravagé par la douleur. Les deux hommes s'étreignirent en silence. Puis Roberto s'effaça dans l'ombre fraîche de la maison pour laisser passer le mari de Maria-Rosa.

— J'allais justement partir pour la villa. Viens, elle est dans votre chambre.

Les larmes de Gabriel parurent à l'instant où il la vit. Dans la mort, Maria-Rosa était plus belle qu'elle ne l'avait jamais été dans la vie et Gabriel comprit aussitôt que c'était parce que la douleur l'avait quittée. Il sut que Maria-Rosa était morte sans souffrance, en paix avec ce Dieu qu'elle avait tant prié, avec la vie qui l'avait abandonnée trop vite, avec elle-même qui s'était tant battue. Jusqu'au bout, malgré les apparences qui semblaient contre elle, Maria-Rosa avait été une gagnante.

Il resta seul avec la femme qu'il avait si mal aimée, pleurant avec regret, avec sincérité ce qu'il n'aurait plus la chance de réparer.

Puis il repensa à Miguel et à cet instant, les larmes tarirent. Il n'avait pas le droit de pleurer, c'était sur lui-même qu'il le faisait et il avait un fils qui aurait besoin de sa présence, de sa force.

Gabriel s'essuya le visage et retourna à la cuisine où Isabella et quelques femmes de la parenté s'affairaient au fourneau. Dans la cour, on entendait des pleurs, des gémissements. La famille s'était réunie. Surpris, Gabriel constata sur l'horloge au-dessus de l'évier qu'il était resté avec Maria-Rosa plus de deux heures. Assis à la table, le visage enfoui dans ses mains, Roberto ne bougeait pas, insensible aux bruits habituels d'une cuisine, aux lamentations habituelles dont s'entoure la mort. Le faible pas de Gabriel qui approchait suffit pourtant à lui faire lever les yeux.

— J'aimerais que tu m'accompagnes à l'école. Après tout, Miguel est un Rodriguès.

À ces mots, Roberto le gratifia d'un sourire triste, plus déchirant que des larmes.

— Merci d'y avoir pensé.

Quand Miguel aperçut son père et son oncle qui l'attendaient dans le bureau du directeur, il comprit aussitôt que ses prières n'avaient pas été exaucées. Le miracle tant espéré n'aurait pas lieu. Sa mère était morte, comme elle l'avait annoncé.

Elle ne lui aurait jamais menti.

Il suivit les deux hommes sans dire un mot, sa main droite emprisonnée dans celle de son père, la gauche dans celle de son oncle.

Et comme il le dirait plus tard à son père, ce serait le souvenir qu'il garderait de ces quelques jours qui les mèneraient jusqu'au cimetière : ses mains d'enfant prisonnières de celles des grands, broyées par moment par celles des grands, cajolées par celles des grands, comme pour faire oublier la douceur de celles de sa mère.

Quand on porta Maria-Rosa en terre, le soleil tapait dru comme pour un ultime adieu à cette femme exceptionnelle qui avait toujours dit que la chaleur était le plus beau cadeau du ciel. Les rayons chauds de l'été calmaient la douleur de ses muscles.

Quand ils se retrouvèrent seuls à la villa, Miguel n'avait toujours pas pleuré. Gabriel s'approcha de lui et, pliant les genoux pour être à la hauteur de son fils, il plongea son regard dans le sien. Le petit garçon le soutint sans broncher. Quand Gabriel lui souffla, la voix enrouée, qu'il avait le droit de pleurer, que les larmes étaient normales quand on avait de la peine, Miguel avait haussé les sourcils comme s'il ne comprenait pas. Puis il avait baissé la tête avant de répondre, d'une voix claire :

— Pourquoi est-ce que je pleurerais, papa? Maman n'est pas malheureuse, elle n'a plus mal. Et c'est toujours ce qu'elle a dit vouloir le plus au monde.

Gabriel retint les mots qui lui vinrent au cœur et aux lèvres. Miguel n'avait pas à entendre que ce que Maria-Rosa aurait le plus désiré, c'était de le voir grandir. Il se contenta d'y penser très fort, pour elle comme pour lui en regardant le petit garçon qui s'enfuyait vers la plage où il s'assit face à la mer et au soleil couchant qui marbrait le sable d'ombres mauves et gravait la mer de reflets de feu. Quand la nature fut éteinte, quand le dernier embrasement des vagues fut un souvenir et que l'air se mit à fraîchir, Miguel se releva et revint vers la villa. Gabriel était toujours sous la véranda, assis sur une chaise. Miguel s'approcha de lui, s'installa sur le plancher au bois gratté et poli par les intempéries et il posa sa tête sur les genoux de son père sans dire un mot. Ils restèrent ainsi immobiles tous les deux jusqu'au moment où il n'y eut plus une seule goutte de lumière. Alors Miguel demanda:

— Est-ce qu'on rentre chez nous, papa? J'aimerais dormir dans ma chambre.

À ces mots, Gabriel comprit qu'il ne retournerait pas à Montréal. Sa place était ici avec son fils qui était un enfant du soleil comme sa Maria-Rosa. Emmener Miguel au Canada aurait été une aberration aussi réelle que de cueillir une fleur tropicale pour la transplanter sur une banquise en croyant naïvement qu'elle continuerait de pousser. Il l'avait pressenti quand il regardait le petit garçon assis face à la mer, et en ce moment il en avait la certitude. Il pensa alors à Charlotte pour la première fois depuis des semaines et son cœur se mit à battre contre les parois de sa poitrine comme un prisonnier qui voudrait s'échapper. À Montréal, il y avait Charlotte à qui il avait promis de la retrouver. Il lui écrirait comme ils l'avaient convenu, pour la prévenir, mais seulement quand le temps serait venu, quand Miguel aurait recommencé à rire et à s'amuser, quand la famille Rodriguès serait prête à l'accueillir. Alors, il lui demanderait de venir le rejoindre. Que signifiaient quelques mois de plus dans une vie faite d'attentes et de silences ? Pour l'accompagner sur ce dernier bout de chemin sans elle, il y avait un enfant qui aurait besoin de toute son attention, de tout son amour. Gabriel ne pouvait se disperser. Et il n'était pas tout à fait prêt à ouvrir les bras à une autre, même si cette autre s'appelait Charlotte. Il posa la main sur la tête de son fils et lui répondit d'une voix beaucoup plus ferme que ce à quoi il s'était attendu :

— D'accord, Miguel. On rentre chez nous.

* * *

Après l'illusion d'un faux printemps, l'hiver avait décidé de les narguer. Mars était déjà bien entamé et la froidure était cinglante comme jamais. Le soleil, pourtant bien présent, arrivait à peine à dégivrer le haut des vitres et le logement d'Émilie ressemblait à un igloo. Pourtant, l'éternelle frileuse qui détestait l'hiver et tout ce qui s'y rapportait ne s'en souciait guère.

Émilie était débordée.

Un vernissage aurait lieu dans trois mois, au début de juin, le mariage de Charlotte suivrait une semaine plus tard et un baptême serait célébré avant la fin de septembre.

Marc et elle attendaient l'arrivée de leur enfant, garçon ou fille, pour le début du mois d'août.

Finalement, ils ne s'étaient même pas présentés à la crèche. Le médecin qui avait l'habitude de s'occuper d'Émilie avait vu à tout. Elle en avait été soulagée, ne se voyant pas en train de choisir un bébé à travers une vitre comme on choisit une pomme à l'épicerie. Ils avaient donc signé quelques papiers par lesquels ils s'engageaient à prendre en adoption un bébé qui n'était pas encore né, la mère l'ayant abandonné avant même l'accouchement.

Elle savait que Marc était entièrement d'accord avec elle, car cette façon de faire se rapprochait de la normalité. Même s'il n'en parlait jamais, Émilie se doutait que Marc regrettait quand même un peu qu'elle n'ait pas accepté de tenter une dernière chance afin d'avoir un enfant bien à eux. Malheureusement, elle en était toujours incapable. La peur de souffrir s'il fallait qu'elle perde ce bébé-là aussi était trop intense. Cet enfant qu'ils allaient adopter, bien sûr Marc allait l'aimer. Mais d'un regard un peu triste à un soupir à peine retenu, Émilie en avait déduit qu'il ne pouvait se défaire de l'idée que ce ne serait pas tout à fait pareil. Alors elle forçait la note, affichait un enthousiasme exagéré pour lui faire oublier que lui, il pouvait concevoir sans problème, pour lui faire oublier le nom d'Alicia. Car malgré tout ce qu'elle avait pu dire à Charlotte, Émilie était loin d'être certaine que tout était vraiment clair dans l'esprit et le cœur de Marc. Après tout, Alicia était sa fille et Marc était un homme sensible. Comment pouvait-il la renier ? Émilie espérait bêtement que l'adoption arriverait à lui faire mettre en veilleuse le nom d'Alicia qui, depuis le jour où il avait signé les premiers papiers concernant l'adoption, revenait le tourmenter comme une ancienne bêtise qu'on aurait préféré oublier, elle en était persuadée. Le soir où Charlotte et Jean-

Louis avaient annoncé leur mariage, elle avait surpris certains regards qui ne pouvaient être faux.

La seule chose dont elle ne pourrait jamais remettre en doute la véracité, c'était l'amour que Marc disait éprouver pour elle. De cela, Émilie était intimement convaincue. Elle allait donc s'en servir. Manigance de femme amoureuse et blessée dans sa féminité, elle allait utiliser ce qui existait entre Marc et elle pour créer un univers qui n'appartiendrait qu'à eux à travers le projet qu'ils caressaient ensemble. Après tout, qu'importait la forme, dans quelques mois, ils fonderaient une famille. N'était-ce pas là le souhait le plus cher de Marc? Encore plus qu'Émilie, Marc voulait une famille.

Elle en avait donc oublié que l'hiver s'attardait, que Charlotte lui avait demandé d'être sa demoiselle d'honneur puisque le mariage serait grandiose, que sa mère se lamentait qu'elle avait mal à tous les os de son corps à cause du froid humide qui s'incrustait. Elle avait aussi mis de côté le fait qu'elle avait rencontré l'avocat de son père en janvier et qu'il ne l'avait jamais rappelée comme il avait dit qu'il ferait, tout comme elle avait négligé Anne qui était toujours aussi malheureuse et à qui elle avait promis de reparler à Blanche pour tenter d'améliorer les choses à défaut de voir la situation se régler rapidement.

Émilie avait oublié qu'en dehors de son petit logement, il y avait une ville qui continuait d'exister, même sans elle, et une famille dont elle faisait toujours partie. Émilie ne vivait que pour son projet, oubliant qu'il aurait dû être leur projet à Marc et elle.

Tout comme du temps où elle espérait désespérément concevoir un enfant et que la nature ne collaborait pas, elle n'eut plus qu'un mot à la bouche: bébé.

Sans même s'en rendre compte, Émilie était en train de recréer le ghetto étouffant d'où Marc avait jadis voulu s'échapper. À ses yeux, la vie se plaçait enfin dans tout ce qu'elle avait espéré. Sa carrière se portait à merveille et ils auraient enfin un bébé. Rien d'autre n'avait d'importance. C'est pourquoi, dès que la température se montra un peu plus clémente, Émilie recommença à visiter sa mère de façon régulière. Elle ressentait le besoin de partager ce trop-plein de joie que seule une mère pouvait comprendre puisque Marc était, encore une fois, débordé à son travail. Quoi d'autre aurait pu justifier qu'il parte aussi tôt pour ne rentrer qu'en début de soirée ? Quoi d'autre aurait pu expliquer ces regards désapprobateurs et ces mouvements d'impatience ? De concert avec sa mère, Émilie se mit en tête que le logement ne convenait plus, que Marc n'était peut-être pas aussi disponible qu'il devrait l'être dans les circonstances, que Charlotte n'était assurément pas la personne avec qui partager ses espoirs puisqu'elle était une femme égoïste qui n'avait même pas eu le cœur de faire la paix avec sa mère à l'occasion de son mariage et qu'Anne était encore bien trop jeune pour y comprendre quoi que ce soit.

— Ma pauvre Émilie ! Quand je te disais que notre différence nous tient à l'écart des autres ! Tu en as aujourd'hui la plus belle preuve.

— Je ne vois pas ce qui…

— Tu ne vois pas ! s'exclama Blanche. Il me semble que c'est tellement limpide ! Non ?

Le fait qu'Émilie s'en remette à elle de plus en plus souvent à tous propos avait permis à Blanche de retrouver l'assurance qui lui faisait cruellement défaut depuis sa sortie de l'hôpital.

— Comment peux-tu expliquer autrement cette indifférence que Marc semble afficher ?

À ces mots, Émilie se recroquevilla sur le fauteuil, évitant systématiquement le regard de sa mère. Elle savait que si elle avait été enceinte, Marc n'aurait pas été détaché comme il l'était présentement. Comme elle savait aussi qu'une fois le bébé bien installé dans son petit lit auprès d'eux, Marc changerait d'attitude. Mais Émilie avait évité le sujet. C'était probablement ce que sa mère cherchait à dire sans avoir à en employer les mots. Depuis le tout premier instant où Émilie avait parlé d'adoption, elle avait senti que sa mère était mal à l'aise. Tout comme elle finalement. Au moment où Émilie avait perdu son bébé, par la force des événements, les liens étroits qui avaient existé entre Blanche et elle s'étaient rompus. Lentement, avec affection, Émilie avait retissé la toile de confiance qui avait toujours existé entre sa mère et elle. Malgré cela, aujourd'hui, même si l'hospitalisation de Blanche n'était plus qu'un souvenir douloureux que toutes deux tentaient d'oublier, il restait indéniablement certaines zones d'ombre qu'elles préféraient ne pas explorer. La mort de Rosalie en était une. Jamais elles n'en avaient parlé. Pourtant, aux dires de Raymond, c'était l'annonce du décès de Rosalie qui avait causé la crise d'angoisse menant à l'internement de Blanche. Se pouvait-il que sa mère ait tout oublié ? Émilie ne le savait pas et n'osait le demander. S'il fallait qu'elle provoque à nouveau une crise ? Quant à Blanche, elle avait retrouvé tous ces souvenirs à l'exception des quelques jours précédant son internement. Que s'était-il passé ? Pourquoi cette absence ? Habituellement, elle allait au fond des choses. Mais pas maintenant. Une alarme en elle soufflait que la douleur serait terrible si elle remuait le passé. Elle en avait conclu qu'Émilie serait la première à souffrir et elle s'était abstenue de poser les questions qui lui brûlaient les lèvres. Puisque Émilie parlait d'adoption, elle allait parler d'adoption sans déborder de ce cadre. Et si Émilie lui demandait des conseils concernant le bébé, elle allait lui donner des conseils concernant le bébé. Après tout, elle avait été mère trois fois et malgré tout ce que l'on pourrait dire, elle ne s'en était pas si mal tirée. Ce n'était tout de même pas sa faute si Charlotte était une ingrate et Anne, une tête de mule. On n'avait qu'à regarder Émilie pour comprendre qu'elle avait été une mère consciencieuse. Sans elle, sa petite Émilie ne serait probablement plus là à discuter bébé avec elle. Sans elle, Émilie serait morte en bas âge, faute de soins. Blanche prit alors une profonde inspiration, rassurée quant à ses qualités de mère. Puis elle revint à Émilie qui semblait perdue dans ses pensées.

— De toute façon, les enfants et la famille ne sont pas une question d'hommes, affirma Blanche avec fermeté, captant l'attention d'Émilie qui lui répondit d'un sourire. Ils disent vouloir une famille mais dès que le bébé est là, ils se trouvent mille et une raisons pour ne pas s'en occuper. Regarde ton père ! Et regarde Marc aujourd'hui. Il n'y a rien de nouveau sous le soleil, ma pauvre chérie. Les hommes resteront toujours les hommes. Toujours prêts à demander ou exiger, mais pour le reste…

Blanche appuya son opinion d'un geste de la main balayant l'air devant elle en même temps que les objections qui auraient pu survenir. Émilie se contenta de hausser les épaules.

— Puisque tu le dis.

— Je ne le dis pas, je l'affirme ! La famille, c'est une question de femmes. Tu sauras m'en reparler quand le bébé sera arrivé.

— D'accord, on en reparlera en temps et lieu. Pour l'instant, je dois filer ! J'ai promis à Marc de lui faire une tarte aux pommes.

Blanche leva les bras au ciel.

— Tu vois bien ! Qu'est-ce que je viens de te dire ? Les hommes sont toujours là pour demander ou…

Émilie ne put s'empêcher d'éclater de rire tout en se relevant du fauteuil où elle venait de passer une heure étrange, faite de plaisir et d'interrogations.

— Tu ne crois pas que tu exagères un peu ?

— À peine, ma fille ! À peine !

Blanche resta à la fenêtre aussi longtemps qu'Émilie fut visible, manteau beige et chapeau rose, déambulant gracieusement à travers la masse des promeneurs. Que sa fille était jolie, élégante ! Et bientôt, elle serait une très belle maman. Blanche se demanda si Émilie préférait avoir un petit garçon ou une petite fille. Elle n'avait pas demandé. Quelle importance, après tout ! Par contre, ce qu'elle n'arrivait pas à comprendre c'était pourquoi sa fille n'avait pas voulu choisir le bébé. Cette façon de faire l'intriguait et l'effrayait. S'il fallait que l'enfant soit de mauvaise lignée ! Déjà que d'avoir un bébé était toute une aventure ! Même lorsqu'on en connaissait les origines, on ne pouvait jamais savoir à quoi s'attendre, alors, avec l'enfant d'une fille-mère…

Blanche ferma les yeux en soupirant, cette dernière réflexion ayant fait apparaître le nom d'Anne dans son esprit. Elle était bien placée pour savoir de quoi elle parlait. Jamais elle n'aurait pu imaginer donner naissance à une enfant aussi renfermée qu'Anne. Et le fait qu'elle avait quarante ans lors de cette maternité ne pouvait tout expliquer. Anne était une enfant tellement imprévisible, désagréable.

Les dernières semaines lui revinrent en mémoire comme une plaie laissée par un fer rouge et qui ne voulait pas cicatriser.

Jamais elle n'avait été aussi outragée qu'en recevant une convocation au bureau de la directrice de l'école du quartier. Le bulletin de décembre était une catastrophe, on demandait aux parents de venir le chercher. Blanche avait dû faire appel à toute la condescendance qu'Anne faisait naître en elle pour ne pas laisser voir à quel point elle était insultée. À peine la note de passage en français et en mathématiques, des échecs dans toutes les autres matières. Elle n'avait eu d'autre choix que de promettre à la directrice qu'elle y verrait de près.

— Je l'espère bien ! Sinon…

La directrice avait laissé planer une menace qui avait atteint Blanche en pleine fierté. Elle était revenue chez elle survoltée. Non seulement Anne était une insignifiante mais en plus, elle était paresseuse. Voilà pourquoi elle traînait dans les rues après les heures de classe : pour éviter d'avoir à faire ses devoirs. Or, Blanche ne laisserait pas sa fille se moquer d'elle, la mortifier de la sorte encore très longtemps.

Dès les vacances des fêtes terminées, Blanche avait rejoint M^e^ Roger Labonté pour solliciter un entretien de la plus haute importance. Le temps était venu d'entrer en contact avec ses frères pour une aide de dernier recours.

— Si vous saviez comme je suis humiliée d'en être rendue à de telles extrémités. Jamais je n'aurais cru que…

M^e^ Labonté avait posé une main bienveillante sur celle de Blanche qui triturait nerveusement un crayon.

— Allons, pourquoi vous en faire pour si peu ? Maurice et René vont sûrement être les plus heureux des hommes de vous revoir.

Blanche avait laissé tomber le crayon pour joindre les deux mains à hauteur de cœur.

— Vous croyez ?

— J'en suis certain.

Voyant que Blanche était à demi rassurée par ses propos, le vieil avocat avait proposé :

— Voulez-vous que la rencontre ait lieu ici, dans mon bureau, ou chez moi ? Sans vouloir vous offenser, je crois qu'après toutes ces années, il serait peut-être plus facile de vous revoir en terrain neutre, si je peux m'exprimer ainsi.

Blanche avait accepté. Puis reculé quand Me Labonté l'avait appelée pour lui faire part de la date prévue pour la rencontre. Au décès de leur père, elle en avait tellement voulu à ses frères d'appuyer leur mère quand celle-ci avait fait table rase de son passé qu'elle ne pouvait concevoir qu'ils aient envie de la revoir. L'anxiété avait été la plus forte. Les absences répétées d'Anne, son entêtement à refuser de lui dire ce qu'elle faisait quand elle n'était pas à la maison avaient eu raison de ses craintes. D'autant plus que Me Labonté lui avait glissé dans une de leurs conversations qu'avoir ses frères à ses côtés serait d'une grande pertinence advenant le cas où elle se déciderait enfin à demander la séparation. Pilant sur son orgueil, Blanche s'était donc préparée à revoir Maurice et René qui l'attendraient chez Me Labonté. Cela lui avait pris plus de deux semaines de réflexions, de remises en question, de reculs, d'argumentations avec elle-même. Puis le jour était arrivé.

Ses deux frères étaient assis l'un près de l'autre sur le

grand canapé de velours cramoisi. Ils avaient levé la tête au même instant. Il y avait eu un flottement, un moment intemporel, fait de toussotements et de regards indécis. Puis les barrières que Blanche avait érigées avec colère pour les entretenir avec rancune pendant toutes ces années étaient tombées d'un seul coup, détruites par la conviction de retrouver ses racines. Ses frères ressemblaient tellement au souvenir que Blanche avait gardé de leur père qu'elle s'était jetée dans leurs bras en pleurant.

Sa solitude venait de prendre fin.

Après les larmes, ils avaient partagé quelques souvenirs d'enfance. Quoi de mieux que des souvenirs tendres pour aplanir les différends ! Il y avait même eu quelques rires dans le salon un peu vieillot qui sentait le camphre et la poussière. M^e^ Labonté en avait profité pour se joindre à eux, lui qui s'était discrètement éclipsé à l'arrivée de Blanche. Puis, tous les quatre, ils avaient discuté de la situation plutôt précaire que vivaient Blanche et sa fille. René et Maurice avaient été unanimes : pas question de laisser tomber leur petite sœur. À croire que les quinze dernières années n'avaient jamais existé. D'autant plus que l'aide allait servir à leur nièce. Pour ces deux vieux célibataires, l'espérance d'une jeunesse traversant leurs vies n'avait pas de prix.

— Bien sûr, nous allons faire quelque chose, n'est-ce pas René ? Si tu crois que le couvent est la solution, nous te faisons confiance. Tu n'auras qu'à choisir. Par contre…

Maurice et René avaient échangé un long regard avant que l'aîné ne prenne la parole. Jusqu'à cet instant, c'était Maurice qui s'était exprimé pour les deux, situation conforme aux souvenirs que Blanche gardait de sa jeunesse. Maurice avait toujours été celui des deux qui osait parfois tenir tête à leur père. Mais là, c'était René qui allait parler et cette banale constatation avait porté Blanche à être attentive.

— Par contre, avait enchaîné René aux propos de son frère, sans en faire une condition, nous aimerions que tu visites maman. Elle n'est plus très jeune, tu sais.

La réaction de Blanche et sa répartie avaient été immédiates.

— Non, je regrette, c'est au-dessus de mes forces.

Blanche avait pris une profonde inspiration, les lèvres pincées, le regard chargé de braise.

— Mais pourquoi ? Qu'est-ce que tu as à lui reprocher ?

— Tu oses me le demander ? Je lui reproche d'avoir fait comme si papa n'avait jamais existé. Il était à peine rendu au cimetière qu'elle vendait la maison et tous nos meubles, par la même occasion. Elle a même refusé les quelques souvenirs que je lui ai demandés. Elle n'avait pas le droit de faire ça, pas le droit de détruire mon enfance. Je n'ai que quelques photos de mon père, te rends-tu compte !

Durant ce bref dialogue, Maurice avait contemplé ses ongles avec beaucoup de minutie, alors que le vieil avoué de la famille s'était concentré sur une fleur du papier peint. Ce discours ne le concernait pas. Quand Maurice avait été sur le point de reprendre la parole, il s'était relevé lentement en s'excusant.

— Je vais préparer du thé.

Maurice avait attendu qu'il ait quitté la pièce pour se tourner vers Blanche.

— Je regrette Blanche, mais notre mère avait tous les droits. Tu aurais dû au moins lui demander pourquoi elle a agi comme ça.

— Qu'est-ce que ça m'aurait donné de plus? Je le savais qu'elle n'aimait pas notre père. Il me semble que c'était évident. Mais pour moi, ce n'était pas une raison pour le faire disparaître de nos mémoires. Elle a été méchante en prenant sa vengeance à nos dépens.

— C'est ce que tu crois? Dommage. Maman n'a jamais voulu se venger. Il était trop tard pour la vengeance. Comme je te l'ai dit, tu devrais vraiment lui rendre visite. Il ne faut jamais se fier aux apparences, Blanche. Jamais.

Les apparences…

Ce mot revenait souvent dans les discours de son père. L'importance qu'il accordait à l'image que l'on projetait. Blanche avait détourné la tête pour ne pas avoir à soutenir le regard de son frère. Dans un coin du mur, près du plafond, une longue cicatrice lézardait le plâtre et filait se perdre sous les plis de la tenture. Où donc avait-elle déjà vu une fissure comme celle-là? Blanche avait cherché à se rappeler, mais le souvenir s'était défilé chaque fois qu'elle avait cru le saisir. Mais où donc avait-elle vu une lézarde comme celle-là? Elle avait fermé les yeux et c'était l'image de sa mère qui lui était apparue. Sa mère vêtue de gris comme son père l'exigeait, effacée, terne. Sa mère qui ne disait jamais rien, qui se terrait dans sa cuisine. Sa mère conforme à l'image qu'elle projetait, comme son père l'ordonnait. Puis brusquement l'image avait changé et elle avait revu sa mère telle qu'elle lui était apparue chez elle, vêtue de couleurs vives. Son père était décédé depuis peu et Blanche avait trouvé sa mère déplacée. Après quarante ans de vie commune, Jacqueline aurait dû porter le deuil durant au moins six mois. Elle n'avait pas le droit d'être heureuse alors que leur père venait de mourir. Et ces mots qu'elle avait dits, toutes ces choses qu'elle avait osé dire de son père, le traitant de pervers, d'obsédé… Blanche avait ouvert précipitamment les yeux. Pendant une fraction de seconde, elle avait eu l'impression de faire dos à un gouffre et que si elle tournait la tête pour en sonder la profondeur, elle s'y perdrait à jamais.

Elle avait eu surtout la conviction que ce n'était pas la première fois qu'elle se tenait au bord de ce gouffre.

Blanche avait alors ramené les yeux sur Maurice et René et un fragile sourire avait traversé son visage. Elle s'était subitement rappelé qu'avec eux, quand elle était petite, elle n'avait jamais eu peur. Pourquoi ne leur ferait-elle pas confiance aujourd'hui ? Ne serait-ce que pour leur faire plaisir, elle allait acquiescer à leur demande.

— D'accord. Je… Quand je serai prête, j'irai voir maman. Mais je ne peux vous dire quand.

La soirée s'était terminée autour d'une tasse de thé et de quelques biscuits Social. Blanche détestait le thé.

Depuis cette rencontre dans le salon de M^e^ Labonté, l'amertume du breuvage lui était restée. La sensation de vertige aussi. Depuis ce jour-là, elle y pensait souvent. Et curieusement, la présence d'Émilie ramenait le vertige, chaque fois qu'elle venait la visiter.

Cependant, Blanche ne savait pas pourquoi. Il y avait le gouffre et sa noirceur insondable et la certitude qu'elle s'y était déjà tenue en équilibre. À quel moment, elle n'arrivait pas à s'en souvenir.

Quant à la lézarde sur le mur, elle avait trouvé. C'était dans un coin de la cuisine de son enfance qu'il y en avait une. Par contre, elle n'arrivait pas à comprendre pourquoi ce souvenir la troublait autant quand elle y revenait. Toutes les maisons ont des fissures, non ?

# DEUXIÈME PARTIE

## *Printemps - Été 1953*

*« Pourquoi les hommes devraient-ils courir alors que les plantes qui les nourrissent poussent si lentement ? »*

HENNING MANKEL, *LE GUERRIER SOLITAIRE*

## Chapitre 7

# *Pour quelques gouttes de bonheur*

Charlotte se réveilla à l'aube et fut incapable de se rendormir.

La clarté du petit jour, feutrée par l'organdi du rideau, caressait les murs de sa chambre d'une lueur rosée.

Il ferait beau.

L'air entrait librement par la fenêtre grande ouverte et embaumait les fleurs du gros lilas qui poussait sous sa fenêtre, invitant à la promenade au jardin. Charlotte se glissa hors de son lit et descendit à la cuisine silencieusement, évitant la marche qui craquait sous la plante des pieds.

Elle voulait être seule pour goûter les derniers instants avant son mariage. Dans moins d'une heure, toute la maisonnée serait en effervescence et elle ne verrait plus le temps passer.

Le mot « effervescence » la fit sourire même s'il s'apparentait à certains souvenirs douloureux.

La première fois qu'elle l'avait employé, elle n'était qu'une toute petite fille et elle avait eu de la difficulté à le prononcer. Elle le trouvait beau, tout rond, avec des effluves piquants qui chatouillaient la langue comme la boisson gazeuse que son père apportait parfois le vendredi après le travail. Mais la beauté du mot n'avait pas duré. Avec le temps, il avait terni, il s'était enlaidi. L'effervescence qui au départ avait décrit l'atmosphère qui régnait chez son amie Françoise s'était métamorphosée petit à petit pour finalement incarner l'état de sa mère quand elle avait trop bu.

Alors qu'elle s'installait sur la terrasse, Charlotte se demanda si sa mère allait venir. Avec Blanche, on ne pouvait jamais savoir. Pourtant, elle avait promis d'être là quand Charlotte s'était enfin décidée à la revoir. La réponse positive que Blanche lui avait fait parvenir avait tout déclenché. À peine quelques instants d'indécision et Charlotte avait pris le téléphone pour demander à Blanche si elle pouvait passer la voir.

La rencontre avait été conforme aux relations qui avaient toujours existé entre elles. Blanche avait parlé chiffons et menu alors que Charlotte aurait voulu l'entendre dire qu'elle était heureuse pour elle. Puis Blanche s'était un peu affolée en disant qu'elle serait mal à l'aise en présence de Raymond.

— Ça fait si longtemps ! Même quand il vient chercher Anne, j'évite de le rencontrer. Ça fait encore mal, tu sais.

Non, Charlotte ne savait pas. Elle n'avait jamais cru en l'amour que sa mère disait éprouver pour son père. Quand Blanche avait glissé dans la conversation que cela serait beaucoup plus facile pour elle si ses frères étaient présents, Charlotte avait acquiescé à sa demande sans la moindre hésitation. Pourquoi pas ? Même si elle ne se souvenait pas vraiment d'eux, ils faisaient partie de la famille. Blanche et Charlotte s'étaient quittées sur quelque formule de politesse toute faite qui promettait de se revoir bientôt sans vraiment s'engager.

— Nerveuse, mon Charlot ?

Charlotte sursauta et tourna la tête vers la maison. Dans l'ombre, le visage de son père s'encadrait dans la moustiquaire qui garnissait la porte. Il avait les traits tirés derrière un sourire qui se voulait réconfortant. Charlotte répondit à son sourire.

— Non, je ne suis pas nerveuse. Mais je ne suis pas sûre que je pourrais en dire autant de toi. Tu fais peur à voir ! Viens ! Viens t'asseoir.

— Je ne voudrais pas te déranger. À quelques minutes de…

Charlotte accentua son sourire.

— Toi, ça va. Les autres, ils peuvent attendre encore un peu.

Raymond bomba le torse, image vivante du bonheur en pyjama rayé et robe de chambre marine. La réponse de Charlotte lui faisait plaisir. Il ouvrit la porte pour se glisser hors de la maison et s'empressa de descendre les quelques marches pour venir prendre place à côté d'elle sur la balancelle.

Un long silence fait de chants d'oiseaux et d'harmonie s'installa spontanément et confortablement entre eux. Parfois une main s'égarait sur le banc de bois blanc pour serrer celle de l'autre, sans plus.

Puis le soleil sortit langoureusement au-dessus du toit voisin et effleura les bras de Charlotte comme un long châle soyeux. Combinée avec la chaleur de l'épaule de son père qui frôlait la sienne, cette gâterie matinale provoqua un long soupir de bien-être. Charlotte aurait voulu étirer ce doux moment à l'infini.

— C'est curieux ce que je ressens, ce matin, murmura-t-elle dans un souffle, de crainte qu'une voix trop forte n'attiédisse la magie du moment. Je vais me marier pour une seconde fois, mais c'est aujourd'hui que j'ai l'impression de quitter ma vie de petite fille pour entreprendre l'autre partie du voyage.

Le bras de Raymond se glissa autour de ses épaules.

— La vie est parfois bizarre, chuchota-t-il sur le même ton estompé.

— Je sais.

— Je souhaite seulement que tu sois heureuse. D'un bonheur plus simple que le mien.

La voix de Raymond était éteinte. Charlotte savait qu'il était triste de ne pas avoir Antoinette à ses côtés en ce jour de fête, qu'il était triste de toute cette vie de compromis et de batailles pour avoir finalement perdu celle qui lui tenait le plus à cœur. Anne était toujours chez sa mère. Charlotte se pressa tout contre lui.

— Le bonheur est à la hauteur de nos intentions et se mesure aux gens qu'on a rendus heureux autour de soi. Tu peux dire mission accomplie. Tu n'aurais pu faire plus pour nous trois. Maintenant, il est temps que tu penses à toi, papa.

— Pas encore. Il reste une petite fille qui…

Charlotte posa un doigt sur les lèvres de son père pour l'obliger à se taire.

— Anne n'est plus une petite fille, énonça-t-elle doucement en le regardant droit dans les yeux. Et tu le sais. L'avocat te l'a dit : il n'y a rien que tu puisses faire dans les circonstances actuelles, sinon faire confiance à Anne. Elle sait que tu n'y es pour rien, elle sait surtout que tu l'aimes.

Raymond ne répondit pas. Il n'y avait rien à répliquer, Charlotte avait raison. S'il s'entêtait, c'était uniquement pour se donner bonne conscience. Brusquement, il eut l'impression qu'il ne s'en sortirait jamais. Les mauvaises habitudes avaient les racines longues et tenaces, les siennes plus que n'importe quelles autres.

Se dégageant, il se frotta longuement le visage du plat des

mains comme Charlotte l'avait vu faire si souvent quand elle était enfant.

Ce geste la désola.

La journée qui commençait devait être heureuse pour tout le monde. Quand son père posait ce geste, c'était qu'il était fatigué ou dépassé par les événements. Elle retint le soupir de tristesse qui montait en elle. Il n'aurait fait qu'attiser la nostalgie de son père. Pourquoi n'arrivait-il pas à se libérer de tout ce passé douloureux? À sa façon, il avait su rendre ses filles heureuses, bien que lui ne l'avait pas vraiment été. Il n'avait rien à se reprocher. Mais avant qu'elle n'ait pu trouver une phrase de réconfort, Raymond se redressait en prenant une profonde inspiration.

— Ça va mieux… Je sais que tu as raison.

Tout en parlant, Raymond fit une petite chiquenaude friponne sur la joue de Charlotte.

— Quand j'y pense, je dois admettre que tu as souvent raison. Je vais repenser à ce que tu viens de me dire en parlant d'Anne. Effectivement, elle n'est plus une petite fille. Il faudrait que j'aie une bonne conversation avec elle. Et avec ta mère qui doit assister au mariage, ça va peut-être ouvrir certaines portes. Après tout, il n'y a pas que dans l'adversité qu'on peut trouver des solutions…

— Il faut faire confiance à la vie, l'interrompit Charlotte, mi-sérieuse, mi-taquine. N'est-ce pas ce que tu m'as toujours dit? Je t'ai écouté et vois où ça m'a menée!

Un ouragan baptisé Alicia interrompit cavalièrement Charlotte en ouvrant la porte d'un coup d'épaule pour ensuite dévaler l'escalier et se jeter dans ses bras.

— Enfin! C'est aujourd'hui! Si tu savais à quel point je suis énervée, maman, ça n'a pas de bon sens!

À ces mots, Raymond et Charlotte éclatèrent de rire à l'unisson, échangèrent un regard tendre qui concluait leur conversation sur une note positive et tous les trois, bras dessus, bras dessous, retournèrent à l'intérieur de la maison. Au moment où Raymond sortait la cafetière, Charlotte s'approcha de lui et lui glissa à l'oreille:

— Je t'aime, papa.

— Moi aussi, mon Charlot. Moi aussi.

— Je sais.

Le déjeuner fut joyeux même si personne n'avait vraiment faim. Madame Deblois se présenta à la table la tête hérissée de bigoudis, ce qui fit rire tout le monde et détendit l'atmosphère.

Puis Émilie arriva en compagnie de Marc et d'Anne et les filles se retirèrent à l'étage pour se préparer. Alicia ne tenait pas en place et madame Deblois, faisant un clin d'œil à Charlotte, décréta que la jeune demoiselle d'honneur devait se préparer dans le plus grand secret.

— Toi, jeune fille, tu viens avec moi. Ça porte malheur de montrer sa robe avant les autres.

— Ah oui?

Malgré un visible scepticisme, Alicia emboîta le pas à mamie.

Charlotte put alors se retirer tranquillement dans sa chambre. Elle avait demandé à être seule, se doutant que l'émotion serait au rendez-vous.

La robe de taffetas bleu pâle qu'elle avait choisie l'attendait sur un cintre, accrochée au mur à la place d'un vieux tableau qu'elle avait retiré pour l'occasion. Tout doucement, elle passa les doigts sur le tissu soyeux, enfouit son visage dans les plis de la jupe, sachant à l'avance que l'odeur du parfum qu'elle y avait vaporisé la veille resterait gravé à jamais dans sa mémoire.

Quand elle ferma les yeux, elle s'attendait à ce que deux visages s'impriment sur l'écran de sa pensée et ce fut bien ce qui arriva. Elle n'y pouvait rien changer. Mais elle savait aussi que cela serait son dernier rendez-vous avec le passé. Ce matin, l'avenir prenait enfin tout son sens et c'était lui qui avait convié le passé pour un ultime face à face.

Dans l'odeur de lavande qui emplissait ses narines, Charlotte reconnut l'Angleterre et Andrew. Elle se revit au matin de son mariage avec lui, habillée de sa tenue militaire, Alicia encore bébé dans ses bras. Elle aurait pu être heureuse avec lui, auprès de Mary-Jane, dans la petite maison de village. Pourtant elle ne l'avait pas été. Elle était passée à côté du bonheur en courant après l'insaisissable. En courant après cet inaccessible mirage qui portait le nom de Gabriel. Il avait fallu qu'elle reçoive une lettre de Maria-Rosa pour comprendre enfin qu'elle était amoureuse d'un homme qui n'existait plus. Le Gabriel de sa jeunesse, le titan sur qui elle voulait s'appuyer avait disparu, emporté par les remous de la vie. Maria-Rosa avait parlé de lui comme d'un être fragile qui aurait besoin d'aide. Charlotte n'avait pas connu ce Gabriel-là. Ce n'était pas lui qu'elle aimait. Elle voulait un compagnon avec qui partager, avec qui aborder l'avenir avec lucidité et enthousiasme. Elle voulait Jean-Louis à ses côtés.

Ce matin, il n'y avait plus de doute dans sa tête et dans son cœur.

Après avoir reçu la lettre oblitérée au Portugal, Charlotte s'était attendue à en recevoir une seconde, lui annonçant, cette fois-ci, le décès de Maria-Rosa. La lettre de Gabriel n'était jamais venue. Et curieusement, au lieu d'en être attristée, Charlotte en avait été soulagée. Pourquoi n'avait-il pas écrit ? Elle ne le saurait jamais. La vie avait décidé pour elle, pour eux. Malgré les promesses échangées à Paris, Gabriel ne ferait pas partie de son avenir. À partir du jour où elle l'avait compris et accepté, Charlotte n'avait plus pensé à lui, consacrant ses énergies et ses rêves à Jean-Louis.

Charlotte resta un long moment immobile, savourant la joie qui montait en elle et qui s'emmêlait au doux parfum des fleurs. Seul le silence qu'elle avait gardé sur sa vie passée posa une ombre sur son bonheur présent. Finalement, elle n'avait pas parlé de Gabriel à Jean-Louis et elle le regrettait.

Puis, lentement, comme on procède à un cérémonial, elle revêtit sa robe de mariée et coiffa ses longs cheveux, qu'elle avait décidé de porter librement sur ses épaules. Pas de voile ni de bouquet sophistiqué. À la main, elle n'aurait qu'une rose rouge, de ce rouge qui lui rappellerait toujours qu'un jour elle avait été la muse d'un homme merveilleux à jamais disparu. Un homme qui avait marqué sa vie puisque c'était à ses côtés qu'elle avait compris qu'elle voulait être écrivain. Aujourd'hui, cet homme ne faisait naître en elle ni nostalgie, ni ennui, ni mélancolie. Il n'était plus qu'un beau souvenir qu'elle chérirait toujours.

Quand elle entendit frapper à sa porte, Charlotte ne fut pas surprise. Elle se doutait bien que l'une ou l'autre de ses sœurs voudrait la voir. Elle ouvrit sur une Anne intimidée, roseau mince et fragile dans sa longue robe couleur de nuit comme elle l'avait demandé. La jeune fille leva un regard perplexe.

— J'ai pas trop l'air fou habillée comme ça ?

Un voile de tendresse se posa sur le regard de Charlotte, y laissant par inadvertance une eau brillante accrochée à ses cils. Aussitôt Anne s'emballa, sans comprendre qu'elle était la source de cette émotion. Savoir si elle n'avait pas l'air ridicule, accoutrée dans une robe de princesse, n'avait plus la moindre importance.

— Quelque chose ne va pas ? Tu es triste ? Tu ne veux plus te marier ?

Charlotte tendit la main pour attirer Anne à l'intérieur de la chambre et referma la porte sur leur intimité.

— Mais qu'est-ce que c'est que ces idées ? demanda-t-elle en s'essuyant délicatement les yeux. Mais non, je ne suis pas triste, je suis émue. Tu n'as jamais été aussi jolie.

Au même instant, depuis la chambre de leur grand-mère, le rire d'Alicia se fit entendre, irrévérencieux, délicieux, inondant le couloir et tout l'étage de clochettes joyeuses. Les deux sœurs échangèrent un regard complice.

— Non, je ne suis pas triste, répéta Charlotte en reniflant les dernières traces d'attendrissement que l'apparition d'Anne avait engendré. Comment pourrais-je être chagrine alors que ce matin je me marie ?

— C'est vrai que Jean-Louis est bien gentil et bien beau, approuvèrent les seize ans d'Anne qui inventait encore l'amour à partir d'un premier regard.

Charlotte se garda bien de poser un bémol sur les chimères de sa petite sœur. L'imagerie de l'amour pouvait avoir mille et un visages. Celui prêté par la toute jeune femme qu'était Anne était aussi brûlant et important que les plus grandes flammes. Charlotte se contenta de lui ouvrir les bras. Anne avait été le premier bébé qu'elle avait aimé d'un amour de mère. De la voir déjà devenue femme lui chavirait le cœur.

Ce fut Anne qui la première se dégagea de l'étreinte de

Charlotte. Haussant les sourcils, elle posa un regard approbateur sur la mariée.

— Toi aussi tu es très belle. Une vraie mariée de conte de fées.

Charlotte se prit au jeu, pivota sur elle-même, faisant gonfler sa jupe dont le tissu moiré chatoya dans les flèches de lumière qui traversaient sa chambre.

— Oui, vraiment très belle, approuva Anne encore une fois en hochant la tête, le regard brillant de convoitise.

Mais aussitôt ces paroles prononcées, son regard s'éteignit.

— Charlotte?

— Oui?

— Je voulais te parler. Je sais bien que le moment n'est peut-être pas très bien choisi, mais tu dois partir ce soir pour un mois et j'aimerais que...

Le visage d'Anne était si grave que Charlotte l'interrompit aussitôt.

— Je sens que ce que tu as à dire est important. Pour ces choses-là, il n'y a pas vraiment de meilleur moment. Alors?

Anne se mordait le dedans d'une joue, visiblement préoccupée.

— C'est à propos de papa. Je... je vais lui dire de retourner au Connecticut. Ça fait un bon moment déjà que j'y pense et je trouve ridicule qu'il reste ici. Je ne veux pas qu'il gaspille tout son temps pour moi. Ça ne changerait rien à la situation qu'il prenne racines à Montréal. Ça fait déjà presque un an que je vis avec Blanche, je suis probablement encore capable de faire un autre bout sans trop de problèmes. Penses-tu que ça va lui faire de la peine si je lui dis de partir?

Malgré l'assurance du ton employé par Anne, Charlotte sentit le désarroi derrière les propos. Anne lui faisait penser à un petit animal pris au piège. Elle aurait tant voulu la prendre dans ses bras et lui dire que ce n'était qu'un mauvais rêve. Mais les mots de consolation n'existaient pas. Elle ne pouvait que répéter ce que sa jeune sœur savait déjà.

— C'est gentil d'y avoir pensé. C'est très généreux de ta part et je crois que papa va l'apprécier même si je suis certaine qu'il va protester pour la forme. Je ne peux te répondre à sa place, mais je sais qu'il s'ennuie beaucoup d'Antoinette.

— Je m'en doute un peu. Ils ont l'air tellement heureux ensemble, soupira Anne en gonflant ses joues alors que Charlotte se demandait si derrière ces quelques mots, elle ne tentait pas de dire qu'elle s'ennuyait de Jason.

— Et toi?

— Quoi moi? Je viens de te le dire, je devrais survivre.

— Il ne faut pas juste survivre, tu sais. Il faut plus que ça pour être heureux. Et la musique dans tout ça? Je sais que pour toi, le bonheur passe par la musique.

À ces mots, Anne se mit à rougir comme une pivoine et détourna la tête avant de s'approcher de la fenêtre.

— La musique? J'arrive à me débrouiller pour en faire à l'occasion, avoua-t-elle alors sans chercher à entrer dans les détails.

Même à Charlotte, Anne n'était pas prête à divulguer son secret. S'il fallait que les visites à monsieur Canuel lui soient interdites, c'est alors qu'elle n'y survivrait pas.

— Je vais chez madame Mathilde à l'occasion, mentit-elle effrontément, sachant que la chose aurait pu être plausible. Et il y a un piano dans la grande salle de l'école. Je trouve toujours des occasions. C'est comme pour ton mariage, enchaîna-t-elle précipitamment, soulagée de trouver une échappatoire qui ne logeait pas à l'enseigne des mensonges.

J'ai dû passer des heures à pratiquer la marche nuptiale à l'église. Jouer de l'orgue, c'est autre chose que le piano.

Se sentant plus à l'aise, Anne revint face à la chambre et à Charlotte qui se tenait bien droite au milieu de la pièce, le soleil l'auréolant d'une lumière diaphane où quelques grains de poussière s'amusaient à valser.

— Tu vois? Tu n'as pas à t'inquiéter pour moi. Quand l'envie de toucher un clavier se fait trop forte, j'arrive à me débrouiller. Tu vas voir tout à l'heure quand je vais jouer pour toi à l'église, je n'ai pas perdu la main. Par contre, j'ai un trac fou.

Rassurée, Charlotte balaya l'objection d'un petit soupir gentiment moqueur.

— Le trac? Allons donc! Tu es très bonne et tu le sais. Sinon, jamais je ne t'aurais demandé de jouer pour mon mariage. Allez, file maintenant, je dois finir de me préparer. Mais avant, je veux te dire que je trouve très gentil que tu aies pensé à papa.

— C'est juste normal, fit Anne avec la droiture immuable qui était la sienne. Pourquoi avoir deux personnes malchanceuses alors qu'il ne pourrait y en avoir qu'une seule? De toute façon, je ne suis pas seule. Toi tu es là, Émilie aussi. Ça va aller. Maintenant, je te laisse. Dès qu'elle eut posé la main sur la poignée de la porte, Anne se retourna vivement.

— J'allais oublier. J'ai un message pour toi.

Hésitante, ne sachant trop comment le dire, Anne se mâchouillait la lèvre.

— Voilà, fit-elle finalement en soupirant. Blanche regrette, mais elle ne viendra pas en fin de compte. J'ai bien essayé de...

— Migraine? demanda Charlotte en l'interrompant d'une voix froide, cassante.

Anne haussa les épaules en guise d'affirmative.

— Que veux-tu que ça soit d'autre? Maintenant qu'elle ne boit plus, il ne reste que les migraines pour se soustraire aux situations d'importance. Ton mariage devait en être une.

Charlotte resta silencieuse un long moment. Blanche avait encore trouvé moyen de lui planter une épine dans le cœur. Oh! Une bien petite épine, mais elle savait que l'irritation la poursuivrait tout au long de la journée, comme un petit bobo qui s'entête à nous agacer. Elle esquissa un sourire amer.

— Il fallait s'y attendre, n'est-ce pas?

— Oui, elle est comme ça. Elle ne voit qu'elle, ne pense qu'à elle. Si elle se remettait à boire, ça réglerait bien des problèmes. À commencer par les miens.

En prononçant ces derniers mots, Anne avait secoué la tête vigoureusement comme pour effacer cette dernière pensée qu'elle venait d'avoir. Puis elle releva les yeux vers Charlotte et lui décocha un franc sourire.

— On ne va toujours pas gâcher cette belle journée à cause de Blanche, n'est-ce pas? Pense à Jean-Louis et à ta petite Alicia, regarde le beau soleil qui brille, écoute tous les oiseaux qui se sont invités à la fête et tu vas voir que tu n'as pas besoin de notre mère pour être heureuse. Pendant ce temps-là, moi, je vais penser à l'orgue. Je te le jure: j'ai un de ces tracs!

* * *

Après les noces qui avaient été un ravissement aux dires de tous les invités, en particulier l'interprétation qu'elle avait faite à l'orgue de la marche nuptiale choisie par les mariés, Anne avait fourni juste ce qu'il fallait d'efforts pour obtenir la note de passage afin de ne pas doubler son année. La vie était bien assez pénible comme telle pour ne pas avoir envie de se retrouver avec une bande de gamines comme compagnes de classe en septembre prochain. Quand elle avait ramené son bulletin, la fierté n'était pas la qualité première qui la motivait, mais une certaine satisfaction lui faisait tout de même tendre la main sans embarras. Sa mère ne devrait pas trop rouspéter. Mais contrairement à son habitude où elle se transformait en rapace devant le calepin aux couleurs de l'école, Blanche n'avait même pas daigné le regarder.

— Tu dis que tu as réussi ? Parfait et tant mieux pour toi. Avec les notes que tu as l'habitude d'obtenir, ça ne m'intéresse pas vraiment. Tes sœurs m'ont habituée à mieux que ça. Même Émilie avait au moins la décence d'étudier à défaut d'être une première de classe. Pauvre petite, elle qui était si malade. Alors que toi…

Blanche lui avait lancé un regard dédaigneux avant de poursuivre en haussant les épaules tout en quittant la pièce :

— Dans le fond, il s'agit de ton avenir, n'est-ce pas, pas du mien. Tu en feras bien ce que tu veux. Libre à toi de tout gâcher.

Pour une rare fois, Anne était tout à fait d'accord avec le point de vue de sa mère. Effectivement, son avenir ne regardait qu'elle et elle savait déjà fort bien ce qu'elle voulait en faire. Anne glissa donc le relevé de notes sous la pile de paperasse la plus haute de sa chambre et se hâta de l'oublier. Comme tous les jeunes de son âge, été symbolisait liberté et elle entendait bien en profiter au maximum. Il ne lui restait plus qu'un moment désagréable à passer et après, elle savait fort bien ce qu'elle comptait faire de ses journées.

— Demain soir, ça sera fini, murmura-t-elle en se retournant sur son lit étroit, aux draps trop chauds pour la saison. Demain, je vais parler à papa et après, à moi la liberté.

Et la liberté d'Anne s'appelait musique sans restriction. Monsieur Canuel lui avait réitéré son offre, encore aujourd'hui, d'utiliser sa salle de musique.

— Elle est à votre entière disposition, mademoiselle Anne. Rien ne me fait plus plaisir que de vous entendre jouer.

La proposition n'était pas tombée dans l'oreille d'une sourde. Anne comptait presque les heures qui l'emmèneraient jusqu'à lundi midi où elle espérait avoir assez d'audace pour se présenter à la procure.

Quand Raymond arriva devant le logement de Blanche, il se demanda pour la énième fois s'il n'allait pas monter. Il y pensait depuis quelques semaines déjà et il tournait la question dans tous les sens depuis qu'il avait quitté la maison de sa mère. Il avait compté sur la présence de Blanche au mariage de Charlotte pour lui faire part de ses intentions de vacances, mais elle avait brillé par son absence. La semaine suivante, il lui en voulait encore beaucoup trop d'avoir boudé leur fille aînée pour s'aventurer à frapper à sa porte. Il avait jugé préférable de s'abstenir de monter. Mais aujourd'hui, il estimait le moment opportun. Sa colère était tombée, il savait qu'il pourrait se contenir devant elle. Après tout, le temps commençait à presser. Il comptait partir pour le Connecticut dans moins de quinze jours et il ne voyait aucune raison pour qu'Anne ne l'accompagne pas. Il promettrait d'être de retour bien avant le début des classes et pour amadouer Blanche, il prévoyait lui proposer de payer les frais de la rentrée. Livres, cahiers, habillement. Si Blanche clamait haut et fort qu'elle ne voulait rien lui devoir, c'était Anne qui lui avait rapporté ces propos, aider leur fille, c'était différent. Il supposait qu'il y aurait probablement une discussion, il y en avait toujours avec Blanche, mais il finirait par gagner, Blanche Gagnon ayant toujours eu la fibre monétaire sensible.

Mais à peine avait-il ouvert la portière de l'auto pour en sortir qu'Anne s'engouffrait en trombe à côté de lui, ne lui laissant aucune marge de manœuvre.

— Enfin, t'es là ! Blanche est d'humeur exécrable aujourd'hui. Paraîtrait-il que la chaleur lui donne mal au cœur. Elle n'arrête pas de se lamenter. J'avais hâte de m'en aller. Dépêche-toi de démarrer, j'ai peur qu'elle trouve moyen de me rappeler pour aller lui chercher de l'eau minérale. Elle en boit des quantités phénoménales depuis quelques jours.

Raymond n'eut d'autre choix que de tourner la clé. Il sentait que la moindre protestation de sa part mettrait le feu aux poudres. Il prit à sa droite à la première intersection.

— Où va-t-on ?

— Magasiner.

Anne tourna la tête vers son père, le regarda en fronçant les sourcils puis ébaucha une moue peu convaincue.

— Mais c'est dimanche ! Les magasins sont fermés !

— Je sais tout ça. Mais comme ta mère refuse de me laisser te voir une autre journée que le dimanche, on va faire un peu de lèche-vitrines. Tout ce qui te plaît, tu me le montres. J'irai l'acheter dès lundi et je te le donnerai dimanche prochain. J'ai beau avoir eu trois filles, la mode féminine m'est à peu près aussi étrangère que le chinois.

Anne fut sur le point de répliquer qu'ils n'avaient qu'à aller magasiner en cachette, en début de semaine. Elle n'en serait pas à une fourberie près avec Blanche. Pourtant, elle ne dit rien. Son père était un homme trop respectueux des règles, des conventions, des lois. Il ne comprendrait pas. Il n'accepterait pas. Le temps de se demander si c'était là une qualité ou un défaut, puis elle cautionna la proposition de Raymond sans apporter de réponse à ses interrogations.

— C'est une très bonne idée, papa. Je n'ai presque plus rien à me mettre sur le dos.

Raymond stationna sur Sainte-Catherine, à quelques pas de la procure.

Dès qu'elle en prit conscience, Anne ferma les yeux, inspirant profondément, espérant de toutes ses forces que monsieur Canuel n'y serait pas. S'il fallait qu'il la voie en compagnie de son père ! S'il fallait que son beau secret soit éventré ! Une grosse boule d'anxiété lui bloquait la gorge et le cœur voulait lui sortir de la poitrine. À des lieux de la panique qu'il venait d'engendrer, Raymond avait ouvert sa portière et lui montrait le commerce d'un index rempli de fierté.

— Regarde, Anne ! C'est là que j'avais acheté ton piano. Viens, on va regarder la vitrine ensemble.

L'enthousiasme de Raymond ne dura que le temps de quelques pas, que le temps de sa phrase. Rouge de confusion, il posa le bras autour des épaules de sa fille qui le suivait à contrecœur, c'était évident. Parler musique était bien la dernière chose à inventer alors qu'Anne en était privée.

— Quel imbécile je suis ! Je m'excuse, Anne. Je n'aurais pas dû tourner le fer dans la plaie comme je viens de le faire.

La toile de plastique jaunâtre qui protégeait les instruments de la lumière du soleil était baissée, le commerce était plongé dans la pénombre. Personne à l'horizon, que la grosse horloge qu'elle entendit faiblement sonner les onze coups de l'heure. Anne soupira de soulagement. Alors elle glissa la main sous le bras de son père.

— Mais non, papa. J'aime toujours parler de musique. Et ce n'est pas si pire que tu le crois.

Et tout en regardant les instruments, elle lui servit la même réponse qu'à Charlotte. Madame Mathilde, le piano de l'école, l'orgue à l'église. Mais en même temps, elle était cruellement consciente qu'il était temps que son père quitte Montréal. Moins il y aurait de gens autour d'elle et mieux cela vaudrait. Ils admirèrent ensemble le petit piano de concert qu'Anne connaissait si bien puis, empoignant Raymond par la main, Anne l'entraîna à sa suite. Valait mieux ne pas abuser de sa chance, des fois que monsieur Canuel déciderait de faire un saut au magasin !

— Et maintenant, chez Eaton ! J'ai vu l'autre jour dans la vitrine une petite jupe qui ferait bien mon affaire. Et un bermuda aussi.

Trop occupée à forcer la note de l'enthousiasme, Anne ne vit pas les sourcils de son père se froncer et la moustache frétiller. « Anne qui veut une jupe ? Et comment se fait-il qu'elle connaisse si bien ce quartier de la ville ? » Mais devant l'entrain que manifestait Anne, il oublia bien vite ses interrogations. Quelques chemises et chandails de chez Dupuis, frères s'ajoutèrent à la liste avant que d'un commun accord, ils décident de s'arrêter pour un sandwich et une boisson.

— Vite, jeune fille ! La pluie ne devrait plus tarder. Le ciel est devenu tout noir. On retourne sur nos pas. Il y a un petit restaurant juste à côté de la procure de musique.

Depuis le matin, le temps était à l'orage. Présentement, le tonnerre grondait au loin et les éclairs avaient commencé à déchirer le ciel de plomb.

Les nuages lourds et gris qui pesaient sur la ville étaient de plus en plus sombres et ils crevèrent d'un coup, laissant pleuvoir des trombes d'eau à l'instant où Raymond et Anne arrivaient au restaurant.

— Ouf! C'était moins une!

La rue se transformait déjà en ruisseau. Raymond repéra une table libre tout au fond de la pièce et Anne le suivit, soulagée de voir qu'elle ne serait pas au bord de la fenêtre. Tout ce qu'elle souhaitait, c'était que le repas finisse au plus vite pour qu'ils puissent enfin quitter le quartier.

Ce fut au moment où ils commandaient un dessert que Raymond, sans le savoir, offrit à Anne l'occasion en or d'aborder le sujet auquel elle pensait depuis des semaines déjà. Avoir eu l'approbation de Charlotte l'avait confortée dans ses intentions, mais il y avait encore loin de la coupe aux lèvres. Comment dire à son père qu'il pouvait s'en aller, sans le blesser? Elle n'arrêtait pas d'y penser depuis le début du repas et Raymond s'était bien rendu compte qu'elle était lointaine. Mettant ce qu'il croyait être de l'abattement sur le compte de la fatigue après l'année scolaire, il lui proposa:

— Et si on parlait des vacances, maintenant?

— Des vacances? Quelles vacances? Si tu veux parler de l'école qui vient de finir, je n'ai rien à en dire sauf que je suis bien contente de ne plus avoir à y mettre les pieds pour quelques semaines. Tu sais ce que je pense des études.

— Je sais, répliqua Raymond un brin agacé. Mais ce n'est pas ce dont je veux parler. Je pensais plutôt voyage.

Une lueur d'intérêt brilla au fond des prunelles d'Anne.

— Un voyage? Quelle sorte de voyage? En Europe peut-être, comme Charlotte et Jean-Louis?

— Pas vraiment. Mes ambitions sont plus modestes. Mais

j'avais cru qu'un petit séjour au Connecticut serait peut-être agréable.

Le regard d'Anne s'éteignit aussitôt.

— Penses-tu vraiment que Blanche me laisserait partir ? Voyons donc ! On dirait que tu as oublié qui était ta femme. Jamais elle ne…

— Ne t'inquiète pas pour ça, interrompit Raymond avec le feu sacré d'un politicien en campagne électorale qui croit en ses propres mensonges. Je m'en occupe. Je crois avoir quelques arguments susceptibles de la faire fléchir. Justement, je la connais peut-être encore mieux que toi.

Anne n'avait pas l'air convaincu.

— Si tu le dis.

Elle resta un moment silencieuse. Son père prenait encore ses rêves pour la réalité. Jamais Blanche n'accepterait qu'elle aille chez Antoinette. Pourtant, la tentation de faire semblant d'y croire fut grande. Elle s'ennuyait tellement de Jason, de la mer, de la plage où elle pouvait courir sans fin. Elle s'ennuyait tellement de son piano qui avait une sonorité incomparable. Et si elle reportait ses projets à plus tard ? Si elle profitait de l'été sans arrière-pensée ? Pourquoi pas ? Son père le lui offrait et il disait être capable de convaincre Blanche.

Et si, pour une fois, il avait raison ?

Dans le fond, elle pourrait toujours dire à son père de repartir à l'automne. Puis elle pensa à monsieur Canuel, seul dans son petit logement, qui faisait peut-être de la musique en cet instant précis et elle recula. Le propriétaire de la procure comptait sur elle pour attirer la clientèle estivale. Il était si gentil qu'elle n'avait pas le cœur de le décevoir. De toute façon, son père rêvait encore. Jamais Blanche ne donnerait son aval à ce projet. Anne leva un regard navré. Un regard où se disputaient l'envie d'accepter et la certitude que les quelques mots qu'elle s'apprêtait à dire attristeraient son père.

— Alors Anne? Tu n'as pas l'air emballé par mon idée. Pourtant, je croyais que…

— Ce n'est pas l'idée, papa. Elle est excellente, ton idée. Mais je n'irai pas. Tu sais aussi bien que moi que Blanche…

— Laisse tomber Blanche. Je te l'ai dit: je vais m'en occuper.

— Ne te donne pas tout ce trouble, papa. Je préfère rester à Montréal.

La déclaration d'Anne tomba comme un pavé dans la mare, ôtant même les mots de la bouche de Raymond. Il regarda sa fille sans comprendre. Avant qu'il n'ait retrouvé ses esprits, elle continuait sur sa lancée:

— Ça fait un an que je suis revenue ici, papa, tenta-t-elle d'expliquer. Un an que j'ai employé à oublier Jason et Antoinette, la mer et la plage. Je n'ai pas envie de tout recommencer. J'ai trouvé ça trop difficile.

Raymond avait l'air sincèrement malheureux et Anne dut déployer tout ce qu'elle avait d'entêtement pour poursuivre sans rien laisser voir de la détresse qu'elle ressentait.

— Mais toi, tu dois partir retrouver Antoinette, lança-t-elle avec conviction. C'est la femme que tu aimes et ça fait assez longtemps que vous êtes séparés. Il n'y a plus aucune raison pour que tu t'entêtes à rester à Montréal. Ta vie est là-bas, avec elle. Et profites-en pour emmener mamie avec toi. Le climat du Connecticut lui manque. Elle a eu mal aux mains tout l'hiver. Et si jamais elle soulevait l'éternel problème de sa maison, dis-lui donc de l'offrir à Émilie. Avec le bébé qui s'en vient, je suis certaine qu'elle accepterait avec plaisir.

Raymond avait la gorge nouée par l'émotion. Charlotte avait bien raison de dire qu'Anne n'était plus une enfant. Devant lui se dressait une femme déterminée et généreuse. Il tendit le bras pour venir poser sa lourde main sur les longs doigts de sa fille. Il savait qu'il n'aurait pas le courage de repousser cette proposition même si le jour où il partirait, il le ferait la mort dans l'âme, se trouvant lâche d'abandonner sa fille. Tout ce qu'il trouva à dire, ce fut un misérable :

— Et toi ?

Anne haussa imperceptiblement les épaules.

— Ne t'en fais pas pour moi. Il ne reste que deux ans avant la fin de ma douzième année. Ça va vite passer. Après, on verra. Et puis, je ne serai pas toute seule. Charlotte est là, Émilie aussi. Pense à toi, papa. Tu l'as bien mérité.

Les mêmes mots que Charlotte, la même conviction tendre dans la voix. Raymond sentit les larmes lui monter aux yeux. Il détourna la tête. Il avait des filles merveilleuses.

— Je vais y penser, finit-il par articuler après s'être raclé la gorge à quelques reprises.

Anne posa son autre main par-dessus celle de son père qui lui écrasait les doigts à lui faire mal et elle le regarda droit dans les yeux.

— Je t'aime. Jamais je n'oublierai tout ce qu'on a vécu ensemble. Si tu n'avais pas été là…

Anne cherchait ses mots, gagnée par l'émotion, le cœur battant et l'âme remplie de larmes.

— Merci d'avoir été là, ajouta-t-elle simplement. Merci de m'avoir soutenue quand je t'ai parlé de musique. Sans toi, jamais je n'aurais connu la joie de savoir jouer. La musique, c'est toute ma vie et c'est à toi que je le dois. Un jour, je te jure que tu seras fier de moi comme tu l'es de Charlotte et Émilie.

— Je suis déjà fier de toi. Très fier.

Anne fut incapable de continuer. Les larmes coulaient maintenant sans retenue. Elle savait qu'elle avait délibérément tourné une page dans sa vie. Elle se disait qu'il était temps qu'elle le fasse même si ce bond en avant lui faisait un peu peur. Son père aussi avait droit à sa vie comme tout le monde. Mais plus encore, elle savait qu'elle n'aurait plus besoin de lui. Le bonheur, c'est chacun pour soi qu'on le fabrique, chacun à sa façon. C'était ce qu'elle cherchait à atteindre quand elle était revenue à Montréal. Aujourd'hui, elle savait qu'elle était capable de le réaliser.

## Chapitre 8

# *Le temps des décisions*

Quand Jason avait appris que Raymond viendrait passer quelque temps chez lui, il s'était réjoui. Quand il avait compris qu'Anne ne serait pas du voyage, il s'était rembruni. Raymond sans Anne n'était d'aucun intérêt. Il redoutait au plus haut point l'instant où ils se retrouveraient face à face. Comment se sentirait-il? Même s'il savait que Raymond ne soupçonnait pas le moins du monde qu'il était au courant des liens qui les unissaient, Jason n'arrivait pas à se défaire de l'impression que Raymond devinerait tout et s'attendrait à le voir lui sauter au cou.

Et Jason n'avait aucune envie de sauter au cou de Raymond.

Par contre, il en était persuadé, avec Anne tout aurait été plus facile.

Il aurait laissé le temps replacer doucement les habitudes entre eux et la complicité qui en aurait sûrement découlé. Puis il lui aurait tout dit. À elle, il avait envie d'en parler. Avoir un père nouveau ne lui plaisait guère, avoir une sœur était une tout autre chose.

Il allait jusqu'à penser qu'avec Anne, il aurait même peut-être appris à aimer Raymond, elle qui semblait si proche de lui.

Mais l'amie tant espérée ne viendrait pas et la venue de Raymond n'était plus qu'une imposture à ses yeux. Il pressentait que sa présence serait encombrante. Elle avait déjà commencé à l'être, même dans l'absence, puisqu'il n'arrivait plus à parler librement avec sa mère. Pour la première fois de sa vie, il était intimidé devant elle. Il était troublé d'imaginer qu'avant Humphrey, il y avait eu un autre homme à qui elle s'était donnée. Ses seize ans faisaient encore de l'amour une émotion édénique qui ne traverse la vie qu'une seule fois, intransigeant et unique. Les émois de son corps étaient encore accoutrés d'ascétisme et de scrupule. À vrai dire, c'était plutôt gênant et déplacé même si l'attirance pour la chose était parfois très violente. Ils en riaient entre copains pour jouer les farauds, pour cacher l'embarras. Savoir qu'Anne était de sa famille avait drôlement bien arrangé les choses. Il ne serait pas tenaillé devant elle, elle était sa sœur.

Mais aujourd'hui, tout cela n'avait plus d'importance puisque Anne ne viendrait pas. L'été serait probablement très long sans elle.

Jason s'était donc inscrit à l'équipe de baseball pour passer le temps, occuper le corps et abrutir l'esprit. Il avait aussi demandé à sa mère s'il pouvait travailler à l'imprimerie.

— Il est temps que j'apprenne les rouages de l'entreprise. Papa m'a toujours dit qu'il fallait toucher à tout et connaître tout pour être un bon patron. J'ai envie de commencer maintenant.

Il ne voulait surtout aucun temps mort durant la belle saison. Il ne susciterait aucune occasion pour se retrouver en tête-à-tête avec Raymond. Il resterait poli sans plus. Il espérait seulement qu'en venant seul, Raymond repartirait plus vite.

Une fois l'horaire de son été bien établi, estimant qu'il serait à l'abri de toute manifestation émotionnelle, positive ou négative lui important fort peu, et jugeant qu'il était suffisamment blindé pour faire face à celles des autres sans en être ébranlé ou choqué, Jason se décida enfin à écrire à Anne. Leurs échanges épistolaires s'étaient étiolés au cours des derniers mois, il avait du temps à rattraper, bien des choses à raconter.

Et il était là, assis sur un fauteuil près de la fenêtre puis à sa table de travail, mordillant son crayon, ne sachant par quel bout commencer.

La matinée était encore jeune. Le fracas des vagues l'invitait à tout laisser tomber pour aller se baigner. En ce début de juillet, il faisait très chaud, de cette chaleur humide et collante qui rendait l'air tangible, presque visqueux. Le ciel était couvert d'une pellicule blanchâtre qui le transformait en vélum aveuglant, détruisant tout espoir de fraîcheur bienfaisante. Même le vent était défaillant, se limitant à rayer la surface de l'eau sans faire de grands tumultes. C'était une journée où le simple fait d'exister était pénible et lui, il s'apprêtait à rédiger la lettre la plus importante de sa vie.

S'il savait ce qu'il voulait écrire, par contre, il ne connaissait pas les mots pour le faire. Surtout en français. Depuis un temps qui lui semblait infini, il avait les yeux rivés au plafond, comme si les litotes qu'il désirait inventer y apparaîtraient. Il voulait tout dire sans rien dire. Il souhaitait qu'Anne comprenne l'attachement et la tendresse sans rien dévoiler. Le jour où ils parleraient de ces choses-là, ils se regarderaient droit dans les yeux et nul papier ne se poserait en mandataire entre eux. Ce serait à deux qu'ils décideraient ce qu'ils voulaient faire de cette nouvelle réalité.

Il opta enfin de parler des choses simples en commentant le printemps qui avait été doux, critiquant les examens trop difficiles et s'enthousiasmant à propos du travail à l'imprimerie qu'il avait hâte de commencer. Il écrivait comme il lui aurait parlé, tout simplement, avec le vocabulaire qu'il connaissait en français, et les mots d'affection s'enchaînèrent aux mots du quotidien comme ils l'auraient fait dans une conversation. Il lui confia l'ennui qu'il avait d'elle, le regret de ne pas l'avoir à ses côtés pour courir sur la plage, la déception de voir qu'ils ne pourraient reprendre leurs longues discussions au clair de lune, les pieds dans l'eau. Il termina en disant qu'il l'aimait beaucoup et l'embrassait très fort.

Il avait composé sans interruption, l'inspiration fusant au bout du crayon dès l'instant où il s'était lancé. Il se relut et fut satisfait de la tournure de sa lettre. Puis il signa, relut encore une fois et ajouta en post-scriptum que Browny aussi s'ennuyait d'elle.

Quinze minutes plus tard, la lettre avait été oblitérée et attendait dans le grand casier du bureau de poste avec ces centaines de lettres en partance pour l'extérieur du pays. Avec un peu de chance, Anne recevrait l'envoi dans une dizaine de jours. Avant la fin du mois, il devrait y avoir une réponse.

Il avait tout planifié, tout organisé, l'été se déroulerait sans surprises. Ni bonnes ni mauvaises.

Il retourna chez lui pour profiter de la température idyllique que la nature avait mise à l'ordre du jour. Plusieurs copains étaient déjà sur la plage.

Jason y passa quelques belles et bonnes journées, se répétant que rien ne pourrait entacher sa sérénité. Non, rien, car il avait tout prévu.

Il avait tout prévu, sauf l'imprévisible qui triompha de lui en se révélant sous les traits d'un homme épuisé qui débarqua chez eux deux semaines plus tard. Jason eut droit à une leçon magistrale, servie par la vie elle-même, qui l'atteignit d'un camouflet narquois. L'assurance arrogante de ses seize ans courba l'échine devant la ressemblance évidente qu'il y avait entre Raymond et lui. En un an, l'adolescent dégingandé, maladroit et gauche s'était transformé en un jeune homme tout aussi maladroit et gauche mais aux proportions plus équilibrées. Les épaules s'étaient élargies, la voix avait mué, les bras et les jambes avaient enfin cessé d'exagérer. Et signe suprême de cette maturité d'homme enfin acquise, depuis deux semaines, Jason avait laissé pousser une moustache tout comme Raymond en avait toujours arboré une. Même si sa mère ne lui avait rien dit de cette nouvelle filiation, il l'aurait vraisemblablement devinée tout seul, la ressemblance était trop flagrante. À peu de choses près, le visage qui se tenait à quelques pas de lui, était le même que celui qu'il avait rasé ce matin. Quand Raymond s'approcha de lui et posa les deux mains sur ses avant-bras, dans ce geste d'affection masculine remplie de touchante retenue propre aux Nord-Américains, Jason avait senti qu'il rougissait comme une tomate. Il se précipita vers l'arrière de l'auto pour s'attaquer aux bagages, rejoint dans l'instant par un Raymond visiblement heureux de le retrouver. Jusqu'à madame Deblois qui leva un sourcil circonspect quand, malencontreusement, les deux hommes se retrouvèrent épaule contre épaule à vider le coffre arrière de la voiture. La corvée terminée, Jason battit en retraite dans la relative sécurité de sa chambre. Il avait à s'ajuster à cette évidence irrécusable qu'il n'avait pas présagée et qui, maintenant, lui sautait aux yeux.

Mais plus que la ressemblance à accepter, c'était les émois

de son cœur qu'il espérait comprendre. Quand il avait vu Raymond sortir de l'auto, il avait vite compris que c'était un homme exténué et meurtri qui débarquait chez eux. Les rides s'étaient creusées et les cheveux avaient beaucoup blanchi. Une émotion inattendue avait alors fait battre son cœur un peu plus vite. Était-ce la peur d'être démasqué, la ressemblance venant de lui apparaître franche et nette comme le nez au milieu du visage, ou était-ce autre chose? Sans chercher à s'expliquer les implications de cette constatation, il s'était précipité pour aider à vider le coffre, camouflant son embarras derrière les valises. Puis il avait pris la fuite en grimpant les marches qui menaient à l'étage trois à trois, ses longues jambes le lui permettant.

Maintenant il était assis à la fenêtre, suant à grosses gouttes, jurant à mi-voix, car il s'en voulait de ne pas avoir fichu le camp vers la plage. Il entendait les voix qui se promenaient un peu partout dans la maison, limitant ses chances d'évasion en catimini.

Il dut attendre plus d'une demi-heure pour que les pas cessent de rôder un peu partout sur les étages et que les voix se regroupent sur la galerie qui faisait face à la mer, juste sous sa fenêtre. Au bruit des verres entrechoqués, des quelques exclamations béates qui lui parvenaient, il en déduit que la voie était libre. Rasant les murs, il en profita pour s'échapper par la porte avant de la maison. Il enfourcha sa bicyclette et sprinta droit devant avec la frénésie angoissée d'un rescapé qui fuit un sinistre.

Spontanément ses coups de pédales l'emmenèrent au port.

L'air était chargé d'une senteur de poisson très lourde, très âcre qui, depuis des décennies maintenant, avait fini par imprégner les planches du quai, les bâtiments des poissonneries et les cordages à bateaux. Une odeur incommodante pour les non-initiés. Jason, quant à lui, avait toujours aimé cette odeur. Elle faisait partie de sa vie.

À la mi-journée, les pêcheurs de l'aube étaient de retour et déchargeaient leurs cales. Jason regretta avec véhémence de ne pas avoir opté pour un travail d'apprenti matelot. Tous les jours, il aurait pu partir avant la fin de la nuit et aurait dormi sur la plage durant l'après-midi. Les chances de croiser Raymond auraient été à peu près nulles et pour l'instant, c'était ce qu'il aurait souhaité le plus au monde. Il eut cependant l'honnêteté de s'avouer que ce n'était peut-être plus pour les raisons qu'il avait cru, jusqu'à ce matin, inaltérables.

Le visage de Raymond apparut en transparence sur la voile d'un gros bateau de plaisance qui entrait au port.

Qu'est-ce qui le bouleversait à ce point dans les traits creusés, dans le regard désabusé ? Était-ce cette trop grande ressemblance qui faisait qu'inévitablement, ils auraient à parler, tous les deux ? Depuis le premier instant où il avait aperçu Raymond, Jason avait compris que toutes ses bonnes intentions n'étaient que des vœux pieux. Qu'il le veuille ou pas, le sujet ne pourrait être indéfiniment écarté.

Il soupira profondément.

Raymond.

Jason répéta le prénom puis y accola le nom de famille. Deblois. Si la vie l'avait choisi autrement, il s'appellerait Deblois. Il n'aurait jamais connu Humphrey, ni l'imprimerie, ni la mer. Probablement qu'il s'apprêterait à devenir notaire dans une ville qui s'appelait Montréal et qu'il n'avait pas particulièrement aimée.

Jason se laissa glisser le long du lampadaire. Il s'y appuya en relevant les genoux entre ses bras, en se traitant d'imbécile. Il ne faisait qu'aligner des âneries, des suppositions qui n'avaient rien à voir avec la réalité. Sa réalité. Les faits ne pourraient être changés, même s'il les tournait et les retournait jusqu'à la fin des temps. Il était né ici et sa mère avait eu la chance inouïe de croiser un homme comme Humphrey. Un homme généreux au-delà de l'entendement qu'on en a généralement. Un homme qui lui avait appris l'empathie, la sollicitude et le don de soi. C'était à cause d'Humphrey qu'aujourd'hui, il était sensible à la douleur de Raymond.

Raymond Deblois, cet homme un peu terne, souvent silencieux, qui l'agaçait parfois à force d'hésitation. Cet homme généreux à sa façon, qui ne s'encombrait d'aucune fausse pudeur quand venait le temps de montrer ses émotions, ce qu'il appréciait.

Raymond Deblois, un homme parmi les hommes, différent, unique et qui était son père.

* * *

Anne avait attendu les vacances avec impatience. Elle détestait tellement l'école que la simple perspective de ne pas avoir à se lever le matin pour prendre le chemin du triste bâtiment de brique brune était séduisante. Elle aurait tout son temps. Elle pourrait faire de la musique aussi souvent qu'elle en aurait envie. À elle, la grande liberté.

Ce dont elle ne se doutait pas, c'était qu'elle était en liberté surveillée, car Blanche ne voyait pas d'un très bon œil que sa fille abandonne le logement n'importe quand, pour aller n'importe où, avec n'importe qui. Le secret dont Anne entourait sa vie ouvrait la porte aux élucubrations les plus farfelues, aux divagations les plus affolantes. L'esprit de Blanche, fertile en inquiétudes de tout acabit, y trouvait matière à débordement.

Un mois s'était écoulé depuis la fin des classes et Blanche ne vivait plus, au sens littéral du terme. Elle n'était plus que cœur serré, âme blessée et sursaut au moindre bruit. Le pécule qui dormait sous le lit d'Anne et qui augmentait proportionnellement à la fréquence de ses absences avait engendré les pires hypothèses.

Blanche en était venue à une seule et obsédante conclusion.

Nul doute, Anne monnayait son corps aux plus offrants !

C'était bien connu, il y avait une profusion de maisons closes dans certains quartiers de la ville et rien ne faisait plus leur affaire que d'avoir de la chair fraîche. Ce qui expliquait, entre autres choses, qu'Anne portait des jupes et des robes régulièrement, elle qui n'avait juré que par les pantalons jusqu'à maintenant. Invariablement, c'était les jours où Anne s'habillait avec une certaine élégance que les billets s'accumulaient. Cette incidence parlait d'elle-même.

Et Blanche ne pouvait se tromper, elle calculait scrupuleusement le magot chaque matin. Il y avait maintenant, dans la boîte de biscuits soda, plus de deux cent cinquante dollars. Une véritable fortune pour une gamine de seize ans ! Fortune qu'elle n'avait pu gagner honnêtement, compte tenu de son âge, justement.

Par contre, jamais Blanche n'aurait eu l'idée de la suivre. Le geste aurait été indigne d'elle et de l'éducation qu'elle avait péniblement tenté d'inculquer à sa fille. Lui parler relevait de la même attitude. Comment une mère pourrait-elle s'entretenir de sujets aussi dégradants avec sa fille ?

C'était un non-sens aux yeux de Blanche. Par contre, entretenir ses inquiétudes morbides, se torturer l'âme et le cœur convenait infiniment mieux à sa nature anxieuse. Ce fut ce qu'elle fit avec un zèle que seule une inquiétude hystérique manifeste pouvait expliquer. De là à tenir Antoinette responsable de cet état de faits, il n'y eut qu'un pas que Blanche franchit allègrement et sans scrupule. Même à distance, malgré les mois écoulés, l'influence perfide de la grosse et libidineuse Antoinette se faisait sentir. À son anxiété obsessive s'ajouta alors une bonne mesure d'exaspération, quelques pincées d'indignation, et les ingrédients pour développer une véritable paranoïa étaient rassemblés.

Sans le savoir, Anne se retrouva, corps et âme, sous la loupe des angoisses de sa mère.

Le moindre mot déroutant, la plus infime variation dans l'attitude, l'ombre du plus simple geste équivoque furent décortiqués, analysés, jugés et condamnés. Sa fille n'était plus qu'une traînée, une femme de mauvaise vie et elle n'avait que seize ans !

Quand la lettre arriva des États-Unis, adressée au nom d'Anne, Blanche n'eut donc besoin d'aucune analyse pour savoir qu'en qualité de mère, et à ce titre protectrice des bonnes mœurs de sa fille, elle avait tous les droits. Sans la moindre hésitation, elle mit de l'eau dans la bouilloire et la plaça sur le rond chauffé à blanc.

Ses mains tremblaient. Qu'allait-elle découvrir dans le secret de cette correspondance ? Quelques conseils prodigués par Antoinette ?

La démesure de ses suspicions n'avait d'égale que la méfiance que cette femme avait toujours suscitée en elle. Et la vie lui avait donné raison d'avoir été sur la défensive. Après plus de trente ans de vie commune, Raymond l'avait abandonnée pour retrouver cette femme de mauvais goût. Le geste qu'elle posait ce matin était donc dans la continuité de tout ce qu'elle avait vécu de tragique à cause d'Antoinette. Elle ne faisait que protéger sa fille.

Dès que la colle commença à se liquéfier, Blanche décacheta l'enveloppe avec le plus grand soin. Rebelle comme elle l'était naturellement, il ne fallait pas qu'Anne soupçonne quoi que ce soit.

Blanche se dépêcha de chercher la signature, fit une moue de déception en voyant qu'il ne s'agissait pas d'Antoinette, reprit sur elle rapidement et commença à lire.

Sans la moindre ambiguïté, il s'agissait d'une lettre d'amour. Moins enflammée peut-être que celle que Charlotte avait déjà reçue et qui l'avait choquée à un point tel qu'elle avait passé outre les règles de la plus élémentaire des convenances et qu'elle l'avait déchirée sans la faire parvenir à sa fille. Mais c'était tout de même indécent qu'une enfant de cet âge reçoive du courrier d'un jeune homme qui disait l'aimer et qui l'embrassait.

Par contre, parce qu'Anne n'était pas Charlotte et que les circonstances actuelles méritaient quelques précautions, Blanche replaça la lettre dans l'enveloppe, la cacheta de nouveau et la déposa bien en vue sur l'oreiller de sa fille. Cependant, si besoin en était, cette lettre avait achevé de la convaincre qu'Anne avait de mauvaises fréquentations. Si les notes de fin d'année confirmant le passage de sa fille avec succès avaient engourdi ses menaces de couvent, la lettre de ce matin venait de les revigorer.

Faisant taire l'accablement anticipé devant la tâche qu'elle voyait titanesque et qui avait présidé à cette remise en question du couvent, Blanche employa une partie de la journée à téléphoner à tous les pensionnats de la ville afin de savoir si, par le plus merveilleux des hasards, ils n'avaient pas des succursales en région. C'était le seul mot qui lui était venu à l'esprit pour désigner un établissement de second ordre, perdu au fin fond des campagnes. Le plus loin serait idéal, ce fait justifiant par lui-même qu'Anne ne pourrait revenir en ville qu'à Noël et à Pâques.

Une année de ce régime religieux, voire ascétique, devrait venir à bout de ses tendances pour le vice et l'été prochain en serait un d'échanges agréables entre sa fille et elle. Anne aurait vieilli et comprendrait le bien-fondé des interventions maternelles.

À la fin de l'après-midi, Blanche disposait d'une liste plus qu'acceptable des couvents qui avaient des internats en région. Ne restait plus que la corvée de tous les appeler pour choisir le mieux adapté aux circonstances. Heureusement, elle avait quelques semaines devant elle pour mener le projet à terme.

Pendant ce temps, à des lieux de se douter des tumultes qu'elle faisait naître chez sa mère, Anne jouissait d'un été tout en fugues et en concertos, en ballades et en sonates. Si l'on ajoutait à cela plusieurs moments privilégiés où monsieur Canuel se joignait à elle pour interpréter des pièces musicales récentes, Anne vivait le plus beau des étés. Elle avait bien fait de décliner l'offre de son père et de rester à Montréal même si le temps humide et lourd lui faisait penser au Connecticut, au moins chaque matin, au moment du réveil. Cependant, une simple douche froide venait à bout de ses regrets et c'était le cœur léger qu'elle fuyait le logement avant le réveil de sa mère.

Son père avait bien fait les choses et Anne se retrouvait en possession d'une garde-robe bien garnie. Cela la servait à merveille puisque, depuis quelques jours déjà, elle aidait monsieur Canuel auprès des clients. Les journées passaient vite. Il lui arrivait même, à l'heure de fermeture, de rester manger chez monsieur Canuel plutôt que de retourner chez elle. Blanche, alléguant que la chaleur lui donnait la nausée, ne préparait plus que des repas chiches qui n'attiraient aucunement la gourmande qui sommeillait en Anne. Alors, régulièrement, la jeune fille montait à l'étage pour partager le repas de monsieur Canuel et faire de la musique avec lui.

Robert Canuel était un professeur hors pair. Et tout comme elle, à la grande surprise d'Anne, il avait un faible pour ces nouvelles musiques qu'on appelait jazz et blues. S'il choisissait un répertoire classique pour la boutique, c'était pour plaire à la clientèle, plus conventionnelle qu'avant-gardiste. Mais quand les impératifs du commerce n'avaient plus préséance, ils s'en donnaient à cœur joie. Ensemble, elle au piano et lui à la trompette ou au saxophone, ils improvisaient toutes sortes de mélodies, toutes plus audacieuses les unes que les autres. Quand un air leur plaisait plus qu'un autre, ils s'arrêtaient et écrivaient la partition qu'ils ajustaient et modifiaient à leur guise.

Ce fut ainsi qu'Anne commença à écrire sa propre musique, y découvrant une exultation que la seule interprétation n'avait pas déclenchée.

Quand les clients se faisaient rares à la boutique, elle montait à l'appartement et s'enfermait dans la salle insonorisée. Alors elle faisait quelques gammes, jouait quelques classiques comme madame Mathilde lui avait toujours enseigné à le faire, puis elle laissait libre cours à son inspiration.

Généralement, quand monsieur Canuel montait la rejoindre, il y avait une feuille de musique qui l'attendait. Ils passaient alors une partie de la soirée à perfectionner ce qu'Anne avait imaginé. Plus souvent qu'autrement, c'était le coucher de soleil, embrasant subitement la pièce de feux rougeoyants, qui sonnait l'heure du départ de la jeune musicienne.

Mais aujourd'hui, il pleuvait et elle ne vit pas le temps passer.

Ce furent les heures sonnées à la pendule du couloir qui alertèrent Anne. Onze coups, il était donc déjà onze heures. Elle sauta sur ses pieds.

— Il faut que je file ! Il est tard.

Robert Canuel retint un soupir. Il ne savait toujours rien de la vie de sa jeune employée qu'il comparait parfois à Cendrillon. L'horloge du couloir était souvent le pense-bête de la jeune fille qui, immuablement, quand retentissaient plus de dix coups, rougissait comme une tomate avant de devenir toute pâle et de se sauver comme une voleuse.

— À demain monsieur Canuel. Et merci pour tout.

Ce soir, n'échappant pas à la règle, Anne venait de fuir son logement comme s'il était envoûté et que d'un coup de baguette, elle allait être transformée en cygne ou en une hideuse créature.

Robert Canuel ramassa les feuilles éparses qu'il était à noircir de notes quelques instants auparavant. Il les rangea dans l'étagère et éteignit avant de quitter la pièce. Il faisait de moins en moins souvent de la musique quand il était seul. Il promena son ennui un peu partout dans le logement qui lui sembla tout à coup beaucoup trop grand, puis il se dirigea vers sa chambre à coucher. Il tenterait de s'endormir, bercé par sa rêverie préférée : Anne n'était pas aussi jeune qu'elle le paraissait et finissait par tomber amoureuse de lui. Parce que maintenant, il ne se leurrait plus : Anne n'était encore qu'une enfant, seul un aveugle pourrait le contester et encore ! Ses propos, son attitude, ses gestes étaient ceux d'une enfant. Seul le regard contredisait cette thèse. Anne avait un regard beaucoup trop dur ou trop triste, selon les journées, pour être encore une enfant. Ce qui expliquait peut-être pourquoi elle ne parlait jamais de sa famille. Il y avait chez elle une situation qu'elle cherchait à esquiver. Il en était persuadé. Cependant, Robert avait tellement peur de la voir disparaître de sa vie qu'il n'osait la questionner. Il se contentait de ses rêves éveillés où Anne devenait une femme intemporelle et répondait à ses amours.

Anne avait couru tout le long des rues qui menaient chez elle. Plus que la pluie, elle détestait se promener dans la rue, seule le soir. Il y avait souvent des clochards qui ricanaient à son passage et cela lui faisait peur. Ce soir, les ombres enveloppées de brouillard faussaient les recoins familiers, dénaturaient les carrefours coutumiers. Pas plus aujourd'hui qu'hier, Anne n'aimait se promener dans les rues quand la noirceur était tombée. Mais aujourd'hui comme hier, plus que la peur du noir, Anne entretenait la peur de Blanche.

Que trouverait-elle quand elle rentrerait ? Indifférence ou colère, injures ou gifles ?

L'angoisse de ses jeunes années avait changé de masque, mais elle était toujours aussi présente.

Pourtant, depuis le début de l'été, pas une fois sa mère ne l'avait attendue. Quand elle arrivait chez elle en soirée, qu'il soit neuf, dix ou onze heures comme ce soir, le logement était plongé dans la pénombre ou la noirceur, et le silence régnait en maître, accentué par les bruits habituels de la rue.

Anne entra sur la pointe des pieds, referma doucement derrière elle et glissa la chaîne de sécurité. S'il fallait qu'elle oublie le loquet de sécurité, elle en entendrait parler pendant des jours! Comme Blanche le lui avait déjà dit: deux femmes seules sont des proies faciles pour les voleurs. Anne haussa les épaules quoique, en pensée, elle venait de revoir le dernier homme qui avait croisé sa route, vêtu d'un vieux manteau crasseux malgré la chaleur et sentant l'alcool, même à plusieurs pieds. Blanche avait peut-être raison, après tout.

Alors qu'habituellement, Anne filait silencieusement vers sa chambre, ce soir, elle resta dans le couloir, épiant les bruits, consciente que la situation qui perdurait depuis le début des vacances était singulière.

Comment se faisait-il que sa mère ne soit pas inquiète, elle qui s'effarouchait à rien, qui prédisait l'ouragan d'un nuage plus sombre que les autres? Aurait-elle enfin compris qu'elle pouvait faire confiance à sa fille?

Anne tendit l'oreille, les yeux mi-clos, le cœur battant. Ce serait merveilleux si Blanche avait saisi qu'elle n'avait plus à s'inquiéter pour elle. Anne étira le cou pour mieux entendre. Blanche dormait-elle ou faisait-elle semblant? Elle fut tentée d'aller vérifier en frappant doucement à sa porte. La pluie qui frappait aux carreaux, les jets de lumière projetés par le lampadaire devant l'immeuble et qui striaient le plancher, le gargouillis de l'eau dans les gouttières, le néon de l'épicerie qui clignotait sur le mur du salon l'invitaient tous à se fier à ses intuitions. Elle voulait tellement voir sa vie sortir de l'ombre que ces quelques détails familiers lui donnèrent, le temps d'un soupir, l'illusion d'un havre de paix. Le temps d'une hésitation, elle resta immobile dans le couloir, se disant qu'elle allait faire les quelques pas menant à la chambre de Blanche, qu'elle allait ouvrir et lui dire qu'elle avait envie de parler. Elle allait lui raconter ce qu'elle faisait de ses journées, lui demander de l'accompagner pour rencontrer monsieur Canuel pour qu'elle puisse constater, elle aussi, combien cet homme était gentil.

Elle aurait voulu que sa vie soit un grand livre et qu'il lui suffise de tourner la page pour changer de chapitre. Oui, ce soir, elle aurait voulu être capable d'intimité avec Blanche parce qu'elle n'en pouvait plus de toutes ces cachettes qui ressemblaient à des mensonges. Cependant, la peur, l'éternelle peur que Blanche avait jadis semée dans son âme, veillait, sournoise et capricieuse, gelant les gestes qu'elle aurait voulu poser, les tendresses qui s'accumulaient faute de trouver preneur et les intentions les plus pures.

Elle resta encore un moment dans le corridor en espérant, sans y croire, que Blanche l'appellerait. Ce serait un signe que les choses avaient peut-être changé. Devant le silence persistant, elle abdiqua.

Sa chambre sentait l'humidité et le vieux pain ranci. L'été, les odeurs qui s'échappaient des cuisines voisines et du hangar décrépit où l'on rangeait des outils de mécanique et de jardinage étaient parfois intolérables. Quand le temps tournait à la pluie, c'était encore pire.

Anne hésita entre ouvrir la fenêtre pour avoir un peu d'air en s'exposant à de mauvaises odeurs ou mijoter entre ses draps. Elle opta pour la brise qui, bien que faible, soufflait dans le bon sens et faisait se soulever les rideaux de percale à carreaux. Tant pis pour la pluie qui suivait la même trajectoire. Le plancher était si défraîchi que cela ne paraîtrait plus quand il aurait séché. Par réflexe devant tant de médiocrité, Anne se demanda ce qu'il était advenu du projet de déménager. Avant les fêtes, c'était une priorité. Tous les matins avant de partir pour l'école, Anne devait se précipiter à la tabagie du coin pour acheter les journaux du jour que Blanche se faisait un devoir d'éplucher à la recherche de la merveille. Puis subitement, plus rien. Les fêtes étaient arrivées et après, Blanche n'en avait plus jamais reparlé. Curieux!

Anne se promit d'amener le sujet sur le tapis. C'était là un propos qu'elle pourrait aborder avec sa mère, un propos suffisamment neutre pour qu'il n'entraîne ni dispute ni suspicion. Puis elle approcha de son lit et se pencha pour replier les couvertures à tâtons afin d'attraper son pyjama, glissé sous l'oreiller.

Un papier qu'elle sentit sous ses doigts arrêta son geste. Elle tendit aussitôt la main pour trouver la lampe de chevet et en tourner l'interrupteur. Une clarté jaunâtre se répandit sur l'oreiller.

Une lettre l'attendait patiemment, cachant habilement son secret sous le rabat adroitement recollé.

Anne dessina un large sourire, toutes interrogations et pensées moroses disparues. Elle savait que c'était Jason qui lui avait écrit, il n'y avait que lui pour dessiner un petit voilier dans le coin gauche de l'enveloppe. Elle s'en saisit comme un rapace s'empare de sa proie, avec avidité, avec voracité. Le temps de s'installer en tailleur sur son lit et elle se jetait dans la lecture avec gourmandise comme on attaque un cornet de glace par canicule.

L'écriture était fluide, les mots choisis avec l'application de celui pour qui la langue n'est pas familière. Chaque phrase faisait naître une multitude d'images. La maison du bord de mer, les vagues et les rochers, l'école avec son parc ombragé et le clocher de l'église anglicane qui égrenait les heures... Tout Bridgeport s'inscrivait entre elle et les mots de la lettre. Et tout l'ennui qu'elle avait canalisé dans ses séances de musique chez monsieur Canuel ressuscita aussitôt, exacerbé par la lettre de Jason.

Anne leva les yeux, se heurta au papier peint jauni, au hangar dont elle voyait un bout du toit par la fenêtre.

Comment avait-elle fait pour décliner l'offre de son père?

Elle poussa un profond soupir de colère envers elle-même. Mais qu'est-ce qui lui avait pris de rejeter la suggestion de son père? Sans perdre son temps à chercher une réponse qui n'existait peut-être pas vraiment, elle reporta les yeux sur la lettre.

Le ton employé se modifiait, devenait plus personnel, presque intime. Jason parlait de l'ennui qu'il ressentait, de sa présence qui allait lui manquer. Quand il fit allusion à leurs longues promenades au clair de lune, Anne sentit la nostalgie la gagner. Quand il lui dit qu'il l'aimait beaucoup et qu'il l'embrassait, les larmes avaient commencé à couler. Mais ce n'étaient pas des larmes de tristesse, c'étaient des larmes d'espoir. Brusquement, au contact de quelques mots, toute l'affection qui sommeillait en elle faute d'être distribuée venait de triompher, fleurissant en un bouquet de certitudes et de résolutions.

Ses larmes étaient des larmes de soulagement.

Jason disait qu'il l'aimait et Anne avait tellement besoin de se sentir aimée.

Oui, quelqu'un l'aimait, autre que son père qui avait passé sa vie à le dire sans trop réussir à le prouver, autre que ses sœurs qui avaient aujourd'hui chacune leur vie.

Anne ne voyait que ces mots, n'entendait que la quiétude qu'ils suggéraient.

*Je t'aime tant, Anne. J'aurais tant voulu que tu sois là.*

Le baiser que Jason lui envoyait effleura ses lèvres et Anne comprit qu'elle était amoureuse. Voilà pourquoi elle avait décliné l'offre de son père, elle avait peur d'être déçue.

Mais la lettre de Jason changeait tout.

En quelques phrases, elle avait repoussé les limites de ses doutes, avait métamorphosé ses hésitations en courage. Maintenant, elle aurait le courage de parler à Blanche.

Comme la terre desséchée s'enivre d'eau de pluie, elle relut la lettre en dégustant chacun des mots. Puis la relut encore avant de la presser sur son cœur en fermant les yeux.

Le visage de Jason lui apparut clair et précis, joyeux comme une promesse.

Avec lui, elle n'aurait plus jamais peur.

Pour lui, elle aurait toutes les audaces.

À commencer par celle de parler à Blanche après avoir pris entente avec monsieur Canuel pour prendre deux ou trois semaines de vacances, un peu plus tard en août quand elle aurait accumulé encore un peu d'argent. Car de l'argent, elle en aurait besoin. Non plus pour fuir Blanche comme elle se l'était promis, mais plutôt pour acheter la paix avec elle. Elle garderait uniquement ce qui lui serait nécessaire pour s'offrir un passage en train ou en autobus vers Bridgeport et aussi un autre montant pour faire venir son piano quand ils auraient déménagé. Elle allait en effet proposer à sa mère d'envisager cette possibilité avec sérieux. Au besoin, elle était prête à lui donner tout l'argent dont elle n'aurait pas besoin cet été et elle s'offrirait à l'aider afin de payer le loyer. Mais dans l'immédiat, elle lui dirait qu'elle avait envie de voir son père et qu'elle s'ennuyait de la plage. Blanche ne pourrait tout de même pas l'empêcher de voir son père. La seule chose qu'elle tairait, ce serait Jason. Sa mère ne comprendrait pas qu'on puisse tomber amoureuse à seize ans et que cet amour était partagé. Par contre, elle promettrait de mieux travailler à l'école pour avoir de bonnes notes.

Anne s'était glissée sous les draps, avait éteint la lampe de chevet. Les yeux sur un coin de ciel tout gris malgré la nuit, elle avait échafaudé ses projets, le cœur léger. Quand elle s'endormit enfin, elle pensait à Jason. Il était tour à tour ami, amour et fiancé. Dans la main enfouie sous l'oreiller, elle tenait la lettre qui allait changer toute sa vie. Elle serait son talisman jusqu'au jour où elle pourrait la relire avec Jason, tête contre tête.

Jason qui avait avoué l'aimer.

## CHAPITRE 9

# *Tout se bouscule…*

Quand Émilie lui avait avoué qu'elle préférerait reporter l'arrivée du bébé de quelques mois, Marc en avait été à peine surpris. Quelque chose dans l'attitude de sa femme lui avait mis la puce à l'oreille. Une nouvelle façon de voir les choses, une perception des priorités légèrement différente, teintée d'un enthousiasme à la fois bien réel et onirique, le retour d'une certaine instabilité encombraient la moindre conversation.

La nouvelle Émilie le déconcertait.

Mais était-ce bien une attitude nouvelle ?

Par moments, il avait plutôt l'impression que c'était le passé qui lui courait après. À un point tel que, parfois le soir, quand il revenait du bureau, il s'était surpris à jeter un œil sur le rebord de la fenêtre de cuisine. Il y aurait vu les bouteilles de pilules reprendre leur faction préventive qu'il n'en aurait pas été étonné. La maison empestait de plus en plus l'influence de Blanche même si, en apparence, peu de choses avaient vraiment changé.

Pourtant, la demande d'Émilie n'avait rien d'irrationnel. Elle était débordée par le travail, il était à même de le constater, et le déménagement approchait rapidement. Elle avait donc toutes les raisons de penser que la venue immédiate du bébé aurait été dérangeante. Jusque là, pas vraiment de problème, Marc était capable de l'admettre. Cependant au lieu de vouloir tout reporter, il aurait préféré qu'Émilie lui demande de l'aider à passer à travers cet horaire astreignant. Mais non! Émilie avait pris le contrôle des opérations, et c'était justement cette manie de vouloir tout diriger qui l'agaçait. Et quand il lui arrivait d'insister et qu'elle lui rétorquait sur un ton incisif que sa santé pouvait flancher n'importe quand si elle exigeait trop d'elle-même, Marc croyait entendre Blanche. Il s'était retenu pour ne pas lui répliquer que si elle avait été enceinte, elle n'aurait pu reporter l'accouchement. La situation qu'ils vivaient aurait dû être pareille. À ses yeux, ils auraient dû continuer à aller de l'avant. Pourquoi faire autrement? Ils avaient justement opté pour une façon de faire qui permettait à l'adoption de ressembler à un accouchement normal. D'un commun accord, ils avaient décidé qu'ils ne choisiraient pas le bébé, mais qu'ils prendraient plutôt celui que la vie leur avait destiné. Pourquoi, alors, vouloir tout modifier à la dernière minute? Émilie avait ouvert les yeux tout grands quand Marc, tenace, obstiné même, était encore une fois revenu sur le sujet, exigeant presque qu'elle s'engage à aller chercher le bébé qui devait naître dans moins de trois semaines.

— Je te ferais remarquer qu'une bonne partie des papiers est déjà signée, avait-il ajouté, une pointe d'agacement dans la voix.

— Mais qu'est-ce que ça change Marc? On ne l'a même pas vu, ce bébé. Tu ne vas toujours pas me dire que ça te fait de la peine! Il va sûrement se trouver une bonne famille pour l'aimer. Allons donc! Nous ne sommes pas les seuls à vouloir adopter un bébé. Quand on sera prêts, on signera d'autres papiers, c'est tout.

Quand Émilie parlait sur ce ton, à la fois décidé et insouciant, Marc la trouvait tellement distante, tellement insaisissable, tellement insensible qu'il lui arrivait de regretter d'avoir parlé d'adoption. Émilie saurait-elle aimer un enfant qui ne venait pas d'elle? Pourtant, elle n'avait qu'un mot à la bouche: bébé, qu'une référence: sa mère. Tout était planifié et réalisé en fonction de ces deux critères: la carrière qu'elle ne pouvait abandonner pour avoir suffisamment d'argent afin d'offrir, plus tard, les meilleures écoles au bébé; le déménagement qui était prévu pour la mi-août afin qu'il y ait assez d'espace pour qu'il puisse jouer; même le choix des couleurs pour rafraîchir la maison de sa grand-mère avait été fait en fonction du bébé. Toute une histoire, d'ailleurs, que l'achat de cette maison! D'abord émue et enthousiaste devant l'offre de mamie Deblois, Émilie avait finalement changé d'avis devant l'âge de la bâtisse, pour retourner sa veste une seconde fois et accepter la proposition d'achat malgré les réticences de Blanche qu'elle s'était empressée de faire siennes...

— Maman me disait justement que ce n'est peut-être pas une si bonne idée que ça de s'encombrer d'une vieille maison. Du neuf serait peut-être plus sensé. Mais si tu crois que…

Cette fois-là, Marc avait levé le ton. Il se fichait éperdument de ce que Blanche pouvait penser. Lui, il aimait la maison et le quartier, c'était celui de son enfance et c'était amplement suffisant pour accepter la générosité de madame Deblois.

— Les sous qu'on va épargner en ne lorgnant pas du côté des maisons neuves nous permettront de souffler un peu. Quand notre enfant va être là, j'ai bien l'intention de le voir grandir. Pas question de travailler de l'aube au crépuscule. Je veux avoir le temps de vivre avec lui.

Quand il parlait du petit, Marc disait « notre enfant » alors qu'Émilie n'avait jamais employé que « le bébé ». C'était froid, impersonnel, quasi mercantile. Ce qui, par ailleurs, ne l'empêchait pas d'acheter déjà des tas de petits vêtements et de magasiner le mobilier de la chambre. Il y avait une dichotomie marquée dans le discours d'Émilie, une opposition qui le laissait perplexe.

Pourquoi tant parler d'un enfant qu'elle n'était pas prête à aller chercher dans les plus brefs délais ? Ils en parlaient déjà depuis l'automne dernier. Le processus était en branle depuis l'hiver, ils avaient joyeusement signé certains papiers. Pour Marc, le retour en arrière était impossible.

Il avait beau revirer la situation dans tous les sens, il revenait toujours à la même question : pourquoi remettre à plus tard la réalisation d'un rêve qu'ils caressaient depuis tant d'années déjà ?

Mais Émilie avait la tête dure, encouragée en ce sens par sa mère qui l'avait convaincue qu'avec une santé comme la sienne, elle n'y arriverait pas. Après quelques tentatives de persuasion qui s'avérèrent un coup d'épée dans l'eau, plutôt que de déclencher une nouvelle querelle, Marc se résigna à appeler le médecin pour demander s'il pouvait annuler l'engagement déjà pris. On lui répondit qu'il n'y avait aucun problème, que, de toute façon, les papiers définitifs n'étaient signés que trois mois après la naissance.

— Trois mois ?

Marc doutait d'avoir bien compris. Pourtant, une voix blasée lui répondit que le système prévoyait ce délai pour que les parents, naturels comme adoptifs, soient bien certains de ne plus vouloir changer d'avis.

Marc raccrocha, écœuré.

— Comme une marchandise défectueuse, murmura-t-il avec rage. Je n'en reviens pas ! On peut retourner un enfant comme un pantalon trop étroit !

Que la mère naturelle revienne sur sa parole, il pouvait aisément le comprendre, mais que des parents adoptifs puissent faire la même chose le renversait. Il avait l'impression de vivre un autre deuil qui s'apparentait à celui connu au moment du décès de leur petite Rosalie. Lui, il s'était fait à l'idée que vers le milieu du mois d'août, il y aurait un bébé chez lui en même temps qu'il s'était réconcilié avec l'idée qu'il ne serait pas de lui.

L'annonce du mariage de Charlotte avait été le dernier tressaillement de sa paternité blessée. Comme un ultime élancement douloureux dans une plaie en voie de guérison. Le regard échangé avec Charlotte, ce soir-là, avait été d'une rare intensité et l'avait bouleversé plus qu'il ne l'aurait cru. Cela lui avait pris des jours pour s'en remettre. Mais il s'en était remis. Certaines questions resteraient à jamais sans réponse, et c'était probablement préférable ainsi. Dorénavant, Alicia serait la fille de Charlotte et de Jean-Louis, et non la sienne. Il continuerait donc de l'aimer comme un oncle peut aimer une nièce et il tairait à jamais les battements de son cœur qui se faisaient parfois désordonnés ou douloureux quand il la rencontrait. Cela, personne n'avait à le savoir. Puis quand il eut réussi à faire la paix avec lui-même, il avait alors résolument tourné les yeux vers l'avenir. Et cet avenir prédisait un bébé au mois d'août.

Or voilà qu'il n'y aurait plus de bébé et le geste qu'il venait de poser le révoltait. Il regarda longuement le téléphone, fut tenté de le reprendre pour annuler son dernier appel, avorta le geste avant même d'avoir levé le petit doigt. D'abord, il allait en parler avec Émilie. Il allait tenter une dernière négociation. Il allait la convaincre.

Quand il rentra chez lui, ce soir-là, Marc était remonté à bloc. Il avait peu travaillé mais beaucoup pensé. À la main, il tenait quelques roses. Finalement, ce qui avait émergé de toute cette journée de réflexions intenses et laborieuses, pas nécessairement faciles, c'était qu'il aimait toujours Émilie. Il tenait à ce qu'elle le sache, au cas où elle l'aurait oublié, égaré dans quelque repli de leur vie décousue. Cependant, il ne voulait plus que cet amour se résume à être un peu n'importe quoi, enveloppant un quotidien vécu un peu n'importe comment.

Quand Émilie aperçut les fleurs, elle devint aussi rose que les roses qu'il avait choisies pour elle.

— Merci, c'est gentil.

Délaissant ses pinceaux, elle s'approcha de Marc et l'embrassa tendrement sur la joue.

— Je vais les mettre dans l'eau tout de suite. Je ne voudrais pas qu'elles se fanent. Elles sont si jolies.

Émilie s'envola vers la cuisine avec la démarche toute légère que procurent parfois les petites joies du quotidien. Marc l'entendit fouiller dans une armoire, puis il y eut le bruit de l'eau qui coule.

Il se dirigea alors vers le salon. Émilie plaçait toujours ses bouquets de fleurs sur la tablette du foyer. Elle allait donc venir le rejoindre dans quelques instants. Ce serait à ce moment-là qu'il parlerait.

Il compléterait le message des roses en lui répétant qu'il l'aimait. Puis il ajouterait qu'il avait longuement réfléchi et que malgré l'appel fait au matin, il n'était pas du tout certain que c'était la chose à faire. Il lui rappellerait qu'il serait en vacances pour trois longues semaines et lui dirait qu'à deux, c'était certain qu'ils allaient réussir à mener de front déménagement et nouveau-né. Il dirait aussi que pour lui, il était normal que la vie soit ainsi faite, parsemée de petits inconvénients qu'ils pouvaient affronter à deux. Il lui tendrait la main et lui demanderait de revenir vers lui. Depuis quelque temps, il avait l'impression qu'ils étaient en train de s'éloigner et cela lui faisait peur.

Quand Émilie revint, Marc remarqua qu'elle avait retiré sa blouse d'artiste. Elle semblait toujours aussi légère, aérienne même, dans sa robe d'été vaporeuse. Elle avait peut-être un peu maigri depuis quelques semaines, mais il attribuait cela à la chaleur. C'était vraiment un été torride. Quand Émilie se tourna vers lui, souriante, il constata qu'elle avait son regard d'émeraude, celui qui disait l'amour. Il le vit comme un signe d'espoir. Ce soir, la brise qui entrait par la porte du balcon était à la tendresse et cette tendresse allait rejoindre leur vie familiale, celle qu'ils avaient espérée et choisie ensemble. Il allait parler à Émilie et après, ils iraient manger ensemble au restaurant, en amoureux. Il savait qu'elle aimait ces petites soirées en tête-à-tête. Puis ils se choisiraient une glace, vanille pour lui et chocolat pour Émilie, et ils iraient se promener en discutant du prénom du bébé, comme ils le faisaient avant que Blanche ne se mette en tête de la convaincre qu'il serait mieux de tout reporter de quelques mois. Émilie n'en avait jamais rien dit, mais il savait que l'idée venait de Blanche. Marc avait réussi à s'en convaincre, c'était beaucoup plus facile à accepter ainsi.

— Que dirais-tu de sortir pour le souper? Ça fait longtemps qu'on n'est pas allés au restaurant.

Émilie rosit de plus belle.

— Mais que me vaut toute cette attention ?

— Juste parce que je t'aime.

Marc était ému. Il se leva et vint prendre Émilie dans ses bras.

— Si tu savais à quel point je t'aime, murmura-t-il en enfouissant son visage dans son cou.

Émilie s'abandonna à la caresse de Marc puis elle se dégagea doucement.

— Si nous sommes pour sortir, je vais me changer. Je veux que...

— Une minute. Tu iras dans une minute. Avant, j'aimerais te parler.

Tout à coup, Marc avait l'air sérieux, presque grave. Émilie fronça les sourcils.

— Mais qu'est-ce qui se passe ? On dirait que tu es inquiet, tracassé. Quelque chose ne va pas au bureau ?

— Non, tout va bien au bureau. Très bien, même. Je voudrais simplement te parler. Te parler de nous. Je... Ce matin, j'ai appelé le médecin comme tu me l'avais demandé.

Ce fut au tour d'Émilie d'avoir l'air anxieux.

— Et ?

— Et, il n'y a aucun problème à annuler les papiers. Mais...

— Merveilleux !

Le sourire d'Émilie était revenu. Sans s'apercevoir que le visage de Marc s'était refermé, sans lui laisser la chance de poursuivre, elle pivota sur elle-même.

— Merveilleux, répéta-t-elle. Comme ça, on va pouvoir faire les choses dans l'ordre, calmement. Ça me convient. Maman a bien raison de dire qu'un bébé doit arriver dans une maison préparée à le recevoir. Pas dans des boîtes de déménagement.

Revenue face à Marc, Émilie se dressa sur la pointe des pieds et l'embrassa sur la joue.

— Merci, c'est gentil.

La même formule polie que pour les fleurs. «Merci, c'est gentil.» Marc sut alors qu'il ne dirait rien. Le *merveilleux* d'Émilie, lancé comme un véritable soulagement, l'avait écorché vif, cette politesse, maintenant, l'agressait. Qu'en était-il de leur projet? C'était de sa vie à lui aussi qu'on parlait, Émilie l'avait-elle oublié? Depuis que Blanche était sortie de l'hôpital, leur vie à deux était conditionnée par elle. Où donc se cachait celle qu'il avait épousée et qui s'appuyait sur lui avec confiance?

Émilie avait quitté le salon sur une pirouette.

— Le temps de me changer et je suis à toi.

Un peu plus tard, venu de la chambre, Marc entendit:

— Ce n'est que partie remise, mon chéri. Dès l'automne on s'occupe du bébé. Promis.

Puis encore, toujours de loin, en sourdine:

— As-tu pensé à l'endroit où on pourrait manger? Si on allait rue Mont-Royal? Tu sais, le…

Marc n'entendit pas la proposition d'Émilie. Il était dans la salle de bain et le bruit de l'eau qui coulait à grand débit enterra les mots de sa femme. Il se passa la tête sous le robinet, mêlant ses larmes à l'eau tiédasse. Quand il se redressa et qu'il croisa son reflet dans la glace, il fut surpris de voir qu'il n'avait pas l'air bouleversé. Fallait-il qu'il soit comédien! Depuis l'instant où il avait compris qu'Émilie était sincèrement soulagée de la tournure des événements, il avait eu le pressentiment que cette lourdeur subite dans la poitrine, c'était son cœur qui s'était transformé en bloc de glace. Émilie n'avait montré aucune empathie à son égard, aucun regret devant l'impossibilité de mener leur projet à terme. Que des mots lancés de loin. Des mots sans consistance. Elle avait parlé d'un enfant comme d'une partie remise, rien de plus qu'un pique-nique annulé.

— Et vogue la galère, murmura-t-il pour lui-même, en replaçant ses cheveux humides.

Il était déçu. Immensément déçu.

La soirée fut un fiasco. Du moins pour Marc. Émilie discourut beaucoup, sans même s'apercevoir qu'elle parlait seule. Elle monologua avec un entrain qui malheureusement n'était pas communicatif. La maison, son exposition, sa mère qui avait promis de l'aider à faire les caisses, Charlotte qui était revenue de son voyage et avait appelé... Émilie restait à la surface des choses alors que Marc aurait voulu aller au cœur des émotions. Ils ne parlaient plus le même langage, et les mots qui auraient pu dire sa déception se refusaient à lui.

Et il avait toujours la sensation d'avoir un iceberg à la place du cœur.

Ils revinrent chez eux sans avoir mangé de glace. De toute façon, il n'y avait pas de prénom à trouver.

S'il se laissa aller à l'invitation sensuelle d'Émilie dès qu'ils furent dans leur chambre à coucher, ce fut parce que cela faisait une éternité qu'elle ne l'avait pas approché de la sorte. Habituellement, leur sexualité se résumait à des caresses rapides sous les couvertures, car Émilie avait peur d'une autre maternité. Mais ce soir, malgré tout ce qu'il pouvait ressentir, Émilie avait son regard d'émeraude, son regard amoureux. Pour elle, la soirée avait été agréable.

Le lendemain, il quitta l'appartement avant le réveil d'Émilie.

Il avait besoin d'être seul. Depuis hier, il avait le sentiment que c'était toute sa vie qui était devenue une partie remise. Cette perception des choses était inconfortable, navrante, lamentable.

Il en voulait à Émilie de ressembler de plus en plus à sa mère. Il s'en voulait de ne pas avoir eu le cran de parler. À force de respecter les besoins et les envies d'Émilie, il avait fini par perdre de vue les perspectives exactes d'une véritable relation amoureuse. Il s'était endormi en pensant à Raymond, se disant, sarcastique, qu'à force de vivre au milieu des lois, on finissait par tout décortiquer, trop analyser au lieu d'agir.

Si Émilie ressemblait de plus en plus à sa mère, lui, c'était déguisé en Raymond qu'il risquait de finir sa vie.

La journée fut désagréable jusqu'au moment où, exaspéré, Marc repoussa le dossier auquel il travaillait et se renversa dans son fauteuil en fermant les yeux. L'image de Raymond, silencieux, suivant Blanche d'un regard réprobateur mais n'intervenant jamais, le harcelait depuis le réveil.

Marc assena un coup de poing sur son bureau et se releva en bousculant son siège.

Il n'était pas dit qu'il serait la réplique de son beau-père!

Il marcha de long en large durant un bon moment puis revint à sa place tout aussi brusquement qu'il l'avait quittée. Prenant son répertoire de numéros de téléphone, il chercha celui qu'il voulait et composa sans attendre. Du bout des doigts, il pianotait sur le bois verni du pupitre.

Non, il n'était pas dit qu'il resterait en périphérie de sa propre vie, les bras croisés.

L'appel ne dura que quelques secondes. Il raccrocha un vague sourire aux lèvres. Il se sentait mieux. Alors il reprit le dossier repoussé quelques minutes auparavant et s'y consacra jusqu'au souper.

Quand, à dix jours de là, il se présenta à la Miséricorde, il avait le cœur galopant et les mains moites.

Le temps de s'orienter, de grimper quelques étages et Marc arrivait au bout d'un large couloir vitré, nimbé d'une lumière jaunâtre, chaude, filtrée par les stores de la pouponnière que l'on gardait baissés.

Il était intimidé. Il avança de quelques pas puis, du regard, il chercha celui qui sans le savoir avait bouleversé sa vie. Même sans le connaître, Marc avait déjà commencé à se battre pour lui.

Il était là, dans la deuxième rangée, minuscule, à peine plus gros qu'un ballon de football, un poing à portée de la bouche, au cas où. Ils étaient des dizaines à dormir les uns à côté des autres. Ils se ressemblaient tous un peu, mais Marc ne voyait que lui.

Derrière la vitre, son fils dormait.

À la tête de son lit, on avait glissé un petit carton où il n'y avait qu'un prénom : Dominique. C'était celui qu'Émilie avait dit préférer pour un garçon, les quelques fois où ils en avaient parlé. C'était celui que Marc avait donné lorsqu'une voix anonyme l'avait appelé à son travail pour l'aviser que l'enfant était né durant la nuit.

— Dominique, murmura-t-il ému.

Marc leva les yeux et du bout du doigt, il frappa contre la vitre de la pouponnière pour attirer l'attention de l'infirmière. Une vieille religieuse lui fit signe de se rendre vis-à-vis d'une sorte de cagibi vitré qui servait d'antichambre à la pouponnière.

Marc jeta un dernier regard attendri sur le poupon endormi, puis il se dirigea à grandes enjambées vers l'endroit indiqué.

Sa décision était prise et personne au monde, pas même Émilie, n'y pourrait changer quoi que ce soit.

Ils déménageaient samedi.

Dimanche, en fin de journée, Dominique serait avec eux.

Et cet après-midi, il prenait congé. Il avait un mobilier de chambre à acheter. Et peut-être aussi un gros ourson en peluche.

* * *

Anne avait bien planifié son affaire.

Samedi matin, elle irait chez Émilie pour le déménagement, tel qu'elle l'avait promis; en après-midi, elle serait à la procure de monsieur Canuel pour un dernier concert avant ses vacances et le lendemain, elle parlerait à sa mère. Au déjeuner, de préférence, après le deuxième café, quand sa mère était habituellement de bonne humeur. Pour l'amadouer, elle lui remettrait deux cents dollars en vue de leur déménagement dont elle parlerait en deuxième, tout de suite après lui avoir confié le secret qui entourait ses nombreuses escapades. Après, il lui semblait évident que Blanche ne pourrait lui refuser quelques jours de repos auprès de son père. Puis, quand tout serait réglé avec sa mère, elle irait souper chez Charlotte qui l'avait invitée.

Et le lundi matin, elle prendrait l'autobus pour le Connecticut sur la promesse d'être de retour à temps pour la rentrée des classes.

Cela faisait au moins cent fois qu'elle révisait le scénario et elle le trouvait parfait.

Finalement, elle n'avait pas répondu à Jason, elle préférait lui faire la surprise. Même son père n'était pas au courant. Personne, hormis monsieur Canuel, ne savait qu'Anne projetait de partir pour une quinzaine de jours.

Le seul petit désagrément avait été qu'elle n'avait pu compter sur Émilie pour assouplir les angles. Avec son déménagement, sa sœur ne savait plus où donner de la tête. Dommage. Anne aurait bien aimé qu'elle prépare le terrain avant d'aborder sa mère. Sans tout lui confier, Anne lui aurait dit qu'elle projetait de partir quelques jours et lui aurait demandé de laisser entendre à Blanche qu'il serait bien qu'elle puisse rejoindre son père. Si Émilie approuvait l'aventure, probablement que Blanche en ferait tout autant. Malheureusement, elle devrait se passer du parrainage de sa sœur.

En contrepartie, elle comptait sur l'argent qui servirait d'ambassadeur. D'aussi loin qu'elle se souvenait, l'argent avait toujours été un rouage important dans les envolées philosophiques de Blanche. Anne espérait seulement qu'il serait aussi efficace qu'Émilie qui semblait avoir retrouvé toute son assurance face à Blanche. Ce qui, en soit, était un mystère pour Anne. Comment pouvait-on arriver à s'entendre avec sa mère ? Pourtant, nul doute, Émilie et Blanche s'accordaient avec autant d'harmonie que les notes d'une sonate ! Anne s'était promis d'en discuter avec Émilie. Peut-être saurait-elle lui donner quelques trucs pour rendre la vie plus tolérable avec sa mère. Il lui restait encore deux longues années avant d'avoir terminé ses études. Après, quand l'école serait derrière, Anne entendait bien prouver qu'elle était capable de voler de ses propres ailes. Mais en attendant, pourquoi ne pas faire en sorte que la vie soit tenable à défaut d'être agréable ? Anne ne se berçait pas d'illusions. Elle voulait simplement arriver à survivre, comme elle l'avait dit à Charlotte. Si sa mère acceptait de déménager et qu'Anne pouvait récupérer son piano, la chose devrait être réalisable.

Pour l'instant, toutefois, c'était le voyage qui était au cœur de ses préoccupations.

Le voyage qui la mènerait à Jason!

Elle en rêvait le jour et la nuit. Elle élaborait des tas de scénarios, vivait en pensée des heures de passion torride dans les bras de celui qui était devenu son seul horizon.

Elle connaissait la lettre par cœur, la gardait sur elle en permanence. Il ne fallait surtout pas que Blanche la trouve, cela compromettrait toutes ses chances de partir.

Elle avait mesuré le temps en semaines, puis en jours. Dimanche, elle le ferait en heures. Les heures qui lui restaient à vivre avant le départ. Elle avait tellement hâte!

Pourtant, Anne aurait dû se méfier.

Elle aurait dû puiser à même ses souvenirs les plus amers pour comprendre que si Blanche était agitée à ce point, ce n'était pas normal.

Quand Blanche était mielleuse à ce point, ce n'était pas normal.

Quand Blanche ne s'inquiétait pas, ce n'était pas normal.

Que Blanche ne se plaigne d'aucune fatigue devant le déménagement d'Émilie, ce n'était pas normal.

Si Anne avait cessé de calculer le temps, si elle s'était donné la peine de regarder autour d'elle pour analyser l'attitude de sa mère, elle aurait compris qu'il y avait anguille sous roche.

Mais Anne n'avait rien vu de l'été. Que le calme apparent de l'appartement quand elle rentrait le soir, que le déménagement de sa sœur qui était au cœur de toutes les conversations, que les banalités du quotidien sans insultes, questionnements ou suspicions. La lettre de Jason au fond d'une poche, Anne était devenue invincible.

— Plus que trois dodos, murmura-t-elle en s'éveillant le vendredi matin, reprenant une expression enfantine qu'elle aimait bien.

Au-dessus du hangar, il y avait un ciel d'automne, bleu métallique, sans nuage. Pour la première fois depuis des semaines, la brise qui agitait ses rideaux était vive, pure, débarrassée des miasmes qu'elle avait charroyés durant tout l'été. Anne s'étira longuement, l'humeur au beau fixe comme ce ciel trop bleu et ce soleil qui sertissait la façade de la maison voisine de milliers de paillettes brillantes.

Elle se leva d'un bond, affamée.

Blanche était déjà à la cuisine, attablée devant un café noir. Anne fronça les sourcils. Que sa mère soit déjà debout était un exploit rarement enregistré. Si en plus, elle prenait son café noir, c'était qu'elle avait mal dormi. Ou pas dormi du tout. Anne entendit un signal d'alarme résonner dans sa tête. Un déménagement, surtout s'il n'était pas le sien, ne pouvait justifier à lui seul la mauvaise mine de Blanche. Pourtant, Anne ne tint pas compte de cette intuition qui suggérait d'être prudente. Elle ne voyait que le compte à rebours qui avait commencé. Dans trois jours, elle serait partie. Elle s'était renseignée : l'autobus en partance pour Boston quittait le terminus à six heures du matin. Elle décida donc de ne rien voir d'autre qu'une femme particulièrement cernée qui prenait un café. Elle était habituée aux cernes de sa mère, ils étaient légion depuis toujours. Elle attendrait seulement les habituelles lamentations qui donneraient l'explication plus ou moins logique et essaierait d'adapter son discours aux propos de sa mère quand viendrait le moment de parler.

Sans plus s'en faire, Anne glissa deux tranches dans le grille-pain, sortit le beurre d'arachide, le lait. Ce matin, afin de mettre tous les atouts dans son jeu, elle comptait faire un bon ménage dans sa chambre.

Blanche attendit qu'Anne ait mangé sa première rôtie et bu la moitié de son verre de lait pour se décider. Elle avait passé la nuit à se tourner dans son lit afin de déterminer le meilleur moment pour tout dire à Anne. Elle se doutait que la nouvelle ne serait pas très bien accueillie. Elle avait finalement choisi le déjeuner de ce vendredi matin. Anne aurait ainsi toute une journée pour bouder à sa guise et le déménagement d'Émilie, demain, pour se changer les idées. Dimanche, le projet aurait commencé à faire son chemin et Anne devrait être à nouveau d'un commerce acceptable. Blanche se doutait bien que sa fille, fidèle à elle-même, risquait de claquer la porte avant même qu'elle n'ait terminé de tout dire.

C'est pourquoi elle la laissa manger. Tant qu'à la savoir errant dans les rues à ruminer sa rancœur, autant savoir qu'elle le faisait le ventre plein. Elle n'était pas une sans-cœur.

Quand elle vit qu'Anne avait terminé sa dernière bouchée, au moment où elle allait se relever, Blanche sortit de son mutisme.

— Une minute, Anne, avant de quitter. J'aurais à te parler.

La jeune fille leva un sourcil curieux puis se dit, réflexe d'un esprit qui avait longuement élaboré son plan d'action, que si Blanche était de bonne humeur, elle aussi aurait peut-être à lui parler. Pourquoi pas ? Si le ton se prêtait à certaines confidences, Anne parlerait tout de suite. Elle leva un sourire confiant vers sa mère.

— Pas de problème. J'ai tout mon temps. Je comptais faire ma chambre, ce matin.

— Ta chambre? Tu as l'intention de faire le ménage de ta chambre? Mais que se passe-t-il donc?

Avant même d'avoir terminé sa phrase, Blanche avait balayé l'intention de réponse d'un geste de la main et elle poursuivait.

— Sans importance! De toute façon, je ne serai pas longue. Voilà! L'an dernier, je m'en souviens très bien, tu avais été déçue que je n'aie pas les moyens financiers de t'envoyer au couvent, tu sais bien l'ancien couvent où tu avais commencé tes études classiques... Et tu avais raison. Rien de tel qu'un bon couvent pour préparer quelqu'un aux études supérieures. En ce sens, je suis d'accord avec ton père. Les études sont importantes. Les notes que tu as obtenues durant l'année ont confirmé que tu étais toujours déçue. Quand on n'est pas heureux, il est difficile de bien étudier, n'est-ce pas?

Blanche avait la voix suave et le geste large, oubliant commodément que quelques années plus tôt, elle s'était faite l'avocat du diable pour permettre à Émilie de quitter l'école bien avant la fin de son cours classique.

— C'est pourquoi, poursuivait-elle avec emphase, j'ai tout mis en œuvre pour remédier à la situation. Pour toi, j'ai accepté de piler sur mon orgueil et j'ai contacté mes frères, après des années et des années de silence. L'entreprise a été émotivement très difficile, je ne te le cacherai pas, mais le souvenir que j'avais gardé d'eux s'est avéré fidèle à une certaine réalité. Ce sont deux hommes généreux et ils ont accepté de voir à tes études. Ta place est donc réservée. En septembre, tu partiras pour les Cantons de l'Est. Les religieuses du couvent que j'ai choisi... t'attendent avec impatience. Par contre, compte tenu du coût élevé de l'internat, je ne pourrai ajouter des cours de musique à la pension que j'aurai à verser chaque mois pour le pensionnat. Il ne faut quand même pas abuser de la largesse des gens, n'est-ce pas? Mais comme cela fait déjà un an que tu ne joues plus, et que surtout tu ne m'en parles plus, je me suis dit que la crise était passée. Il sera toujours temps de refaire quelques gammes quand les études seront derrière toi. Et je veux que tu sois bien convaincue que ce n'est pas un caprice de ma part ou l'accomplissement d'un quelconque châtiment. Je sais bien qu'en cours d'hiver, il m'est arrivé de laisser planer certaines menaces concernant le pensionnat mais ce matin, je veux que tu comprennes qu'il n'en est rien. Il s'agit plutôt de...

Anne n'écoutait plus. Il n'y avait plus que des mots qui planaient dans la cuisine sans la toucher. Une envolée de mots qui avaient obscurci la pièce comme une volée d'oiseaux sombres auraient obscurci le ciel. L'essentiel avait été dit et cet essentiel avait tout détruit en quelques secondes. Les projets immédiats ne seraient jamais réalisés, monsieur Canuel serait bientôt chose du passé, le déménagement dans un logement plus vaste était illusoire, son piano resterait au Connecticut. Pour Anne, la liste était sans fin, irrecevable et surtout non négociable. Blanche venait de signer son arrêt de mort. Jamais Anne ne survivrait à la vie dans un pensionnat. Déjà, plus jeune, son père lui en avait parlé comme d'une solution pour se soustraire à sa mère et Anne avait opposé une fin de non-recevoir. Pas question pour elle de vivre enfermée dans un couvent. Et voilà que Blanche, tout sourire et toute conviction mielleuse dans la voix, venait de lui dire que dans moins de trois semaines, elle serait partie loin d'ici.

D'instinct, Anne sut qu'elle devait jouer le jeu. Il lui fallait gagner du temps. Le temps de s'ajuster à cette réalité inconcevable, le temps de trouver une solution.

Elle renvoya donc un sourire à Blanche.

— C'est gentil d'y avoir pensé. C'est vrai que ça va être plus motivant d'étudier dans un couvent. Je vais donc faire mon ménage dans cette perspective. Si je dois partir pour de longs mois, je vais tout de suite mettre de côté les choses que je tiens à emporter.

Et sans plus, Anne quitta la cuisine sous l'œil estomaqué de Blanche qui s'attendait à tout sauf à cela. Pas de crise, par de larmes, pas d'insultes, pas de menaces, qu'une apparente bonne volonté.

— Hé ben, murmura-t-elle en portant machinalement sa tasse à sa bouche.

Elle vida son café d'un trait puis soupira de soulagement.

— Hé ben, répéta-t-elle à court de mots.

À son tour, Blanche afficha un large sourire victorieux. Plus que deux corvées à l'horizon et les mauvais jours seraient enfin derrière elle. Plus que trois semaines et à nouveau, elle pourrait vivre à sa guise et à sa convenance. Plus d'inquiétude au sujet d'Anne, plus de caisses à faire pour Émilie. Blanche pourrait bientôt se reposer, elle l'avait bien mérité.

Le cœur léger, elle se dirigea vers sa chambre. Comment allait-elle s'habiller pour aider Émilie ? Elle avait promis de s'occuper de la cuisine. Juste à l'idée d'une dizaine d'armoires et autant de tiroirs à laver, d'une dépense à nettoyer et d'un plancher à récurer, elle sentit que la migraine serait au rendez-vous. Mais elle avait promis. Et une promesse à Émilie était habituellement une promesse tenue.

Pendant ce temps, Anne, assise sur son lit, examinait sa chambre avec un regard éteint. Plus question de ménage, sinon pour sauver les apparences, toujours pour gagner du temps.

Anne se sentait fébrile, presque fiévreuse. Elle savait que les larmes n'étaient pas très loin, mais elle n'avait aucune minute à perdre. Surtout pas pour une sensiblerie déplacée.

Elle se donna tout de même quelques minutes pour respirer à fond puis se décida d'un coup en sautant sur ses pieds. Elle ouvrit le garde-robe et y empila tout ce qui acceptait d'y entrer, pêle-mêle. Puis elle se jeta sur les couvertures de son lit qu'elle lissa rapidement et, attrapant une serviette qui traînait sur son bureau, elle épousseta sommairement les quelques meubles qui garnissaient la pièce.

Elle fit ensuite une pile impressionnante des vêtements à laver et les porta à deux portes de là, dans le tambour où trônait leur antique laveuse à tordeur, qui avait laborieusement lavé les vêtements de toute la famille pendant des décennies, dans leur ancienne maison, avant que son père, devant les nombreux soupirs de Blanche, ne se décide à acheter un modèle plus récent qui fonctionnait entièrement à l'électricité. Toutefois ici, pas question de trop dépenser. Blanche avait retrouvé l'antiquité dans les effets que Raymond avait entreposés et elle avait dit qu'elle s'en contenterait. D'autant plus qu'Anne avait bon bras et que c'était souvent elle qui héritait de la corvée du lavage.

Le temps de mettre son linge à laver, et Anne retournait se réfugier dans sa chambre. Par acquit de conscience, elle plaça de façon ostentatoire deux piles sur son bureau.

Quelques vêtements pour l'une, quelques livres pour l'autre. Puis elle s'accroupit sur le plancher et sortit la boîte de biscuits. Elle enleva le couvercle et la secoua vigoureusement pour faire tomber les piastres qu'elle y accumulait depuis l'automne dernier. Elle en fit le décompte. Elle avait comme fortune trois cent douze dollars. Plus ce que monsieur Canuel lui devait. C'était à la fois peu et beaucoup. C'était probablement suffisant pour essayer de trouver une solution.

Anne s'habilla en un tournemain et glissa l'argent dans une poche de son pantalon. Pour la première fois, elle irait donner son petit concert en pantalon. Elle avait surtout besoin de se sentir à l'aise dans chacun de ses mouvements. Elle avait l'impression que ce faisant, sa pensée aussi serait plus à l'aise pour réfléchir.

Dès qu'elle entendit la porte d'entrée se refermer sur Blanche qui venait de partir, Anne cessa de s'agiter sans but. Le temps de terminer son lavage et elle quittait à son tour, l'argent dans une poche, la lettre de Jason dans l'autre.

Ses pas la menèrent spontanément au parc La Fontaine. Tout aussi spontanément, elle s'installa à l'abri des regards indiscrets, derrière un bosquet.

Ce fut à ce moment que les larmes parurent. Larmes de colère, larmes de déception, larmes de solitude. Larmes de peur surtout.

Qu'allait-elle devenir ? Comment s'en sortir ?

Pouvait-elle vraiment imaginer trouver une solution avec quelque misérables trois cents dollars ? C'était dérisoire. C'était affolant.

Pourtant, tout son être lui criait de fuir très loin, d'abandonner le navire avant qu'il ne coule même si sa raison, elle, répliquait que ce serait irréalisable. Elle n'avait que seize ans.

Puis les larmes tarirent. Elle avait déjà suffisamment perdu de temps. Impulsivement, Anne plongea la main dans une poche et saisit la lettre qui ne l'avait pas quittée depuis le jour où elle l'avait reçue.

Les mots de Jason, qu'elle redécouvrait avec la ferveur d'une première lecture, posèrent un baume sur sa blessure.

À cet instant précis, la solution lui apparut, claire et limpide, enlacée aux mots et au baiser que Jason lui envoyait. Pourquoi chercher midi à quatorze heures ?

Il y avait Jason.

Et il y avait son père.

Même si ce dernier était plus grand parleur que faiseur, il ne l'avait jamais laissée tomber. Il comprendrait que ce que Blanche exigeait était impossible à réaliser pour une fille comme Anne. Elle ne demandait plus d'aller vivre au Connecticut, elle voulait seulement améliorer ce qu'elle vivait ici. C'était différent. Raymond devrait réussir à faire entendre raison à Blanche.

À son père, elle expliquerait tout, avouerait tout.

Et ensuite, il saurait l'aider.

Durant une bonne partie de la journée, Anne s'employa à élaborer un autre stratagème. Plus question d'attendre à lundi matin pour partir, elle le ferait dès demain, après le déménagement d'Émilie. En secret. Fini les grandeurs d'âme et les espoirs de réconciliation. Anne cherchait à sauver sa peau. Elle agirait en toute discrétion. C'était essentiel.

Avec un peu de chance, fatiguée comme elle devrait l'être après le déménagement, Blanche ne s'apercevrait de rien. Probablement qu'elle ne prendrait conscience de son absence que le dimanche quand Charlotte appellerait pour demander ce que sa sœur faisait, qu'elle l'attendait pour souper. Le temps de réagir à tout cela et Anne serait déjà loin. Sinon arrivée chez Antoinette. À partir de là, elle communiquerait avec sa mère pour qu'elle ne s'inquiète pas. Puis elle verrait avec son père quelle attitude adopter. Elle se doutait bien que Blanche ne serait pas vraiment contente mais qu'importe ? Mieux valait faire face à une mère exaspérée et furieuse qui finirait par admettre son erreur que de vivre enfermée dans un pensionnat au fin fond de nulle part pendant un an.

Une interminable année, sans musique, sans ses sœurs, probablement sans la possibilité d'écrire à Jason, c'était impensable pour Anne. Aussi bien mourir tout de suite.

Cependant, elle n'en était pas encore là. De telles extrémités n'existaient que dans les films. Et elle n'était pas seule. Dans sa vie, même si, pour l'instant, elle ne voyait que Blanche, il y avait aussi son père, Jason, Charlotte, Émilie, Antoinette… Et monsieur Canuel, bien sûr, et aussi, pourquoi pas, madame Mathilde. Il y avait des tas de gens qui l'aimaient et tenaient à elle. Des tas de gens qui allaient l'aider à s'en sortir.

Anne Deblois ne serait pas condamnée au pensionnat.

Quand Anne quitta le parc La Fontaine, elle se sentait rassérénée. Un saut au terminus d'autobus continua le processus. Apprendre qu'il y avait un départ en direction de New York le lendemain à trois heures de l'après-midi fut, à ses yeux, un heureux présage. Elle acheta tout de suite son billet. Quand la préposée aux billets l'appela madame, Anne acheva d'être rassurée. Tout irait bien. Puis elle fit un détour par la banque pour changer ses nombreux billets en coupures plus grosses. Des dix, des vingt, des cinquante dollars... Brusquement, Anne se sentait riche et invincible.

Les quelques heures passées au piano, chez monsieur Canuel, furent un enchantement. Tout en jouant, Anne faisait des projets d'avenir qui rejoignaient ceux qu'elle avait entretenus depuis un mois. Dans le fond, il n'y avait qu'une légère modification à son plan. Ce serait Raymond qui parlerait à Blanche au lieu que ce soit elle-même. Pour le reste, il n'y avait pas grand-chose de changé.

Finalement, à bien y penser, ce serait peut-être mieux ainsi.

Dans deux semaines, elle serait de retour et ensemble, tous les deux, monsieur Canuel et elle, ils recommenceraient à faire de la musique dans le petit atelier, à l'étage. Et à ce moment-là, Anne n'agirait plus en cachette. Raymond aurait parlé à Blanche et la vie serait infiniment plus facile.

# Chapitre 10

## *Une journée du mois d'août 1953*

Ils venaient de vivre deux journées harassantes.

Les caisses s'empilaient encore un peu partout et Émilie n'avait toujours pas compris pourquoi Marc avait tenu à ce que la livraison d'un mobilier de bébé se fasse en même temps, la même journée. C'était exagéré.

— Pas du tout, avait rétorqué Marc avec véhémence, tenant la porte grande ouverte pour que les deux gaillards de chez Eaton puissent entrer. Tant qu'à être dans les boîtes et le vieux papier journal…

Émilie avait haussé les épaules sans répliquer. Elle était trop fatiguée. N'empêche qu'elle avait tout de même grimpé l'escalier à la suite des livreurs dirigés par Marc et que, dès qu'elle avait été seule, elle avait jeté un coup d'œil sur le petit lit, arrachant un morceau du carton brun qui le recouvrait.

C'était un joli meuble, en bois blond, avec des petits lapins aux teintes pastel, imprimés sur le panneau de tête.

Du bout des doigts, elle avait caressé le bois verni, le cœur oppressé par un étrange bouleversement. Était-ce une forme de regret ou l'anticipation de ce qu'ils vivraient, Marc et elle, dans quelques mois ? À ce moment, Blanche l'avait appelée depuis la cuisine. Émilie avait soupiré sans apporter de réponse et, tournant les talons, elle avait oublié le mobilier de bébé et la curieuse émotion qu'elle avait brièvement ressentie.

— J'arrive, maman ! Ne place pas les assiettes sans moi. Je veux savoir où se trouvent mes choses !

Non, vraiment, Émilie n'avait eu ni le temps ni la force d'analyser ses émotions. Et puis, il y avait à ce moment-là beaucoup trop de gens autour d'elle pour espérer avoir un peu de solitude. La famille de Marc au grand complet, plus Charlotte, Jean-Louis et Alicia, plus Anne pour un bon moment… Tout le monde avait voulu les aider. Sans oublier la voix de sa mère, dominant le brouhaha, qui, en bonne mouche du coche, voyait à tout, critiquait tout. On n'entendait qu'elle.

Puis, sur le coup de cinq heures, tout le monde était parti. Émilie avait eu l'étourdissante sensation de se retrouver à la tête d'un bataillon de boîtes et de bouts de ficelle. Mais peu lui importait. Elle avait décliné toutes les offres d'entraide pour le dimanche. Elle n'en pouvait plus de toute cette agitation autour d'elle. Elle avait surtout peur que sa mère n'insiste pour être de la partie. Pour une des rares fois de sa vie, Blanche Gagnon était dans une forme dangereuse et elle lui avait tapé sur les nerfs depuis le tout premier instant où elle avait mis les pieds chez elle.

— Non, avait donc affirmé Émilie, catégorique, quand Charlotte avait insisté pour venir lui prêter main-forte le lendemain.

Elle voyait trop bien que Blanche tendait l'oreille pour épier ce qui allait suivre.

— Nous n'avons besoin de personne demain. Marc et moi, nous avons tout notre temps pour terminer tout ça.

Et, curieusement, Marc, habituellement friand de ces grandes réunions familiales, lui avait emboîté le pas sans la moindre hésitation.

— Émilie a raison. Merci pour l'aide, mais à partir de tout de suite, on va se débrouiller tout seuls !

Tous les deux, côte à côte, ils avaient reconduit l'essaim des parents jusqu'à la porte et Émilie avait eu l'impression qu'ils étaient en train de balayer des poussières à l'extérieur de la maison. L'image lui avait tiré un sourire alors qu'elle se tournait vers Marc.

Il la regardait avec une étrange tendresse au fond des yeux.

Il semblait vraiment tenir à être seul avec elle. Malgré sa fatigue, Émilie avait apprécié.

En fait, depuis quelques jours, Marc la laissait perplexe. Il avait changé, il était différent. Elle n'aurait su dire ni en quoi ni pourquoi, mais c'était un fait : Marc était particulier, comme s'il mijotait un mauvais ou un bon coup. Il sursautait au moindre bruit, passait de longs moments, perdu dans ses pensées, un vague sourire aux lèvres et avait mille petites délicatesses pour elle. Émilie s'était dit que le fait de déménager, de retourner dans le quartier de leur enfance avait provoqué ce changement et elle s'était réjouie d'avoir finalement accepté la proposition de sa grand-mère. D'autant plus qu'une fois repeinte, la maison avait fière allure.

Et surtout, elle était grande.

Émilie avait transformé le petit salon qui donnait sur la cour en atelier et il restait encore, au rez-de-chaussée, la cuisine, la salle à manger et un grand salon. À l'étage, il y avait quatre chambres, dont une qu'elle avait promis de garder pour sa grand-mère quand elle serait de passage à Montréal.

— Mais ne crains rien, avait tenu à rassurer la vieille dame. Maintenant que la décision de Raymond est prise et qu'il m'a promis de rester au Connecticut, je ne viendrai pas vous déranger trop souvent. Quelques semaines en été pour voir mes filles et mes petits-enfants, peut-être à Noël aussi, on verra. Mais c'est tout.

Puis madame Deblois avait regardé autour d'elle, les yeux pleins d'eau.

— Je suis contente que ce soit toi qui prennes la relève, avait-elle avoué d'une voix bourrue qui cachait mal son émotion. Cette maison a été la maison du bonheur. À toi de faire en sorte que la tradition se poursuive !

Émilie l'avait prise dans ses bras, émue. Le geste que sa grand-mère venait de poser allait bien au-delà du simple fait de lui vendre sa maison. Émilie en était consciente. Tout doucement les choses reprenaient leur place. En l'embrassant ce matin-là, alors que Raymond attendait sa mère dans l'auto pour prendre la route en direction du sud, Émilie avait eu une pensée pour Anne. Dès qu'elle aurait fini de s'installer, elle s'occuperait de sa petite sœur. Elle aussi avait droit à sa part de bonheur. Il était temps que sa mère comprenne qu'Anne avait besoin de musique dans sa vie.

Et ce fut aussi à Anne qu'Émilie pensa en s'éveillant, en ce dimanche matin. Anne qui lui avait semblé distante, hier, alors qu'elle l'aidait à vider des boîtes dans la salle à manger. Anne qui n'était pas aussi souriante qu'elle l'aurait souhaité. Tout comme Marc depuis quelques jours, Anne sursautait pour un oui et pour un non depuis son arrivée.

— Quelque chose ne va pas ?

Anne avait semblé hésitante. Puis elle avait détourné la tête, mais Émilie avait eu le temps de remarquer qu'elle s'était mise à rougir.

— Non. Tout va bien.

Au même moment, quelqu'un avait sollicité « de toute urgence » la présence d'Émilie dans une autre pièce et elle n'avait pas insisté. Quand elle avait voulu reparler à Anne, Charlotte lui avait appris qu'elle venait de partir.

Ce matin, une forme de remords l'avait tirée du sommeil. Elle avait été négligente à l'égard d'Anne qui, pourtant, lui avait demandé d'intervenir auprès de Blanche. Finalement, à bien y penser, tout le monde s'en était lavé les mains à partir du moment où l'avocat était entré en scène, et le fait qu'il n'ait rien obtenu pour Anne n'avait pas changé grand-chose aux attitudes. L'excuse d'être débordé avait bien servi tout le monde.

Incapable de se rendormir, Émilie se leva silencieusement.

Cela lui faisait tout drôle de penser qu'un demi-siècle plus tôt, c'était sa grand-mère qui avait probablement fait les mêmes gestes qu'elle, dans les mêmes pièces.

En passant dans le couloir, elle ne put s'empêcher d'entrer dans la petite chambre que Marc avait choisie pour y déposer le mobilier que les livreurs avaient apporté hier. Elle fut surprise de constater que Marc avait enlevé tous les cartons et qu'il avait déjà disposé le lit et la commode comme si un bébé devait y habiter sous peu. Même la chaise berçante avait été montée du salon où quelqu'un l'avait laissée la veille et elle attendait près de la fenêtre encore dénudée.

Le cœur d'Émilie se serra.

Fallait-il que Marc soit déçu !

Émilie s'approcha du lit où un gros ourson tout rouge prenait ses aises. Elle l'attrapa par une patte et le pressa sur son cœur.

Dehors, le soleil se levait sur la cour, étirant les ombres jusque sous les arbres. La journée serait encore belle même si les chaleurs n'étaient plus que souvenir. La brise qui entrait par la fenêtre entrouverte avait des voluptés d'automne, subtil mélange de bois, de terre et de fleurs, sur fond d'air piquant et vivifiant. Dès qu'elle aurait un peu de temps, Émilie se remettrait à la peinture. Elle adorait peindre des scènes d'automne maintenant que les couleurs pastel faisaient partie de son passé.

Le temps d'inspirer profondément les odeurs de la cour, le temps de se dire que d'ici quelques semaines, elle se sentirait ici chez elle et Émilie s'installa dans la chaise berçante.

Le geste de balancement fut instinctif, la main se mit à caresser la douce fourrure et la question jaillit du plus profond de ses entrailles.

Le bébé était-il né ? Était-ce un petit garçon, une petite fille ?

Toute la semaine, elle y avait pensé. Chaque fois que ces questions avaient surgi, Émilie les avait obligées à se terrer au plus profond de son esprit. Elle n'avait pas le temps de s'y attarder, c'était pour cela qu'elle avait reporté l'adoption. Ce matin, toutefois, elle n'avait plus envie de les repousser. Ce matin dans les lueurs rosées du petit jour, elle venait de comprendre qu'elle regrettait cette décision prise sous l'influence de sa mère.

Tout au long de la journée d'hier, elle n'avait pu s'empêcher de comparer sa mère et celle de Marc. Gertrude qui était calme et efficace, souriante, alors que Blanche n'était qu'affolement et agitation. Ce fut alors que les deux femmes travaillaient ensemble à la cuisine, Blanche s'obstinant pour des vétilles, que le regret avait fait surface. Vif, douloureux. Sans lui en avoir parlé, elle était persuadée que Gertrude ne lui aurait pas tenu le même langage. Gertrude était en effet une femme sensible aux autres, une mère incomparable. Pourquoi alors avait-elle écouté sa mère ?

Ce matin, elle n'avait toujours pas trouvé de réponse. Ce qu'elle ressentait, c'était un regret à l'état brut. Mais il était trop tard.

Émilie enfouit son visage dans le corps tout doux de l'ourson. Elle prit une profonde inspiration pour contrer les larmes qui n'étaient pas très loin. Elle n'en était pas à un regret près dans sa vie, mais celui-ci avait un arrière-goût particulièrement amer. Il lui rappelait le décès de sa petite Rosalie et tristement, cette fois-ci, elle ne pouvait s'en prendre qu'à elle-même. Personne ne l'avait obligée à repousser l'adoption. Sinon Blanche qui le lui avait fortement conseillé. Comme elle lui avait fortement conseillé de reprendre quelques médicaments susceptibles de l'aider à être plus forte. Comme elle lui avait fortement conseillé de surveiller son alimentation, ce qui lui avait valu de perdre quelques livres.

Émilie secoua vigoureusement la tête pour abrutir les idées qui commençaient à l'envahir, encombrantes, agaçantes, indésirables. Comment se faisait-il qu'elle n'arrivait jamais à tenir tête à sa mère? Pourquoi n'avait-elle jamais senti le besoin de le faire avant aujourd'hui? Simplement parce qu'hier elle l'avait trouvée encombrante?

Les regrets et les questions furent rapidement enterrés quand elle sursauta, les bruits que Marc faisait en s'éveillant l'ayant retrouvée jusque dans la chambre du bébé. Émilie se leva promptement. Elle n'avait pas envie que son mari la surprenne dans la chambre du bébé, en train de bercer un ours en peluche. Elle n'avait pas envie qu'il lui pose des questions auxquelles elle n'aurait aucune réponse à fournir.

Émilie s'éclipsa silencieusement, descendit l'escalier sur la pointe des pieds, maudit la marche qui se mit à gémir sous son poids et fila à la cuisine. Le temps de mettre le café à passer et elle était déjà dans la cour.

Il faisait plus froid qu'elle ne l'avait cru. Refermant les pans de sa robe de chambre, elle avança vers la plate-bande fleurie qui soulignait le fond de la cour sous la haie de chèvrefeuilles. Cette plate-bande, le mois dernier encore, sa grand-mère la désherbait amoureusement. Aujourd'hui, les chrysanthèmes rivalisaient avec les roses et les mauvaises herbes. Machinalement, Émilie se pencha et commença à arracher de longs foins et quelques feuilles hérissées de piquants.

Ce fut là, à genoux dans la pelouse humide, que Marc la découvrit quelques instants plus tard.

Il resta un long moment à la contempler, sans oser l'interpeller de peur de briser le charme. Il n'avait qu'une seule certitude dans la vie et c'était de l'aimer. Pourtant, cet après-midi, il allait la brusquer. Il allait jouer le tout pour le tout. Quand il reviendrait de la crèche avec Dominique, si Émilie lui ouvrait les bras, il aurait gagné. Par contre, si elle était réticente, ce serait qu'il aurait perdu. Il savait pourtant que la vie continuerait comme avant, les habitudes journalières ont le cuir épais. Cependant, l'étincelle qui avait existé entre eux, celle qu'il cherchait à rallumer aujourd'hui, cette étincelle de confiance et d'intimité serait morte. Et Marc savait aussi que plus rien ni personne ne pourrait lui redonner vie.

Quand il sortit enfin de la maison, il portait devant lui deux cafés fumants et sifflotait un air d'opérette. Émilie se redressa imperceptiblement, tendit l'oreille, esquissa un sourire. Marc avait l'air heureux et souvent, le bonheur de son mari faisait le sien. Et comme les fleurs avaient su l'apaiser et qu'en ce moment elle se sentait l'âme lyrique, en cette belle matinée de fin d'été, elle lui répondit d'un refrain de chansonnette.

Ils passèrent de longues heures à vider des boîtes en se taquinant. Jusqu'au moment où Marc apparut dans l'embrasure de la porte du salon, habillé d'un costume sombre comme pour des funérailles.

Émilie écarquilla les yeux.

— Mais veux-tu bien me dire où…

— Un rendez-vous, interrompit Marc, nerveux comme jamais.

— Un rendez-vous ? Le dimanche ?

— Je n'avais pas le choix. J'en ai pour une heure, pas plus.

D'un regard sombre, Émilie le darda de son irritation.

— Il me semble que tu aurais pu remettre ça à plus tard.

Elle balaya le salon d'un regard exténué, soupira bruyamment pour que Marc comprenne à quel point elle était contrariée.

— Franchement, un dimanche et en plus…

Émilie ne compléta pas sa pensée et d'un geste de la main elle fit signe à Marc qu'il était préférable qu'il s'en aille tout de suite avant qu'elle ne laisse éclater bruyamment son courroux.

Quand elle entendit le moteur démarrer, elle malmena quelques boîtes avant de se réfugier à la cuisine. Elle était vraiment en colère contre Marc.

— S'il s'imagine que je vais finir toute seule, il s'est mis un doigt dans l'œil jusqu'au coude. Il n'avait qu'à mieux planifier ses affaires ! Non mais ! Un rendez-vous le dimanche ! Juste au lendemain d'un déménagement. Veux-tu bien me dire à quoi il a pensé ?

Émilie profita des derniers bouillons de sa colère pour terminer le rangement autour d'elle en un tournemain. Mais pas question de toucher aux boîtes ! Marc n'avait qu'à rester ici, avec elle. Et dire qu'hier encore elle refusait l'aide de Charlotte ! Si elle avait su...

Quelques minutes pour marmonner à mi-voix en replaçant des assiettes, quelques autres pour soupirer à fendre l'air en attrapant les torchons qui traînaient sur le comptoir et quelques dernières pour repousser du pied de vieux journaux qui jonchaient encore le plancher, puis la colère d'Émilie tomba comme un flan au sortir du four. En une fraction de seconde, elle mesura l'ampleur de sa fatigue, décida qu'elle méritait toute son attention et se servit un grand verre de jus qu'elle choisit de boire dans la cour arrière.

Elle resta un long moment sur le perron, contemplant d'un œil rêveur son nouveau domaine. Elle était comme une enfant qui découvre que le monde ne s'arrête pas au coin de la rue.

Quand elle s'installa dans la balancelle, un relent de rancœur l'agaça comme un mauvais rot au moment où elle se demanda qui pouvait être l'imbécile qui avait osé réclamer un rendez-vous par un si beau dimanche après-midi, puis elle ferma les yeux et offrit son visage à la tiédeur du soleil baissant.

Ce qu'Émilie ne savait pas, c'était que l'imbécile en question, qu'elle imaginait vieux, gros et poilu, pesait tout juste sept livres, qu'il était rose et joufflu et qu'il tenait présentement dans le creux des bras de sa grand-mère Gertrude.

Un peu dépassé par des décisions qu'il avait prises à l'emporte-pièce, Marc avait mis sa mère dans la confidence. Elle l'avait approuvé sans réserve.

— Tu as fait ce qu'il fallait faire. Quand on a donné sa parole, on ne peut la reprendre sur un caprice.

— Je sais bien. N'empêche que c'est un peu malhonnête de ma part. Il ne reste plus qu'à espérer qu'Émilie va voir les choses comme toi. Ça me fait quand même un peu peur.

Gertrude, qui était probablement la femme la plus sage et avisée que Marc connaisse, l'avait aussitôt rassuré en lui tapotant le bras, comme lorsqu'il était enfant.

— Émilie ? Je ne m'en ferais pas pour elle. Je la connais depuis qu'elle est aux couches. Je suis certaine qu'elle va être soulagée de voir que tu as pris la décision pour vous deux.

— J'espère seulement que tu dis vrai.

C'était exactement ces mêmes mots qu'il se répétait maintenant qu'il était sur le chemin du retour. Pourvu que ses intuitions aient été les bonnes !

Assise à côté de lui, Gertrude avait le regard extatique des grands-mères de bonne lignée. Le petit Dominique était, à n'en pas douter, le plus beau, le plus sage des poupons. Personne ne pourrait rester insensible à tant de perfection, Émilie la première.

Quand l'auto arriva au coin de la rue où habiterait la petite famille, Gertrude fit signe à Marc d'arrêter.

— C'est ici que je débarque. Tu n'as plus besoin de moi.

Marc freina brusquement, le cœur battant la chamade. Tant que sa mère était à ses côtés, cela pouvait toujours aller. Il arrivait à se convaincre que tout irait bien. Mais là, sachant qu'il serait seul à défendre son bonheur, il sentait la sueur perler à ses tempes. Gertrude posa une main confiante sur le bras de son fils.

— Allons ! Cesse de t'en faire pour ça. Je le sais, moi, qu'Émilie va être d'accord avec toi.

Puis elle sortit de l'auto, ouvrit la portière arrière et déposa le petit garçon dans le couffin que Marc avait placé sur la banquette. Le temps d'un dernier regard affectueux, elle rabattit la couverture sur le petit visage encore chiffonné et leva les yeux au-dessus du dossier.

— Je te souhaite d'être heureux, mon gars. Je souhaite que ton petit Dominique devienne un jour un homme au cœur tendre, comme toi.

Puis Gertrude renifla.

— Voilà que je joue les bonnes fées! Allez, vas-y! Ta femme t'attend. Et si vous avez besoin de quoi que ce soit, n'hésitez pas! J'habite à deux coins de rues, tu sais.

Comme si Marc ne le savait pas! Il redémarra et roula au pas jusqu'à l'entrée de leur nouvelle maison.

Mille fois, par la suite, Marc reverrait les minutes qui suivirent. Mille fois, il sentirait son cœur se débattre. Mille fois, il voudrait revivre cet instant magique où, sortant de la cuisine parce qu'elle avait entendu la porte s'ouvrir puis se refermer, Émilie s'était arrêtée pile comme si quelqu'un avait poussé un bouton interrupteur.

— Voilà, c'est nous, annonça-t-il gauchement, le cœur voulant lui sortir de la poitrine. Je te présente Dominique.

Émilie resta pétrifiée. Dans ses bras, Marc tenait un gros paquet de couvertures. Émilie aurait voulu s'élancer, mais pas un muscle de son corps ne répondait à ses ordres. Puis le déclic se fit. Marc avait tout deviné. Marc avait su avant elle qu'elle serait malheureuse. Marc avait senti la même tristesse, les mêmes regrets et il avait choisi le bonheur.

— Dominique, murmura-t-elle.

Elle dévora Marc des yeux.

— Dominique, ça veut dire que c'est un petit garçon?

La voix d'Émilie n'était qu'un filet. Marc hocha vigoureusement la tête.

— Oui. Nous avons un fils, Émilie. Le premier joueur de notre équipe de hockey. Tu te souviens qu'on en avait déjà parlé?

Les larmes de Marc précédèrent celles d'Émilie qui s'élança enfin vers lui, les bras tendus pour tenir enfin contre elle ce bébé qu'elle attendait depuis des années.

Ce ne fut que plus tard, beaucoup plus tard, tandis qu'ils regardaient ensemble Dominique qui dormait paisiblement dans son lit, qu'Émilie osa dire:

— Merci, Marc. Merci de si bien me connaître.

Puis elle blottit sa tête contre la poitrine de Marc et ferma les yeux. Elle ne comprenait pas qu'elle puisse être à ce point heureuse et ne pas en mourir tant son bonheur était grand et cherchait à déborder de sa poitrine. C'en était presque douloureux.

* * *

Dès qu'elle avait pu le faire discrètement, Anne s'était enfuie de chez Émilie. Elle n'avait pas quitté la maison du pas tranquille d'une promeneuse, non, elle avait fui comme une voleuse, regardant furtivement par-dessus son épaule, en courant, jusqu'au moment où la voix de Blanche ne risquait plus de l'atteindre. Elle s'était sauvée pour esquiver les questions, pour éviter les regards, pour museler les regrets, pour conjurer la peur.

Car elle avait peur.

Peur de la réaction des gens autour d'elle. Peur des heures qui l'amèneraient jusque chez Jason, seule en autobus au milieu d'étrangers, en direction d'une ville inconnue, où les gens s'exprimaient dans une langue qui ne lui était pas totalement familière.

Il était une heure de l'après-midi quand Anne avait filé à l'anglaise. Le soleil était encore haut et elle s'était dit que malgré la fraîcheur de l'air, il devait faire chaud derrière la vitrine de monsieur Canuel.

Monsieur Canuel qui allait sûrement l'attendre. Puis, devant son absence, qui serait inquiet. Peut-être.

Il allait lui manquer. Hier, quand elle l'avait quitté, Anne avait été sur le point de tout lui raconter. Elle aurait tant voulu entendre quelques paroles d'approbation. Cependant, elle n'avait pas osé. Pourtant, à sa façon de la regarder, Anne avait eu l'impression qu'il se doutait de quelque chose. Il y avait comme une attente dans son regard, une forme d'espoir. Malgré cela, elle n'avait rien dit. Elle aurait dû au moins l'aviser qu'elle serait absente aussi le samedi après-midi. Qu'à cause de l'autobus qu'elle devait prendre, elle commencerait ses vacances une journée plus tôt. Mais cela non plus elle ne l'avait pas dit et elle s'en était voulu.

La petite valise qui contenait le peu d'effets qu'elle voulait apporter pour ses deux semaines au Connecticut l'attendait dans un coin sombre et reculé du hangar, à l'abri des regards indiscrets. Elle n'avait voulu prendre aucun risque en la laissant au logement. S'il avait fallu que Blanche la trouve !

Elle s'était changée dans la salle de toilette du terminus d'autobus, avait noué ses cheveux haut sur la tête et mis un peu de rouge sur ses lèvres, comme elle l'avait fait les premiers temps où elle allait chez monsieur Canuel.

Puis elle s'était assise dans le grand hall et elle avait attendu. Elle n'avait rien mangé depuis le matin, mais elle n'avait pas faim.

Quand le haut-parleur avait annoncé le départ de l'autobus en partance pour New York, elle s'était levée comme un automate et s'était dirigée vers la porte trois, tel qu'on l'avait indiqué.

Sa main tremblait un peu quand elle avait tendu son billet au conducteur, mais il n'avait rien remarqué. Il s'était contenté de l'appeler madame, lui aussi.

Elle s'était assise dans le fond de l'autobus, près de la fenêtre, et elle avait regardé le paysage qui défilait, l'esprit vide de toute pensée autre que la peur qui lui tordait l'estomac. Puis la noirceur était venue et elle avait regretté de ne pas avoir pris un livre avec elle. Ce qui lui avait fait penser à Charlotte. Pourquoi ne s'était-elle pas confiée à Charlotte ?

La fin du trajet jusqu'à New York s'était faite avec un immense regret greffé à sa peur jusqu'au moment où l'autobus avait traversé le pont Washington. La curiosité lui avait procuré un moment de répit. La ville était immense, lumineuse, attirante, grouillante de gens, d'automobiles et de taxis peints en jaune.

Puis l'attente avait repris, le départ de l'autobus local longeant la côte n'étant prévu que pour six heures du matin. Anne n'avait osé s'aventurer en dehors du terminus.

Elle s'était réfugiée tout au fond de l'immense salle des pas perdus pour manger un sandwich au fromage et boire un cola que la serveuse avait accepté de lui vendre contre quelques dollars canadiens. Puis elle avait sombré dans un mauvais sommeil, la tête appuyée sur sa valise, d'où elle émergeait brusquement, en sursaut, chaque fois qu'il y avait un éclat de voix, persuadée qu'il s'adressait à elle.

La route avait repris au moment précis où le soleil se glissait entre les immeubles géants, réveillant les façades de pierre. Les rues étaient déjà achalandées et les kiosques à journaux envahis.

À la grande ville avaient succédé une kyrielle de villes côtières, chacune avec son petit port de pêche, d'aucunes avec leur plage pour les touristes et leur hôtel central.

Puis le conducteur avait annoncé Bridgeport et Anne s'était levée pour descendre.

La chaleur humide propre au bord de l'océan l'attendait en bas des marches de l'autobus. Les effluves d'automne étaient restés à Montréal. Ici, c'était encore l'été. Les gens qui déambulaient sur le quai, les voix qui s'interpellaient disaient encore la belle saison. Le soleil était encore chaud et l'air sentait toujours autant le poisson.

Anne avait eu l'impression de revenir chez elle, même si la peur restait toujours tapie au creux de son estomac.

Elle avait tourné à sa droite et avait pris le chemin qui longeait la plage. Dans moins de vingt minutes, elle serait arrivée.

La peur pourrait alors s'en aller.

Elle avait marché d'un bon pas, faisant passer la valise d'une main à l'autre de plus en plus souvent. Même si elle n'était pas très grosse, elle était de plus en plus lourde.

Puis, brusquement, après le long croche, la maison qui avait habité ses rêves depuis un an lui était apparue. Plus grande, plus blanche, plus belle que dans ses souvenirs. Antoinette avait dû la faire repeindre.

Anne était restée figée.

Curieusement, plutôt que de s'élancer vers elle, plutôt que de la voir comme le but enfin atteint, la jeune fille osait à peine respirer. Elle avait déposé la valise à ses pieds et l'avait longuement regardée. Elle aurait aimé voir quelqu'un en sortir et l'apercevoir. Peut-être l'aurait-on reconnue, lui aurait-on fait un large signe du bras pour lui dire d'approcher?

Mais personne n'en était sorti. Pas même Jason. Et Anne avait eu peur de déranger.

Qu'est-ce qui lui avait donc pris de fuir comme une criminelle? Elle aurait pu téléphoner à son père, lui expliquer la situation, le supplier de venir parler à Blanche. Or elle ne l'avait pas fait.

Pourquoi avait-elle agi en cachette comme si elle était coupable de quelque chose? Elle ne le savait pas.

Seule la certitude que son père n'approuverait pas sa conduite avait dominé. Il était trop respectueux des lois et de la stabilité pour cautionner sa façon de faire.

Le regret d'être à Bridgeport avait été, à ce moment-là, aussi vif et sincère que l'envie de partir avait été intense.

Empoignant sa valise, indécise, découragée, Anne s'était enfoncée dans le dédale des rues du quartier estival de Bridgeport. Un amalgame de petits chalets plus ou moins bien entretenus qui prenaient vie au mois de mai pour se rendormir au mois de septembre et qui s'étalaient sur une bande de terre de l'autre côté de la rue longeant la plage. Déjà, en cette dernière demie du mois d'août, certaines habitations avaient clos leurs volets et barricadé leur porte. Anne en avait repéré quelques-uns alors qu'elle se dirigeait vers l'ouest.

La route principale du lotissement se terminait en pointe pour rejoindre l'avenue principale. Anne savait qu'elle avait dépassé la maison d'Antoinette de plus de cinq maisons. Elle s'était souvent promenée ici avec Jason. Elle s'était arrêtée, fatiguée, les jambes lourdes et les bras meurtris.

Puis elle avait fait demi-tour et s'était dirigée vers la

dernière maison qu'elle avait croisée et qui lui avait semblé abandonnée. Elle avait glissé sa valise sous les marches de la petite galerie, à l'arrière. Elle viendrait la chercher plus tard, quand elle aurait parlé à Jason.

Car il ne restait plus que lui comme solution.

Elle avait alors marché jusqu'à la plage, là où la dune forme un repli. Couchée sur le sable chaud, elle n'avait qu'à lever la tête pour apercevoir la maison d'Antoinette sans être vue.

Elle attendrait que Jason sorte pour lui faire signe.

Lui, il serait heureux de la voir. Lui, il comprendrait sa fuite et il l'aiderait à affronter son père. Car lui, il l'aimait. Elle le savait, il le lui avait écrit.

L'attente dura jusqu'au soir. Le soleil avait déjà parcouru le ciel en entier et il ne restait plus qu'un rougeoiement derrière elle quand elle aperçut enfin Jason qui venait vers elle en compagnie de Browny.

Son cœur se mit à battre très fort. Cependant, Anne ne savait pas trop bien pourquoi il battait. Était-ce de voir enfin Jason ou par crainte d'une rencontre avec son père qu'elle ne pourrait repousser indéfiniment ?

Elle attendit que Jason soit à portée de voix pour sortir de sa cachette.

Puis, lentement, elle marcha à sa rencontre.

Il avait beaucoup changé en un an et Anne le trouva beau. La main enfoncée dans une poche, elle griffait nerveusement les pages de la lettre qu'elle savait par cœur.

Encore quelques pas et elle crierait son nom. Encore quelques pas et elle pourrait s'élancer vers lui. Encore quelques pas et, à son tour, elle lui dirait qu'elle l'aimait. Maintenant, tout de suite…

— Jason ?

Browny fut le premier à s'arrêter, humant l'air devant lui, revenant sur ses pas. Puis Jason leva la tête.

Quand il aperçut Anne, il ne se demanda pas ce qu'elle faisait là, il ne se posa aucune question. Il fut tout simplement heureux de la voir. Voilà pourquoi elle n'avait pas écrit, elle voulait lui faire la surprise.

Il siffla le chien pour qu'il le suive et avança vers elle à grandes enjambées, le cœur heureux. Ils avaient tellement de choses à se dire. Tellement de choses en commun, maintenant.

Anne se précipita dans ses bras, pleurant et riant à la fois. Le cauchemar était fini. Jason était là, il lui souriait, il semblait heureux de la voir. Elle ne s'était pas trompée, c'était bien un message d'amour qu'il lui avait envoyé.

Elle resta un long moment immobile, pendue à son cou, la tête appuyée sur sa poitrine. Puis elle eut l'irrésistible envie d'aller cueillir sur ses lèvres le baiser qu'il lui avait envoyé sur papier.

Elle leva la tête, approcha son visage…

— Anne, non !

Elle ouvrit les yeux à l'instant précis où Jason levait les coudes pour agripper ses bras et l'éloigner de lui. L'éclair de douleur qui traversa le regard d'Anne blessa Jason. Il voyait bien qu'elle ne comprenait pas. Jason saisit alors ses mains dans les siennes et les serra très fort.

— Je suis heureux de te voir, Anne.

Il se doutait de ce qui se passait et il s'en voulait. Il avait lamentablement échoué. La lettre n'avait pas envoyé le bon message.

Anne s'était dégagée d'un geste brusque et le fixait d'un regard sombre.

— On ne dirait pas.

— Bien sûr que je suis content. Qu'est-ce que tu vas penser?

— Pourquoi est-ce que tu me repousses alors? Tu m'as écrit que tu m'aimais, que tu t'ennuyais.

— Et c'était vrai. C'est toujours vrai. Je t'aime, Anne.

— Alors? Je ne comprends pas. Moi aussi je t'aime, c'est pour ça que je suis ici.

Jason envoya un grand coup de pied dans le sable. Il se sentait fébrile. Il tremblait. Il ne voulait pas repousser Anne, mais il n'avait pas le choix. Elle était sa sœur.

— C'est de la merde, tout ça!

Brusquement il en voulait à Raymond et à sa mère de n'avoir rien dit plus tôt. Il voyait Anne à deux pas de lui et, dès qu'elle avait posé ses lèvres sur les siennes, il avait compris qu'il aurait très bien pu tomber amoureux d'elle. Mais il n'avait pas le droit.

Après un court silence, il tendit la main devant lui, espérant qu'Anne la prendrait. Mais elle ne bougea pas. Alors il la laissa retomber. Il fallait tout lui dire, là, maintenant, pour qu'elle comprenne à son tour. Ce n'était pas comme ça qu'il aurait voulu le faire. Mais avait-il le choix? Il inspira profondément.

— Je t'aime, Anne. Je t'aime beaucoup. Tu ne dois pas en douter. Mais jamais je ne pourrai t'aimer d'amour.

— Mais pourquoi?

Jason ferma les yeux une fraction de seconde.

— Parce que je suis ton frère, avoua-t-il dans un souffle.

Jason avait à peine fini de parler qu'Anne s'était mise à reculer. Lentement, un pas après l'autre, ses pieds s'enfonçant dans le sable qui avait gardé une portion de chaleur sous la surface rafraîchie. Ses yeux étaient exorbités comme si elle avait contemplé une vision d'horreur.

Elle ne le croyait pas. Jason avait menti pour s'en sortir parce qu'il regrettait la lettre. C'était impossible, ils avaient le même âge ! À cette époque, Raymond vivait avec Blanche et leurs trois filles.

Tout en reculant, Anne continuait de fixer Jason. Et s'il avait dit la vérité ? Pourquoi mentir sur un tel sujet ? Il n'avait aucune raison d'inventer une telle fable. Cela aurait été ridicule.

La ressemblance entre son père et Jason lui sauta aux yeux et la rancœur changea de cible pour atteindre Raymond de plein fouet. Par son silence, c'était son père qui avait menti.

Et depuis toujours, Blanche n'avait dit que la vérité. Anne n'avait jamais été voulue. Elle était un accident. Et les autres, tous les autres étaient les complices de ce gâchis.

En quelques mots l'univers d'Anne était foudroyé, réduit en cendres. À qui pourrait-elle faire confiance maintenant ? Qui pourrait l'aider ?

Elle ferma les yeux, étourdie. Quand elle les rouvrit, Jason avançait vers elle. Anne tendit les mains dans un geste de défense.

— Ne m'approche pas. Surtout ne m'approche pas !

— Il faut parler, Anne. Laisse-moi t'expliquer. Moi aussi, quand j'ai…

— Je ne veux rien entendre.

Anne avait crié en se bouchant les oreilles. Jason n'avait rien à expliquer. La vérité, elle était là. Nue, froide, implacable. Le peu de famille qu'elle avait n'était qu'une farce. Jason était son frère, mais elle ne voulait pas de frère. Elle avait deux sœurs et cela n'avait pas changé grand-chose. Elle était quand même malheureuse. C'est un ami, un amour qu'elle voulait avoir.

— Va-t-en! cria-t-elle encore. Laisse-moi tranquille. Je n'ai besoin de personne, m'entends-tu? De personne. Je vais m'en aller. Je n'ai plus rien à faire ici. Non, n'approche pas. Surtout n'approche pas!

Anne criait toujours. Jason cessa d'avancer. À ses côtés, le chien grognait. Il n'avait pas été habitué à entendre crier avec colère. Jason l'attrapa par le collier.

— D'accord, je ne bouge plus. Mais toi, reste ici, Anne. Je t'en supplie, ne pars pas. Je ramène le chien à la maison et je reviens. On va parler, tous les deux. Tu vas voir, on peut être heureux ensemble, toi et moi. Ça ne sera pas pareil, mais ça va être bien quand même. Comme avant. Comme l'été dernier. Tu m'attends, n'est-ce pas?

Anne ne répondit rien. Sa colère était tombée. Il ne lui restait qu'une immense lassitude. Elle voulait dormir pour tout oublier, le temps d'un sommeil. Alors elle fit un geste de la main qui pouvait passer pour un assentiment. Un geste qui montrait la mer et le ciel avant de retomber mollement contre sa cuisse. Jason esquissa un sourire soulagé.

— D'accord. Je reviens. Assis-toi, ça ne sera pas long.

Puis il tourna les talons et siffla pour que Browny le suive. Le chien gronda sourdement une dernière fois en direction d'Anne puis se décida à obéir.

Anne le regarda rejoindre Jason, le cœur dans l'eau. Même Browny ne la reconnaissait plus.

Les ténèbres étaient tombées et elles avalèrent Jason et Browny très rapidement. Puis le fracas des vagues enterra le son de leur course sur le sable. Anne fit demi-tour et s'enfonça à son tour dans la nuit noire et sans lune. Elle regagna le petit chalet et reprit sa valise.

Elle regarda autour d'elle, en soupirant.

L'hésitation fut de courte durée.

Approchant de la maison, elle se pencha et défonça une fenêtre du sous-sol. Tout ce qu'elle voulait, c'était un endroit à l'abri pour dormir. Demain, elle déciderait ce qu'elle allait faire. Demain, quand le sommeil aurait déposé un peu de distance sur sa vie.

Dans la grande salle qui tenait lieu de salon et de cuisine, Anne trouva un vieux canapé. Elle s'y étendit, enroulée dans une couverture.

Ce fut au moment où elle allait s'endormir qu'elle pensa à Blanche. Blanche qui devait s'être aperçue de sa fugue. Blanche qu'elle aurait dû appeler en arrivant chez Antoinette. Blanche qui la menaçait du couvent. Blanche qui la traitait d'insignifiante. Blanche qui planait comme une ombre sur sa vie.

Blanche qui avait été la seule à ne pas lui mentir.

Anne s'endormit tout d'un coup.

## CHAPITRE 11

# *Les différents visages de l'inquiétude*

L'appel de Charlotte qui se demandait pourquoi Anne n'était pas arrivée pour le souper n'avait pas inquiété Blanche.

Anne devait bouder. Elle lui en voulait d'avoir décidé de l'envoyer au couvent sans lui en avoir parlé au préalable et elle s'était déguisée en courant d'air pour la punir.

Elle avait alors répondu à Charlotte que sa sœur avait dû oublier, de ne pas s'en faire, que cela lui arrivait souvent depuis le début de l'été et elle avait raccroché.

Blanche n'était pas inquiète, elle était en colère. Quand donc Anne finirait-elle par vieillir ? Ses comportements d'enfant gâtée commençaient à lui taper sérieusement sur les nerfs. Elle avait agi en hypocrite en faisant semblant d'accepter sa décision. C'était inacceptable. Preuve de plus, s'il en fallait, qu'il était grand temps qu'elle intervienne fermement dans la vie de sa fille.

Vivement que l'automne arrive !

Le lendemain, Émilie avait appelé, lui demandant de passer la voir car, disait-elle, elle avait une surprise pour elle.

La voix d'Émilie était toute pétillante.

Blanche avait alors oublié qu'Anne n'était pas rentrée depuis trois jours et elle s'était préparée à sortir, pleine d'entrain.

Une surprise ?

Il n'y avait que sa petite Émilie pour penser à cela ! Elle

devait vouloir la remercier pour toute l'aide qu'elle lui avait apportée lors du déménagement.

Quand elle était arrivée chez Émilie, Blanche était aussi excitée qu'une gamine à la veille de son anniversaire. Une surprise ! Cela faisait des années qu'elle n'avait pas reçu un cadeau, un vrai, juste par délicatesse, uniquement pour lui faire plaisir.

Elle n'avait jamais envisagé que l'aide d'Émilie pour la faire sortir de l'asile avait probablement été le plus grand cadeau qu'elle ait jamais reçu. Pour une femme comme Blanche, ce geste gratuit n'était pas un don mais un dû. Après tout, elle était la mère d'Émilie, il était normal que sa fille agisse comme elle l'avait fait.

Marc ouvrit la porte. Il avait des airs de conspirateur qui chatouillèrent la curiosité de Blanche. Il lui demanda de passer au salon en précisant qu'Émilie l'y attendait.

Sans même enlever son manteau, Blanche traversa le couloir et glissa la tête dans l'embrasure de la porte.

Effectivement, Émilie était là et dans ses bras, il y avait un bébé.

Blanche crut d'abord à une blague de mauvais goût. Émilie lui avait assuré qu'il n'y aurait pas de bébé chez elle avant la fin de l'automne. Elle n'aurait pas le temps de s'en occuper.

Blanche fronça les sourcils puis leva les yeux sur sa fille. Pas de doute, c'était bien un vrai bébé, là, dans les couvertures, Émilie était trop radieuse pour que ce soit une simple blague.

L'esprit de Blanche se sentit tout étourdi, divisé dans un imbroglio d'émotions disparates qui la prirent d'assaut comme un mauvais microbe envahit l'organisme sans préavis. Un peu de ressentiment parce qu'il semblait évident qu'on n'avait pas tenu compte de ses mises en garde. Un peu de tristesse parce qu'on n'avait pas jugé bon de la mettre dans la confidence. Un peu de joie parce que sa fille avait l'air sincèrement heureux.

Et beaucoup d'inquiétude. Jamais Émilie, avec sa santé si fragile, n'arriverait à passer au travers tant d'ouvrage.

Blanche jeta un regard navré sur la pièce qui avait encore des allures de champ de bataille. Comment Émilie allait-elle y arriver? Blanche regarda autour d'elle, mais Marc avait disparu.

Alors elle revint à sa fille qui l'observait avec un petit sourire malicieux. Elle était confortablement installée dans une bergère, les pieds soutenus par un petit tabouret assorti. Jamais elle n'avait vu Émilie aussi belle, aussi resplendissante.

Ç'étaient les mots qu'elle allait lui dire, en guise de félicitations, quand elle se sentit faiblir.

La sensation ne dura qu'une seconde. Comme le flash d'un appareil photo. Ce n'était pas vrai. Elle avait déjà vu Émilie aussi radieuse, assise comme maintenant, l'air alangui et rayonnant tout à la fois. Blanche fronça les sourcils, essayant de se rappeler. Le temps d'un frisson de la mémoire, un pressentiment plus qu'une certitude, comme le vol d'une pensée qu'on n'arrive pas à saisir, puis Blanche reprenait sur elle. Elle devait être terriblement fatiguée pour avoir de tels vertiges. Mais bien sûr qu'elle avait déjà vu Émilie aussi belle! Cela avait dû arriver des centaines de fois. Elle était la plus jolie de ses trois filles.

Blanche sentit alors que l'amertume ressentie quelques instants auparavant fondait comme neige au soleil et elle décida sur-le-champ de laisser tomber temporairement l'inquiétude pour enfin s'approcher, afin de jeter un coup d'œil sous les couvertures.

Deux minutes plus tard, c'était elle qui était assise dans le fauteuil et elle tenait un discours gaga à un petit bout d'homme qui dormait paisiblement, les poings fermés contre son visage. Blanche était conquise. Que cet enfant ne soit pas le fils naturel de sa fille lui importait fort peu ! C'était même beaucoup plus sage ainsi. La santé d'Émilie ne résisterait pas à une maternité. Émilie aimait cet enfant, c'était évident et cela lui suffisait.

Et en plus, c'était un garçon !

Elle passa les jours suivants à téléphoner à tous moments pour prodiguer conseils et avertissements, pour s'enquérir de l'état de santé du petit Dominique, pour s'inviter, mine de rien, à venir faire un petit tour. Un bébé aussi petit était sûrement très fragile, elle en savait un bout sur le sujet.

Ce fut à peine si elle pensa à Anne de toute la semaine, sinon pour entretenir une colère qu'elle jugeait légitime. Cette fois-ci, sa fille dépassait les bornes.

Il fallut trois appels consécutifs, venus du Connecticut, en cours de journée le vendredi, pour ranimer la vieille rancune. Raymond s'inquiétait. Où donc était sa fille ? Depuis le matin, il tentait de la rejoindre sans succès. Comment se faisait-il qu'elle ne soit jamais là ? Et surtout, comment se faisait-il que sa propre mère ignore où la trouver, il était déjà huit heures passées ? Il y avait là une insouciance inacceptable, pour ne pas dire de la négligence, il n'aurait peut-être pas le choix d'intervenir. Il raccrocha, sommant Blanche de retrouver leur fille au plus vite. Il attendrait son appel jusque tard dans la nuit s'il le fallait.

Blanche regagna le salon à pas lents, le front strié d'une

ride d'inquiétude. En effet, où donc se cachait Anne?

Habituellement, ses bouderies ne dépassaient pas les dix-huit heures. Du moins, Blanche se plaisait-elle à le croire, car il était souvent arrivé, en cours d'été, qu'elle ait été de nombreux jours sans voir sa fille, celle-ci quittant le logement avant son réveil et ne revenant qu'à la nuit tombée alors qu'elle-même était déjà couchée.

Blanche compta sur ses doigts.

Cela faisait six jours qu'elle n'avait pas vu Anne. Était-elle rentrée, silencieuse et discrète, cachottière, sans qu'elle s'en aperçoive ou avait-elle choisi de la faire se morfondre, cherchant refuge chez une amie? Blanche n'en avait pas la moindre idée.

Brusquement, elle eut la certitude que cette absence n'avait plus vraiment à voir avec les habituelles fâcheries qu'Anne se faisait un malin plaisir à prolonger. Six jours, c'était long. Trop long.

Où donc était-elle? Comment pouvait-elle survivre, seule et sans argent?

À cette pensée, Blanche sauta sur ses pieds et se précipita vers la chambre d'Anne. Sans même pousser l'interrupteur, elle se dirigea vers le lit trop bien fait, s'accroupit sur le sol trop bien balayé et tendit la main sous le couvre-lit. Il y eut une fraction de seconde de soulagement quand ses doigts frôlèrent la boîte de biscuits.

Si la boîte était là, c'était qu'Anne n'était pas très loin.

Elle attrapa la boîte et la ramena promptement à elle.

Blanche s'assit à même le sol, le cœur battant la chamade. Puis elle souleva le couvercle.

L'univers s'écroula quand elle comprit que la boîte était vide.

Anne était partie avec plus de trois cents dollars. Une véritable fortune pour qui veut s'enfuir. Mais bien peu pour survivre très longtemps.

Maintenant, elle le savait : Anne n'était pas chez une amie. Elle était ailleurs. Un ailleurs qu'elle aurait préféré ne pas connaître.

Blanche retourna au salon en tenant la boîte vide pressée sur son cœur qui battait si fort qu'elle crut sa dernière heure venue.

Anne allait finir par la tuer à force d'inquiétude.

Elle se laissa choir dans le premier fauteuil rencontré.

Le néon clignotant de l'épicerie d'en face striait la pièce d'éclairs rougeoyants désagréables. Blanche ferma les yeux, les tempes taraudées par le début d'une migraine. Le tapage des passants, le roulement des pneus sur la chaussée, la rumeur du vent contre la vitre, bruits subtils qu'elle n'entendait habituellement plus à force de les entendre tout le temps, se précisèrent et submergèrent brusquement le logement d'un bruissement insoutenable. Comme le mugissement d'une force impénétrable qui allait l'engloutir tout entière.

Elle s'inquiétait de ce que Raymond pourrait faire, même s'il était au loin. Elle en voulait à Anne de toujours perturber sa vie.

Et ce martèlement au-dessus de son sourcil gauche qui allait s'intensifiant, douloureux, lancinant.

Blanche laissa tomber la boîte de biscuits à ses pieds pour porter machinalement les mains à son front. Elle aurait voulu que la ville se taise pour qu'elle puisse réfléchir. Cependant, la ville refusait de garder silence. Au contraire ! Elle clamait sa souffrance de plus en plus fort. Son chuchotement devint rumeur puis lamentation. À travers les plaintes de la ville, Blanche entendait des pleurs et des cris. C'était Anne qui appelait. Anne qui était prisonnière des entrailles nauséabondes de la ville.

Anne qui continuait probablement de monnayer son corps pour subvenir à ses besoins. Car Blanche savait de tout son instinct de mère que si Anne était partie, c'était pour ne plus revenir.

Blanche avait refermé les bras sur sa poitrine. Elle avait peur des cris de la ville qui pouvait engloutir ceux qui s'y aventuraient. Elle ne savait pas vraiment d'où venait cette terreur, mais elle s'était frayé un chemin jusqu'à son âme, brûlante comme un tison, et Blanche avait l'impression qu'elle en serait consumée.

Depuis toujours, Blanche avait eu peur des rues à la nuit tombée.

Depuis toujours Blanche était craintive de tout à cause de sa santé fragile, et l'autorité sévère de son père ne l'avait pas aidée à se bâtir une certaine sécurité malgré la maladie. Il n'y avait que dans les limites de sa maison que Blanche arrivait à sentir qu'elle avait le contrôle, arrivait à connaître une quelconque quiétude.

Blanche sursauta.

Pourquoi entendait-elle si souvent la voix de son père lorsque des images de déchéance envahissaient son esprit? Même jadis, quand Raymond l'approchait, c'était toujours la voix de son père qu'elle entendait d'abord. Cette voix grave, sévère qui répétait à ses frères que le sexe n'était que souillure pour l'âme.

Blanche bougea sur son siège, mal à l'aise. Une autre voix s'était jointe à celle de son père. Jacqueline, sa mère, essayait de se faire entendre. Pas la mère de son enfance, terne et effacée, vêtue de gris, mais l'autre. Celle qui était venue la visiter après le décès de son père. Celle qu'elle revoyait clairement, habillée d'une robe fleurie qu'elle avait trouvée du plus mauvais goût. Blanche se souvenait fort bien qu'à ce moment-là, elle s'était dit que ce n'était plus sa mère qui se tenait devant elle, c'était une femme qu'elle aurait préféré ne pas connaître. La Jacqueline nouvelle avait osé dire que son père était un salaud. Bien sûr, ce n'était pas le mot qu'elle avait employé, mais cela revenait au même. Le pire, c'était qu'elle semblait sincère.

Pourtant, Blanche ne l'avait pas crue. Jacqueline Gagnon mentait. Pas son père. S'il avait été un indésirable, c'était beaucoup plus à cause de sa sévérité que même Blanche avait parfois trouvé exagérée.

Blanche serra les paupières pour faire mourir les images de cette conversation. Et dire qu'elle avait promis à ses frères d'aller voir leur mère. Allait-elle encore une fois salir la mémoire d'Ernest Gagnon ? Blanche ne le tolérerait pas.

Puis, lentement les traits de Blanche se détendirent et elle dessina un demi-sourire. Si elle entendait la voix de son père, emmêlée aux rumeurs de la ville, plus forte que celle de sa mère, c'était qu'il continuait de veiller sur elle. C'était lui qui lui faisait entendre tous ces cris d'horreur pour qu'elle comprenne qu'elle devait se lever pour retrouver Anne. Malgré la douleur qui lui vrillait la tête, Blanche n'avait pas le choix d'affronter ses peurs pour sauver sa fille. C'était son père qui l'ordonnait.

Elle se leva sans même prendre conscience qu'elle se levait. Elle avala une pleine poignée d'aspirines par habitude puis elle enfila son manteau. Dehors, il commençait à faire froid, l'automne se faisait déjà sentir et elle ne voulait pas attraper la grippe. Elle ne pouvait se permettre de contaminer le petit Dominique !

Blanche marcha longtemps, sans savoir où elle allait. Elle connaissait si peu sa ville. De rues en ruelles, elle se contenta de descendre vers le bas, vers le fleuve. Blanche avait toujours imaginé que les quartiers mal famés étaient tout en bas, là où elle n'allait jamais.

D'un lampadaire à l'autre, les ténèbres se refermaient sur elle, sournoises. Blanche pressa le pas, agrippée à son sac à main qu'elle gardait tout contre sa poitrine pour protéger sa vertu. Les voix de la ville aussi se refermaient sur elle, ricanements et insultes, sifflements moqueurs et invitations dégradantes. Et ces clochards qui tendaient la main, odeurs de sueur et de misère.

Blanche n'avait qu'une envie et c'était de fuir. Rentrer chez elle, à l'abri de toutes ces turpitudes, de ces odeurs de saleté, de ces voix rocailleuses qui la poursuivaient d'une rue à l'autre. Pourtant, elle continuait de marcher, jetant des regards furtifs sur tous les passants qu'elle croisait. Anne devait bien se trouver quelque part au milieu de ces filles trop fardées, qui riaient trop fort, qui faisaient claquer leurs talons hauts sur le ciment des trottoirs.

Elle marcha pendant des heures. Puis, brusquement, elle s'arrêta. Elle était épuisée de peur, de froid et d'inquiétude. Elle venait de comprendre qu'elle n'aurait plus le choix : il lui faudrait appeler la police.

Il lui faudrait prévenir Raymond.

Anne avait disparu.

Elle fit demi-tour, perdue dans une ville qui était la sienne mais qu'elle n'avait jamais cherché à connaître. Son quartier lui suffisait amplement, de jour, quand elle y était en sécurité.

Elle porta les yeux à son poignet. Elle avait oublié de mettre sa montre. Elle n'avait aucune idée de l'heure qu'il pouvait être. Sûrement très tard. Même les clochards avaient disparu et les filles étaient de plus en plus rares. Curieusement, Blanche se demanda où ils pouvaient bien passer la nuit. Elle ignorait tout de la vie nocturne d'une ville comme Montréal. Tout aussi curieusement, elle se dit qu'elle demanderait à Anne quand elle l'aurait retrouvée.

Ce fut à ce moment qu'elle prit conscience qu'un voile de brume s'était déposé sur les rues, se faufilait entre les maisons, masquait les carrefours. Le claquement de ses talons sur les trottoirs résonnait dans le silence qui lui sembla encore plus oppressant que les frôlements et les marmonnements qui avaient accompagné sa descente dans les bas-fonds de la ville. Les lumières des lampadaires ressemblaient à des toiles d'araignée et Blanche eut peur de ne plus jamais pouvoir retrouver son chemin.

Son seul guide, monter, monter toujours plus haut car tout à l'heure, elle n'avait fait que descendre.

En regardant autour d'elle pour tenter de s'orienter, Blanche aperçut un halo laiteux, un peu plus loin sur une rue transversale. S'il y avait un commerce, c'était qu'elle approchait de la civilisation. Blanche tourna à sa gauche, se laissant guider par l'auréole de lumière qui bientôt fut accompagnée d'une musique qu'elle ne connaissait pas.

L'affiche qu'elle pouvait maintenant déchiffrer annonçait un petit restaurant. Il semblait bien qu'il était encore ouvert. Blanche se dit qu'il n'était peut-être pas si tard après tout. Elle prendrait un café pour se réchauffer et demanderait sa route pour se rassurer. Dans moins d'une heure, c'était une estimation qu'elle jugeait acceptable, elle serait chez elle, à l'abri.

À moins qu'elle n'appelle un taxi pour rentrer.

L'idée arracha un sourire de soulagement à Blanche qui tremblait de plus en plus. Oui, elle appellerait un taxi. Il ne lui servait plus à rien de rester dehors. Ce n'était pas cette nuit qu'elle retrouverait Anne, il n'y avait plus personne dans les rues. Quand elle serait chez elle, elle prendrait un bon bain pour se laver le corps et l'âme et après, elle déciderait ce qu'il fallait faire.

Blanche ouvrit la porte du restaurant, rassurée.

Pourtant, elle s'arrêta avant même de passer le pas de la porte.

La fumée qui stagnait au plafond et sous les abat-jour remplaçait la brume extérieure. Quelques tables de billard étaient entourées d'hommes aux manches relevées, aux bras tatoués. D'autres, des femmes aux visages fatigués, la regardaient comme une intruse. Un serveur à l'air blasé lavait des verres derrière un comptoir et les tables le long du mur étaient toutes occupées. Et il y avait cette musique trop forte, un peu étrange, qui arrivait à enterrer presque toutes les voix.

Cet endroit n'était pas pour elle.

Elle allait tourner les talons quand son regard l'aperçut.

Blanche resta immobile, un pied sur la marche qui menait à l'intérieur et un autre sur le trottoir.

Que faisait-elle là ? Pourquoi était-elle là ? Pourquoi la narguait-elle ?

Brune aux épaules carrées, un éclat de lumière ambrée accrochée à son goulot, la bouteille qu'elle connaissait intimement lui faisait signe, coincée entre d'autres bouteilles, sur le mur du fond, derrière le comptoir. Un miroir à facettes en multipliait l'image et la tentation.

Blanche hésita à peine. Si la bouteille était là, celle qu'elle connaissait si bien et pas une autre, ce n'était pas sans raison.

Déjà Blanche avait descendu la marche qui donnait sur le parquet de bois du restaurant. Elle sentait presque la chaleur du brandy qui coulait dans sa gorge. Souvenir réconfortant, rassurant. Elle avait si froid, elle était si fatiguée qu'elle méritait mieux qu'un café. Un verre. Elle ne prendrait qu'un verre avant de demander qu'on lui appelle un taxi pour rentrer chez elle. Personne ne le saurait. Personne ne la connaissait dans ce coin maudit de la ville.

Elle n'était qu'une femme sans identité, égarée au milieu de nulle part. Ce n'était qu'un rêve, une nuit qui n'existait pas vraiment. Dans les rêves, tout est permis.

Blanche s'installa maladroitement sur un des tabourets qui s'alignaient sous le rebord du comptoir. C'était inconfortable. Elle s'agita sur son banc, s'agrippant toujours à son sac à main, bouée de sauvetage en ce monde inconnu.

Quand elle désigna la bouteille avec l'index, Blanche s'aperçut que sa main tremblait. Le garçon, qui en avait vu d'autres, ne passa aucune remarque. Il se contenta de demander :

— Un double ?

Blanche acquiesça sans trop savoir à quoi elle répondait. Elle ignorait tout du langage des bars, elle ne connaissait que celui de la bouteille.

Quand le verre apparut devant elle, luisant sur le bois verni égratigné, Blanche resta un long moment immobile sans y toucher. Peut-être était-ce un dernier mouvement de la volonté, un restant des promesses faites à son médecin, à Émilie et à elle-même?

Peut-être.

Le liquide doré comme du miel de sarrasin chatoyait sous les globes rouge sang, suspendus au-dessus du comptoir, plus beau que jamais dans son verre en forme de ballon.

C'était attirant.

Ce fut suffisant.

Elle tendit la main, glissa les doigts autour du verre, l'enlaça pour le faire sien, le souleva, fit tourner lentement le nectar qui scintillait dans la lumière tamisée du bar. Elle avait ce demi-sourire que l'on réserve aux amis retrouvés par hasard après des années de silence.

Puis elle leva le coude.

Blanche se rinça la bouche avec la première gorgée, avalant les vapeurs d'alcool avant le liquide.

La douleur brûlante était au rendez-vous, glissant le long de sa gorge, irradiant sa poitrine. Elle l'espérait, la voulait, en fit sa jouissance.

Cette douleur qui précédait le plaisir, toujours. Blanche n'avait jamais été heureuse sans avoir souffert. Cela faisait partie de sa vie de femme malade. Avant le plaisir, il devait y avoir la douleur.

Puis la chaleur bienfaisante se propagea partout, confortable, rassurante. Le temps d'un verre.

À cause de sa longue abstinence, Blanche avait déjà la tête qui tournait. Elle leva un doigt.

— Un autre.

Elle partirait après, tout de suite après.

Cette fois-ci, elle n'hésita pas. Le verre était déjà à ses

lèvres, le brandy coulait dans sa gorge, brûlure et jouissance confondues.

La sensation déjà connue l'attendait au fond du deuxième verre. Cette lucidité froide, sans complaisance devant la vie. Sa vie. Cette culpabilité déjà ressentie qui refaisait surface, la pointant du doigt. Et le trou noir dans ses souvenirs qui grisonnait lentement, d'une gorgée à l'autre.

Blanche ferma les yeux, le verre dans une main à portée de lèvres, à portée d'intention.

Elle revoyait Émilie allongée l'autre matin, un bébé dans les bras. Elle revoyait Émilie allongée sur un autre canapé, au matin d'une autre journée, enceinte. Ces images que sa mémoire capricieuse lui avait refusées et qui tout doucement se superposaient à l'image plus récente.

Et ce vertigineux sentiment de culpabilité qui tissait sa toile entre Émilie et Anne.

La dernière fois qu'elle avait bu, Blanche avait aussi ressenti cette même culpabilité.

Et c'était à cause d'Émilie.

Blanche leva le doigt pour faire apparaître un autre verre. Elle se doutait que les souvenirs se trouveraient dans ce troisième verre.

Elle avait raison. De gorgée en gorgée elle revoyait la scène de plus en plus clairement.

Émilie qui avait perdu un bébé par sa faute.

Le détail de la chose lui échappait encore. Il n'y avait que l'image de sa fille allongée sur un canapé, enceinte, et une incroyable sensation de culpabilité qui dominait la scène.

Puis, lentement, l'image d'Anne se superposa à celle d'Émilie.

Anne qui s'était enfuie par sa faute.

Maintenant, tout était clair dans l'esprit brumeux de

Blanche. Elle était l'unique responsable. La vérité l'attendait au fond de quelques verres de brandy.

Alors elle but. Pour oublier qu'elle était coupable, pour oublier le mal qu'elle avait engendré.

Quand Blanche quitta le bar, elle reprit sa route à pied. Elle n'avait plus un sou. Elle n'avait pas compté les verres, elle avait commandé tant qu'elle avait eu de l'argent pour payer.

Puis elle était partie.

Tant pis si elle allait à pied. Le sentiment de culpabilité lui tiendrait compagnie tout le long de la route. Et la voix de son père la guiderait vers son logement comme il lui avait dicté de partir rechercher Anne. Elle n'avait qu'à monter vers le nord et elle retrouverait son logement. C'était facile et elle avait tout son temps.

Personne ne l'attendait chez elle. Anne n'était plus là.

Un bref sentiment de soulagement envahit Blanche. Elle s'arrêta, regarda autour d'elle et ne vit que la brume qui pâlissait.

Personne ne l'attendait.

Tant mieux. Elle était enfin libérée de toutes ces obligations que la vie avait semées sur sa route.

Ce fut la voix de Raymond, le coup de semonce qui avait résonné dans ses oreilles avant qu'il raccroche, qui balaya le soulagement et Blanche recommença à marcher.

Elle l'avait oublié pour un moment, mais il y avait Raymond qui attendait son appel. Blanche fronça les sourcils sous l'effort de la concentration. Non, Raymond n'attendait pas son appel. Il attendait celui d'Anne. Anne qui ne pourrait pas lui téléphoner. Parce qu'Anne avait disparu, avalée par les quartiers maudits de la ville.

Blanche tenta d'accélérer le pas mais en fut incapable.

Malgré tous ses efforts, elle titubait tandis que le ciel pâlissait et que la brume s'effilochait.

Puis, lentement, les pas de Blanche se raffermirent, la brume se leva complètement et le ciel devint tout bleu. D'un bleu délavé, celui qui précède la lumière.

Il y avait quelques passants, mais ce n'était plus les mêmes que ceux de la nuit. Ils étaient mieux habillés et ils semblaient savoir où ils allaient. Blanche se sentit rassurée.

Puis elle reconnut la rue Sherbrooke. Elle approchait. Elle n'avait qu'à tourner à droite, marcher quelques rues, tourner à gauche, continuer de monter et elle serait chez elle.

Il y eut des intersections, des rues qu'elle reconnaissait, la fleuriste à trois pâtés de maisons, la tabagie du coin, l'épicerie d'en face, l'autobus qui pétaradait à l'arrêt devant chez elle…

Quand elle ouvrit enfin la porte de son logement, le téléphone sonnait. Elle ne répondit pas. Elle savait que c'était Raymond et elle ne voulait pas lui parler. Pas tout de suite. Elle voulait surtout dormir pour faire disparaître les lourdeurs de l'alcool et arriver à penser clairement.

D'abord et avant tout, quand elle serait bien reposée, elle devrait faire la paix avec ses souvenirs et voir ce qu'elle ferait de sa lucidité nouvelle.

Après elle appellerait la police pour signaler une disparition et ensuite elle pourrait téléphoner à Raymond. Elle aurait quelque chose à lui dire, elle aurait transféré une partie de la responsabilité à ceux qui étaient payés pour retrouver les gens en fugue et Raymond devrait l'accepter.

Parce qu'à bien y penser, disparaître pour une question d'école, c'était vraiment exagéré.

* * *

La lumière du jour l'avait éveillé. Il avait résisté jusqu'au lever du soleil puis il s'était glissé hors du lit et de la chambre.

Raymond avait mal dormi. Il avait longtemps épié les bruits de la maison, espérant une sonnerie du téléphone. Il avait fini par sombrer dans un sommeil agité quand la fatigue avait été plus forte que l'inquiétude.

Maintenant, il buvait un café noir face à la mer qui berçait paisiblement la marée montante. Malheureusement, ce matin, l'écume des vagues n'arrivait pas à le détendre.

Le soleil étendait son empire sur toute la plage et jusque dans les moindres recoins de la galerie où Raymond rongeait son frein. Comment pouvait-il faire si beau alors qu'il avait l'âme si torturée ? Dès qu'il entendit l'horloge du couloir sonner sept heures, il entra dans la maison et signala le numéro qu'il savait par cœur.

Il n'y eut aucune réponse.

Comme à minuit, la nuit dernière, quand il avait tenté de rejoindre Blanche pour une dernière fois avant de monter se coucher, même s'il savait qu'il ne dormirait pas. Il laissa sonner plus de dix coups, mais personne ne se donna la peine de répondre.

Il s'y attendait. Comme il s'attendait que le téléphone finirait bien par sonner et que cette fois-là serait la bonne.

Il raccrocha avec impatience, le cœur rongé par les questions et les suppositions.

Il savait qu'Anne détestait sa mère. Il savait qu'elle ne voulait plus vivre à Montréal. Il savait qu'elle rêvait de faire de la musique tout le temps. Il savait qu'il avait été lâche de l'écouter, de faire semblant de la croire pour ensuite se sentir justifié de revenir ici où la vie était plus douce.

Où donc était Anne ? Où donc avait-elle caché son amertume, sa tristesse et ses rancœurs ?

Si Blanche n'avait pas donné signe de vie, c'était qu'elle n'avait pas trouvé Anne.

Depuis quand sa fille était-elle partie ?

Y avait-il quelqu'un chez qui elle aurait pu trouver refuge ?

Il pensa aussitôt à madame Mathilde. Anne avait toujours été proche d'elle. Elles se connaissaient depuis si longtemps.

Il entretint cette idée réconfortante un long moment, de retour sur la galerie, un second café fumant à la main, même s'il savait que c'était une erreur. En effet, il connaissait bien madame Mathilde et il se doutait qu'elle l'aurait appelé si Anne avait trouvé le gîte chez elle. Malgré cela, il prolongea l'illusion jusqu'à huit heures avant de lui téléphoner.

Il raccrochait quand Antoinette apparut au bout du couloir. Il vit qu'elle avait mal dormi même s'il ne s'en était pas douté. C'était à peine si elle s'était retournée dans son sommeil. Tout comme lui, elle avait dû épier les bruits de la nuit, le cœur partagé entre l'espoir et l'inquiétude.

Ils se retrouvèrent sur la galerie à regarder la mer scintillante et les vagues mousseuses qui frôlaient les rochers de la dune.

— On va finir par avoir l'explication. Il y a toujours une explication.

Antoinette avait parlé d'une voix atone pour meubler le silence qui était trop tendu. Raymond se contenta de hausser les épaules. Il savait bien qu'il y aurait une explication, un jour. Il se demanda simplement s'il avait envie de l'entendre.

Que ressent-on quand on écoute sa propre fille raconter qu'elle était si profondément malheureuse qu'elle avait préféré s'enfuir loin de tout ce qui était sa vie? Raymond se doutait qu'à lui, cela ferait très mal.

Il tourna la tête vers Antoinette qui fixait l'horizon droit devant elle. Il savait qu'elle aussi, elle était inquiète. Mais pouvait-elle comprendre à quel point il était torturé? Anne n'était pas sa fille. Son fils à elle, il dormait à l'étage, étranger à tout ce drame. Ce fils qui était aussi le sien mais à qui il ne pensait pas suffisamment.

Il se fit alors la promesse que dès qu'ils auraient retrouvé Anne, il dirait la vérité. Il regrettait d'avoir tant tardé. Si Anne avait su que Jason était son frère, qu'elle avait ici une famille, probablement qu'elle serait venue vers eux, spontanément, au lieu de s'enfuir on ne savait trop où.

Peut-être bien, finalement, que toute cette histoire d'ancienne aventure aurait pu servir sa cause. Peut-être qu'un juge aurait alors accepté qu'Anne reste avec lui puisqu'il y avait un frère dans l'histoire. Peut-être qu'avec André, il aurait dû envisager un procès sous un tout autre angle, avec de nouvelles perspectives. Peut-être, peut-être...

Exaspéré, Raymond déposa bruyamment sa tasse sur le plancher et se frotta longuement le visage du plat des deux mains. Il n'en pouvait plus d'attendre. Il n'en pouvait plus d'espérer. Il voulait savoir.

L'attente prit fin brusquement peu après midi. Raymond sursauta aux premiers grelottements du téléphone. Il se précipita à l'intérieur parce qu'il était resté sur la galerie, parce qu'il n'arrivait pas à penser à autre chose.

Il espérait que la voix au bout du fil serait celle d'Anne.

Ce fut Blanche qui répondit à son bonjour.

Dès qu'il entendit sa voix, cette voix rocailleuse et nasillarde quand quelque chose n'allait pas à son goût, il sut qu'il n'aimerait pas ce qu'elle s'apprêtait à lui dire.

L'appel fut bref, froid, presque indifférent.

Anne n'était nulle part. Probablement partie depuis quelques jours. La police en avait été avisée. Un inspecteur devait venir la rencontrer. Elle rappellerait quand elle en saurait plus.

Un constat de situation sans la moindre émotion. Sinon, une pointe d'exaspération dans la voix. À moins que ce ne soit de l'inquiétude, ce qui, chez Blanche, se conjuguait souvent au même temps et au même mode. Surtout quand il était question d'Anne.

Il retourna dehors à pas lents.

La journée était parfaite de soleil et de brise légère. Au loin, il devinait la bande de copains que Jason était parti rejoindre dès qu'il avait eu fini de déjeuner. Raymond songea qu'il n'avait presque pas vu Jason depuis son arrivée. S'il n'était pas à l'imprimerie avec Antoinette, il était avec ses amis ou il restait dans sa chambre.

Quant à sa mère, heureuse de retrouver Ruth et Paul, elle était partie passer quelques jours chez des amis, un peu plus haut sur la côte.

Tant mieux. Il serait bien assez tôt pour qu'elle commence à s'inquiéter, elle aussi.

— À moins que tout ne soit rentré dans l'ordre avant son retour, murmura-t-il en soupirant.

Cependant, Raymond n'y croyait pas.

Blanche avait parlé de quelques jours. S'il était arrivé quelque chose de grave comme un accident, ils auraient été prévenus. Donc, c'était une fugue.

L'intuition lui soufflait qu'Anne avait fini par régler son problème toute seule. Il n'arrivait même pas à lui en vouloir. Il comprenait. Il était mort d'inquiétude, mais il comprenait. Et en même temps, malgré l'angoisse et l'appréhension, il avait le sentiment qu'il pouvait lui faire confiance. Il n'avait aucune preuve pouvant étayer cette impression, à peine l'effleurement d'une pensée tendre pour sa fille, tout juste l'intuition que tout allait bien et cela lui suffit. Il n'était plus dans l'ignorance totale. Se dire qu'Anne avait décidé de sa vie le rassurait un peu. Anne était une fille sérieuse. Elle ne ferait pas n'importe quoi, n'importe comment.

Et ce fut ce qu'il répéta à Antoinette quand elle vint le rejoindre.

— J'ai la trouille, mais je lui fais confiance. Je suis certain qu'elle va nous faire signe d'une façon ou d'une autre. Il n'y a qu'à attendre.

Antoinette se demanda qui il cherchait à convaincre en parlant sur ce ton détaché. Cela ne lui ressemblait pas.

Il lui demanda aussi de parler à Jason, toujours sur le même ton comme s'il venait d'apprendre une bonne nouvelle.

— Je crois que c'est à moi de lui annoncer qu'Anne a disparu depuis quelques jours. Toi tu seras là pour essuyer sa colère. Car je suis persuadé qu'il n'acceptera pas facilement de savoir Anne en cavale.

Anne en cavale? Raymond en parlait comme il aurait parlé de la pluie et du beau temps. Pourtant, Antoinette n'ajouta rien, ne passa aucun commentaire. La digue céderait bien toute seule au moment opportun.

Par contre, jamais elle n'aurait pu imaginer que ce serait Jason qui mettrait le feu aux poudres.

Le jeune homme était rentré peu avant le souper. Bronzé, heureux de cette journée qui lui avait permis d'oublier que dimanche dernier, il avait vu Anne et que rien n'avait fonctionné comme il l'aurait voulu. Le temps de ramener Browny à la maison et Anne avait disparu. Il l'avait cherchée, de soir, de nuit et le lendemain matin dès l'aube.

Il était revenu chez lui, le cœur en berne. Tout était de sa faute. Il n'avait pas su écrire ce qu'il fallait écrire. Il n'avait pas su dire ce qu'il fallait dire.

Il avait promené son désarroi durant plus de deux jours, sursautant à la moindre sonnerie du téléphone, dévisageant toutes les filles qu'il croisait sur la plage et dans la rue.

Puis il s'était fait une raison. Anne avait été bouleversée et elle n'avait pas envie d'en parler pour l'instant. Un peu comme lui, finalement, quand sa mère lui avait révélé le secret qui entourait sa naissance.

Persuadé qu'Anne était repartie pour Montréal, il n'avait donc pas dit qu'il l'avait croisée sur la plage et qu'il avait été assez idiot pour ne pas se poser de question quand il l'avait vue. C'était en effet ce qu'il aurait dû faire avant même de tout lui avouer concernant leur passé. Il aurait dû lui demander ce qu'elle faisait là. Il n'avait été qu'un triple imbécile d'avoir agi comme il avait agi et à seize ans, quand on se sent idiot, on n'a pas nécessairement envie d'en parler.

Jason n'avait rien dit.

Quand Anne donnerait signe de vie à son père, il verrait.

Jason avait réussi à se convaincre que ce n'était pas à lui de parler mais bien à Anne. Après tout, il était quand même un peu bizarre qu'elle soit arrivée comme un cheveu sur la soupe, sans le moindre préavis. Il devait y avoir une raison que seule Anne connaissait. Quant à lui, il avait fait suffisamment de gaffes jusqu'à maintenant ! Il n'avait surtout pas envie d'en ajouter une de plus à son répertoire. Si Anne était arrivée jusqu'ici incognito, et qu'elle était repartie de la même manière, il n'avait pas à en parler. Après tout, elle ne s'était pas présentée à leur porte. Elle avait attendu de le voir, lui, quand il était seul.

Chaque fois qu'il y repensait, le pourquoi de la chose l'intriguait jusqu'au moment où il repensait à la lettre qu'il lui avait envoyée et alors, son mutisme devenait justifié. Il n'était pas à l'aise avec l'idée qu'il lui faudrait peut-être dire qu'Anne était amoureuse de lui, que lui aussi, il aurait très bien pu l'être, mais qu'à cause de ce que sa mère lui avait appris, plus rien de cela n'était possible entre eux.

Il n'était pas à l'aise avec l'idée de dire à Raymond qu'il savait qu'il était son père.

Pas encore, pas tout de suite. Déjà que d'avoir compris que Raymond était venu chez lui pour y rester, et non en vacances comme il l'avait d'abord pensé, l'avait perturbé, dérangé…

Une semaine plus tard, il en était toujours là.

Comme le ver gruge la pomme, le doute et la crainte avaient envahi le cœur de Jason. Il se sentait responsable en partie de tout ce gâchis et il s'en voulait. S'il n'avait pas eu peur, il aurait retenu Anne. Mais il avait eu peur de l'émoi qu'il avait ressenti quand elle s'était approchée de lui, quand elle avait posé ses lèvres sur les siennes. Le chien n'avait été qu'un prétexte pour l'aider à reprendre contenance. Après, quand il était revenu derrière la dune, il était déjà trop tard. Il avait alors choisi l'attente et avait fini par se convaincre qu'il n'avait pas le droit de parler.

Il n'était qu'un lâche.

Dès lundi, il surveillerait le courrier. Si Anne n'avait pas encore appelé, c'était qu'elle avait envoyé une lettre. Il en était convaincu.

Et tout finirait par rentrer dans l'ordre. Elle se ferait à l'idée qu'il était son frère et elle aurait envie de revenir pour tous les voir. Bien sûr, ce serait différent de ce qu'elle avait imaginé. Mais peut-être que cela pourrait être encore mieux.

Ce fut dans cet état d'esprit qu'il revint de la plage en ce beau samedi du mois d'août. L'échéance approchait. Dans quelques jours, il aurait des nouvelles d'Anne. Ou alors, si le mutisme persistait, il trouverait le numéro de Blanche, à Montréal, et il appellerait.

Sa mère et Raymond étaient assis sur la galerie, comme tous les jours à cette heure-là. Ils prenaient l'apéritif.

Pour une des premières fois de l'été, Jason eut envie de se joindre à eux. Il avait envie de parler de tout et de n'importe quoi pour oublier le nom d'Anne qui se posait en filigrane derrière chacune des heures de ses journées depuis une semaine. Le temps de se servir un verre de limonade et il les rejoignait. Le regard que Raymond lui jeta à l'instant où il mettait un pied sur la galerie lui sembla particulier, sérieux, presque grave. Il eut tout de suite l'intuition qu'il allait lui parler d'Anne.

En quelques mots, Raymond lui annonça qu'Anne avait disparu. Que la police la cherchait mais que malgré tout, il avait l'intuition qu'il ne fallait pas trop s'inquiéter.

— Elle doit en avoir eu assez de la vie qu'elle menait. Je ne vois pas autre chose. Le temps de comprendre qu'elle ne peut pas vraiment s'en sortir toute seule et elle va refaire surface. À ce moment-là, j'aurai beau jeu d'exiger qu'elle revienne avec moi. Nous aurons enfin les arguments pour convaincre un juge.

Jason resta silencieux, regardant tour à tour Raymond et sa mère qui avaient l'air relativement détendus compte tenu des circonstances.

Lui, par contre, il n'était pas du tout certain qu'il ne fallait pas s'inquiéter. Il y avait une donnée qui échappait à Raymond. Sa perception de la situation était bien différente de celle de Raymond. À ses yeux, ce qu'il venait d'apprendre voulait dire qu'Anne n'était pas à Montréal et quand bien même la police passerait des mois à la chercher, elle ne la trouverait pas. Nulle logique ne procédait à cette réflexion : il le savait, c'était tout. Comme il sut, dans l'instant, qu'il n'avait plus le droit de se taire. Sa lâcheté venait de changer de visage. Il allait s'en remettre à d'autres. Ils prendraient les décisions à sa place et cela lui convenait.

Il allait leur dire qu'Anne n'avait pas disparu parce qu'elle en avait assez de sa vie. Anne avait disparu parce qu'elle venait d'apprendre que Jason était son frère.

Il fit un pas en avant, ne sachant s'il devait regarder sa mère ou Raymond. Il plongea alors le regard au fond de son verre qu'il tournait nerveusement entre ses mains.

— Anne n'est pas à Montréal.

Jason avait à peine ouvert la bouche que Raymond était déjà debout, qu'il se précipitait vers lui et l'obligeait à lever les yeux tant il serrait ses épaules entre ses mains devenues griffes d'acier.

— Qu'est-ce que tu viens de dire ? Et comment peux-tu le savoir ?

Jason ferma les yeux une fraction de seconde. Puis il avoua dans un souffle :

— Je l'ai vue. Ici. Dimanche dernier.

Raymond serrait les épaules de Jason si fort que ce dernier échappa un cri de douleur. Puis il se dégagea d'un geste sec, recula d'un pas. Raymond continuait de crier, hors de lui. Jamais de toute sa vie il n'avait été autant en colère contre quelqu'un. Pas même contre Blanche.

— Tu l'as vue ? Et tu n'as rien dit ? Mais quelle sorte d'imbécile es-tu ?

Curieusement, devant une réaction aussi démesurée, Jason se sentait de glace.

— Je ne pouvais pas savoir, laissa-t-il tomber.

— Tu n'avais rien à savoir, pauvre toi. Tu aurais dû m'en parler, tout simplement. Il ne t'est pas venu à l'esprit que ce n'était pas normal qu'Anne soit ici, sans que nous ayons été prévenus de son arrivée ?

Raymond ouvrit les bras en signe d'impuissance, d'incompréhension, cherchant le regard d'Antoinette pour la prendre à témoin.

— Il n'a rien dit ! Il savait qu'Anne était ici et il n'a rien dit.

Puis il revint à Jason et darda sa colère sur lui.

— Jamais je n'aurais pu penser ça de toi. Jamais ! Je croyais que tu étais un garçon sensé, réfléchi. Mais je vois bien qu'il n'en est rien. Comment as-tu pu imaginer qu'Anne était ici sans raison ? Elle devait être terriblement malheureuse. Et toi, tu as fait comme si de rien n'était. Je n'arrive pas à y croire !

— Ce n'est pas ce que j'ai fait.

— Non ! Ce n'est pas ce que tu as fait ? Mais qu'as-tu fait au juste pour qu'elle disparaisse comme ça ? Qu'est-ce que tu lui as dit pour qu'elle se sauve sans laisser d'adresse ?

— Je lui ai tout simplement dit qu'elle n'avait pas le droit de m'aimer parce que j'étais son frère. Voilà ce que je lui ai dit parce que toi, tu n'as jamais eu le courage de le faire. Anne était venue ici pour me voir, pour me dire qu'elle s'ennuyait, qu'elle croyait être amoureuse de moi.

La colère de Raymond tomba d'un coup, laissant un immense vide à la place du cœur.

Jason le regarda un instant, puis il haussa les épaules comme si maintenant, tout cela ne le concernait plus. Il se détourna, marcha vers la porte. Au dernier moment, il revint face à Raymond qui semblait pétrifié.

— Tu as raison sur un point. Anne était malheureuse. Elle me l'a écrit souvent. Blanche était un vrai tyran avec elle. Anne ne t'en a jamais parlé? Mais c'est vrai que si tu lui as déjà parlé comme tu viens de le faire, je peux comprendre qu'elle n'ait pas eu envie de te faire confiance. Moi non plus, vois-tu, je n'ai pas tellement confiance en toi.

Quand Raymond leva enfin la tête, Jason avait disparu. Il entendit le bruit de la porte de sa chambre qui claquait et le bruit sonna à ses oreilles comme un coup de feu. Il sursauta, regarda autour de lui, surpris de voir que la plage et le paysage qu'il connaissait de mieux en mieux n'avaient pas changé. Il s'aperçut que par-dessus la dune, du côté du continent, une multitude de nuages noirs semblaient monter de l'horizon, comme une cavalerie de chevaux lancés à bride abattue. Le tonnerre grondait faiblement, loin, encore très loin d'eux.

Alors Raymond sembla se tasser sur lui-même. Ses épaules s'affaissèrent et ses mains tremblaient quand il les promena maladroitement sur son visage.

— Mais qu'est-ce qui m'a pris? L'imbécile ce n'est pas Jason, c'est moi.

Il resta un long, un très long moment les épaules courbées sous le poids de ses regrets, la tête cachée entre ses mains. Puis il se redressa lentement et se tourna vers Antoinette qui venait de se lever de sa chaise.

— Il va bientôt pleuvoir, dit-elle banalement. Je rentre.

Raymond la regarda quitter la galerie sans dire un mot. Visiblement, Antoinette lui en voulait. Si elle n'était pas intervenue, c'était qu'elle se doutait que ses propos n'auraient qu'attisé le feu. Il entendit les pas d'Antoinette qui montait l'escalier. Probablement allait-elle rejoindre Jason.

Un éclair zébra le ciel, le tonnerre répondit en écho, de plus en plus près. Les nuages étaient maintenant au-dessus de la maison.

Raymond descendit l'escalier qui menait à la plage et marcha droit devant lui vers la mer.

Sa vie n'était qu'une suite d'erreurs et de gâchis et il n'avait pas envie d'en parler avec qui que ce soit. Pas même avec Antoinette. Elle méritait mieux que cela.

Aujourd'hui, par sa faute, il avait perdu une fille qu'il n'avait pas su protéger et un fils à qui il n'avait pas encore eu le temps de dire *je t'aime...*

Les premières gouttes de pluie tombèrent à l'instant où il arrivait à la lisière de l'eau. S'asseyant dans le sable, il se prépara à affronter les orages. Celui qui soulevait le sable en lui cinglant le visage et celui qui lui déchirait l'âme.

TROISIÈME PARTIE

# *Automne 1953 - Hiver 1954*

*« J'ai décidé d'être heureux*
*parce que c'est bon pour la santé. »*

VOLTAIRE

## Chapitre 12

# *Quand la vie prend sa revanche…*

La nuit passée sur un vieux canapé défoncé qui sentait l'humidité avait redonné toute sa lucidité à Anne. Elle s'était éveillée reposée mais amère. Elle était remplie d'ambivalence quand elle pensait à Jason et de ressentiment à l'égard de son père. Comment avait-il pu lui taire une telle chose ? N'avait-il pas confiance en elle ?

Avant de se lever, elle avait longuement réfléchi, se demandant qui d'autre était au courant… Il y avait tant de gens autour d'elle qui auraient pu savoir. Elle avait finalement décidé de croire qu'elle était la seule à ignorer qu'Antoinette faisait déjà partie de la vie de son père avant sa naissance. Les autres, à part Jason, étaient tous déjà là à cette époque. Même sa mère devait savoir. C'était pour cela qu'elle ne l'avait jamais aimée. Brusquement, elle avait eu le sentiment d'être la risée de tout le monde et l'idée lui avait été extrêmement désagréable. Quand donc accepterait-on qu'elle n'était plus une enfant ?

Elle n'avait plus rien à faire à Bridgeport.

Sans se poser d'autres questions et sans la moindre hésitation, elle avait repris sa valise et son chemin, en direction de New York.

Elle y avait passé quelques jours. Le temps de comprendre que son anglais était trop approximatif pour escompter survivre dans une telle métropole et elle avait acheté un billet de retour pour Montréal. Elle avait profité de ce bref séjour dans la grande ville américaine pour faire deux choses. Envoyer une lettre à sa mère avant que l'inquiétude ne se transforme en hystérie et l'amène à ameuter la terre entière et troquer la valise pour un sac à dos, plus confortable.

Quand elle avait enfin posé le pied sur un trottoir de Montréal, Anne s'était sentie libérée. Ici, c'était chez elle, elle trouverait bien moyen de s'en sortir.

Par habitude, elle s'était réfugiée au parc La Fontaine, derrière le buisson qui avait abrité tant de déceptions et de colères. Puis elle avait fait le calcul de sa fortune, l'inventaire de ses biens.

Pas grand-chose. De quoi subsister quelques semaines, peut-être un peu plus, mais pas beaucoup. Et l'automne était presque là. Elle avait regretté de n'avoir emporté que des vêtements légers.

Malgré tout, il n'était pas question de rebrousser chemin. Se présenter chez Blanche, l'âme repentante, ne servirait qu'à lui paver la route pour une engueulade de première et à ouvrir toutes grandes les portes du pensionnat. Il n'en était pas question. Pas question non plus de contacter ses sœurs, le risque que Blanche en soit informée était trop évident.

Quant à son père…

Anne avait fermé les yeux en secouant la tête. Il était encore trop tôt pour qu'elle songe à son père. Elle ne faisait plus confiance à personne, surtout pas à lui. Tant pis pour les inquiétudes qu'elle suscitait, les autres n'auraient qu'à s'en accommoder. C'était bien ce qu'elle avait fait pendant des années, non? À leur tour de goûter à cette médecine amère de l'inquiétude qui tord le ventre et fait lever les papillons dans l'estomac.

Depuis son départ précipité de Bridgeport, elle n'avait

plus de famille. Ils étaient devenus *les autres* et le nombre de tous ceux qui avaient comploté dans son dos était suffisamment grand pour qu'elle sente ce secret d'où elle avait été exclue comme un fardeau. Elle se disait que le temps ferait en sorte qu'il deviendrait de plus en plus léger. Le jour où elle ne ressentirait plus rien, le jour où l'amertume ne serait qu'indifférence, peut-être reviendrait-elle vers eux. Peut-être…

Pour l'instant, il était question de survie, et le quotidien était devenu son unique préoccupation. Elle n'avait pas eu le choix: si elle voulait survivre, elle ne devait s'attarder ni aux émotions ni aux regrets. Ses priorités avaient donc été, d'abord et avant tout, le gîte, la nourriture et des vêtements chauds. Le reste, tout le reste viendrait après.

Anne avait facilement opté pour l'ouest de la ville, là où personne ne risquait de la reconnaître.

Après trois jours de recherche, dormant dans les parcs et s'offrant tout juste de quoi ne pas crever de faim, elle s'était enfin trouvé une famille d'adoption qui offrait, affiché dans une fenêtre du salon, chambre et pension. Il était temps, la nuit dernière avait déposé un peu de givre sur les pelouses et Anne s'était levée transie.

D'un pas qu'elle voulait assuré, Anne avait remonté une allée bordée de rosiers luxuriants et avait sonné à une porte de bois verni qui ressemblait à celle de la maison qu'elle avait tant détestée. Mentalement, elle avait fait la grimace, consciente cependant que pour l'instant, elle ne pouvait se permettre de faire la fine bouche.

Une dame plus large que haute, à la mine patibulaire et à l'œil perçant, lui avait ouvert.

Prise au dépourvu, Anne avait divulgué son vrai nom, en

ajoutant cependant quelques années à son âge, et s'était inventé une famille miséreuse à la campagne. Si elle était à Montréal, c'était pour se donner une chance. Par contre, elle pouvait payer un mois de loyer à l'avance.

La petite dame à moustache l'avait dévisagée longuement, la fouillant jusqu'au fond de l'âme. Ce qu'elle avait vu avait dû lui plaire parce qu'elle avait agrippé avidement l'argent qu'Anne lui tendait, intimidée, et elle l'avait glissé dans son corsage.

— Accès à la salle de bain le matin avant sept heures et le soir après neuf heures, avait-elle alors décliné en ouvrant la marche vers l'escalier qui montait à l'étage. Les repas se prennent à la cuisine à heures fixes. Sept heures et demie, midi et cinq heures et demie. Couvre-feu à onze heures. Pas le droit de fumer dans la chambre. Vous faites votre lavage vous-même le mardi soir.

Ces quelques conditions avaient semblé très douces aux oreilles d'Anne et elle les avait acceptées d'emblée.

Puis la dame avait ouvert une porte qui donnait sur une minuscule chambre qui fleurait bon le muguet et semblait sortir tout droit d'un conte pour enfants. Les volants se multipliaient dans les tons de bleu, des rideaux de mousseline battaient mollement au vent. Anne avait aussitôt été conquise. D'autant plus qu'à l'arrière-plan, une odeur de tarte aux pommes lui donnait des crampes d'estomac.

Cette nuit-là, elle avait dormi comme un loir et, le lendemain, elle avait dévoré tout ce que madame Bolduc avait déposé devant elle. La vieille dame qui avait des allures de garde-chiourme était une bonne pâte. De voir Anne manger de si bon appétit avait étayé la thèse qu'elle venait d'une famille indigente et la veuve qui louait quelques chambres pour arrondir ses fins de mois décida de la prendre sous son aile. Tant qu'Anne paierait son dû, elle aurait droit à quelques douceurs. Comme une seconde part de dessert ou un lit rafraîchi plus souvent. Ses modestes moyens ne pouvaient autoriser plus grandes largesses. Mais pour Anne, au fil des semaines, ce serait déjà un aperçu du paradis.

En moins d'un mois, Anne se sentait chez elle.

Elle ne marchait plus à pas pressés en jetant de fréquents regards par-dessus son épaule. Elle ne détournait plus la tête quand elle croisait une voiture de police. Elle ne sursautait plus quand une voix plus forte hélait quelqu'un.

Elle avait coupé ses cheveux à la garçonne et mettait juste assez de maquillage pour justifier l'âge qu'elle s'était donné.

Et lundi prochain, elle commencerait à travailler dans une petite boutique de confection pour dames. Elle n'y connaissait rien, mais son allure différente avec ses cheveux très courts, sa taille élancée et ses bonnes manières lui avaient valu d'être engagée.

— Vous prendrez les appels et recevrez les clientes. Avec le temps, vous apprendrez à les conseiller. Si vous aimez les belles choses et faites preuve de goût, vous n'aurez aucune difficulté à vous sentir à l'aise chez nous.

Jamais Anne n'aurait pu imaginer que ce serait aussi facile.

Bien sûr, il lui arrivait de penser à Charlotte et à Émilie. Mais il n'y avait pas d'ennui dans ses méditations. Il n'y avait que de la curiosité. Que faisaient-elles ? Comment allaient leurs vies ?

Quant à ses parents, elle avait tracé une ligne bien visible dans son esprit et elle se faisait un devoir de ne pas la franchir.

Ce qui faisait que le seul ennui qu'elle connaissait, le vrai, l'unique, le douloureux, c'était celui de la musique.

Si madame Bolduc avait eu un piano, la vie aurait été idyllique. Mais il n'y avait pas de piano chez elle, et la seule musique qu'elle semblait apprécier, puisqu'elle poussait son vieux radio au maximum quand elle en entendait quelques mesures, c'était la chansonnette française. Pas de quoi faire frissonner l'âme d'Anne qui avait un penchant marqué pour le jazz.

Elle se surprit alors à repenser à monsieur Canuel.

Que faisait-il? S'était-il inquiété pour elle? Y avait-il quelqu'un qui jouait à sa place dans la vitrine et qui le rejoignait à l'appartement pour composer?

L'idée d'avoir été remplacée comme une vulgaire paire de chaussures lui était intolérable.

Alors, dès qu'elle avait du temps de libre, entre deux séances d'essayage ou sur l'heure du midi, elle sautait dans l'autobus, au coin de la rue Sherbrooke, et traversait la moitié de la ville, le cœur palpitant, se jurant que cette fois-ci serait la bonne. Invariablement, quand elle arrivait au coin de la rue Sainte-Catherine, elle ralentissait le pas et s'arrêtait, incapable de continuer. Le logement de Blanche était trop proche, il lui semblait presque l'entendre crier après elle. Et elle avait trop peur de découvrir quelqu'un en train de jouer à sa place.

Dix fois, vingt fois, elle fit le trajet. Dix fois, vingt fois, elle rebroussa chemin.

Et l'ennui de la musique devint aussi l'ennui de monsieur Canuel.

Il devint la seule personne à qui elle pensait avec un pincement au cœur. Même l'image de Jason s'était délavée, emportée par le temps qui se comptait maintenant en mois. Et Anne se demandait pourquoi. Avoir tant espéré, tant cru en quelqu'un qui finalement se résumait, aujourd'hui, à un visage que la vie s'amusait à effacer. Anne ne pouvait pas comprendre qu'à seize ans, l'espace d'un été, elle avait été amoureuse d'une lettre.

Mais l'amour de la musique, lui, était bien réel et la nostalgie devint sa compagne de tous les jours.

Elle était consciente que la vie se montrait plus que généreuse à son égard. Deux mois avaient passé et personne ne l'avait retrouvée. Elle avait échappé à Blanche, aux menaces, au couvent et en soi, c'était déjà plus que suffisant. Quand elle y pensait froidement, Anne admettait que finalement, elle n'avait eu besoin de personne pour s'en sortir. C'était un pied de nez qu'elle faisait à son père qui avait si longtemps cherché et tergiversé sans jamais trouver. Et cela lui faisait du bien de se dire qu'elle avait eu raison de se fier uniquement à elle-même. Mais sans musique, la vie était incomplète. L'essence même de ce qui l'avait mise au monde était absente. Les notes chantaient dans sa tête et ses doigts démangeaient de ne pouvoir les jouer.

Anne se désespérait de pouvoir toucher un clavier à nouveau. Ce n'était pas avec le maigre salaire qu'elle faisait qu'elle pouvait entrevoir le jour où elle aurait suffisamment d'argent pour s'offrir un piano. À peine arrivait-elle à payer son loyer, à s'acheter quelques vêtements et à se payer quelques douceurs. Le jour où elle pourrait de nouveau gaver son âme de musique lui semblait bien loin.

Jusqu'au soir où elle revint de la boutique plus tard que d'habitude. De nombreuses commandes étaient prêtes à livrer et Anne avait aidé à faire les emballages.

La soirée était particulièrement douce. Probablement un dernier souffle d'été avant les froidures. Octobre était déjà bien avancé.

Anne marchait à pas lents. Elle avait prévenu madame Bolduc qu'elle ne serait pas à l'heure pour le souper et cette dernière lui avait dit de ne pas s'inquiéter.

— Pas de problème ! Pour vous, je peux bien faire une exception. Le souper sera dans le fourneau. Moi, je m'en vais au bingo. On se verra plus tard.

Anne en profita donc pour étirer le temps. Les soirées étaient parfois bien longues quand, lasse d'entendre sa propriétaire babiller sans arrêt, Anne se retirait dans sa chambre. Quant aux autres locataires, ils étaient du genre taciturne. C'était à peine si Anne échangeait quelques mots avec eux quand ils se retrouvaient tous ensemble autour de la table.

Mais ce soir, l'air était à la douceur et Anne savait que personne ne s'inquiéterait pour elle. Elle décida donc de faire un détour par la rue marchande qui passait près du quartier où elle travaillait. Il y avait là quelques restaurants et bars qu'elle avait aperçus quand elle se cherchait un emploi. Peut-être y entendrait-elle de la musique qui sonnerait différemment de celle de madame Bolduc ?

Ce fut ce soir-là, le visage caressé par une brise qui ressemblait à celle du printemps, se promenant avec la démarche lente de qui a tout son temps, qu'Anne comprit qu'elle avait rendez-vous avec ses rêves les plus fous.

Au coin d'une rue, sous une affiche qui annonçait un bar dansant, une porte était restée ouverte sur des notes de musique qui lui firent tressaillir le cœur et accélérer le pas.

Un blues triste et lancinant envahissait la rue.

Incapable de résister, les mains tremblantes et le cœur

battant la chamade parce qu'elle savait qu'elle n'avait pas l'âge, Anne pénétra dans ce qui lui apparut comme le saint des saints.

Sur une scène minuscule, à peine plus spacieuse que le coin de vitrine qu'elle occupait chez monsieur Canuel, une femme aux cheveux encore plus courts que les siens était penchée sur un clavier. À sa droite, un homme très grand jouait de la contrebasse et un autre, plus trapu, soufflait dans un saxophone. Appuyée sur le piano, une seconde femme, petite, aux cheveux très longs et sombres, tenait un micro entre ses mains. Elle avait une voix grave, surprenante chez une personne aussi menue. Une voix qui rendait à merveille toute la nostalgie poignante de la musique.

Envoûtée, Anne fit quelques pas et se laissa tomber sur la première chaise venue.

Quand un serveur s'approcha d'elle pour lui demander ce qu'elle voulait boire, Anne avait oublié qu'elle n'avait que seize ans et surtout qu'elle n'avait pas le droit d'être là. Elle répondit machinalement qu'elle prendrait un cola et le serveur s'en retourna derrière son bar.

Anne passa une des plus belles soirées de sa vie, même si l'envie de sauter sur la scène soutenait la moindre de ses pensées.

Quand elle s'arracha enfin à sa contemplation, il était dix heures trente. Les musiciens et la chanteuse venaient de quitter pour une pause.

Anne quitta le bar à regret. Son cola avait tiédi parce qu'elle y avait à peine touché. Pourtant, le serveur n'était pas intervenu comme il le faisait habituellement quand un client ne consommait pas assez. C'était la règle de la maison et il se faisait un point d'honneur de la respecter.

Sauf ce soir.

Délibérément, il avait laissé tomber les consignes du patron. La jeune fille qui était assise là était tellement prise par la musique qu'il n'avait pas osé la déranger.

Quand il vit qu'elle s'en allait, il souhaita seulement avoir la chance de la revoir. Elle était jolie. Surtout quand elle s'accoudait sur la table et semblait faire corps avec la musique.

* * *

Charlotte avait attendu d'être bien certaine avant de demander une consultation. Quand elle sortit du bureau du médecin, elle avait le regard brillant, la démarche prudente et un vague sourire illuminait son visage.

Voilà ! C'était confirmé, elle était enceinte.

Dire qu'elle était heureuse serait un euphémisme ! Elle volait, littéralement !

Elle avait hâte de le dire à Jean-Louis et à Alicia. Elle se doutait bien que son mari comme sa fille allaient pousser des cris de joie. Depuis le mariage, ils en parlaient souvent ensemble.

Charlotte prit à sa gauche, remontant l'avenue qui menait à sa maison. Le quartier lui plaisait toujours autant. Les avenues larges et ombragées, les maisons de pierres élégantes, les jardins bien entretenus répondaient à un sens de l'esthétique qui lui était propre. Elle aimait les choses claires, sans ambiguïté et cet endroit de la ville lui ressemblait.

En fait, depuis son mariage, Charlotte avait droit à une existence qu'elle n'aurait même pas pu imaginer auparavant. Jean-Louis était un compagnon merveilleux, sensible, gentil. Alicia s'était adaptée à sa nouvelle école avec un naturel désarmant et comptait déjà ses amies sur les doigts des deux mains.

Il était bien fini, le temps des fins de mois difficiles, des inquiétudes pour le lendemain, de l'hôpital avec ses horaires contraignants.

Mais il semblait bien aussi qu'il était fini, le temps de l'écriture !

En effet, depuis qu'elle était mariée, Charlotte n'avait pas écrit une seule phrase. Curieusement, elle n'en avait même pas envie. Elle se justifiait face à elle-même en se disant qu'elle avait à s'adapter à cette vie nouvelle, différente.

Charlotte apprenait enfin à être heureuse et cela occupait tout son temps, toutes ses pensées.

L'écriture reviendrait sûrement après. Pour l'instant, cette absence d'intérêt pour les mots ne l'inquiétait pas. Seul son éditeur disait que ce n'était pas bon de rester absente de la scène littéraire trop longtemps. Ce à quoi Charlotte répondait qu'elle avait besoin de vacances. Après des années à brûler la chandelle par les deux bouts, elle aspirait à se reposer. Elle reviendrait à l'écriture après. Quand l'inspiration reviendrait. Pour l'instant, en effet, c'était le vide total en elle.

Et voilà qu'elle venait d'apprendre qu'elle attendait un bébé. Suffisant pour occuper le temps et le cœur. Suffisant pour oublier que l'inspiration était défaillante. Et suffisant aussi pour répondre à son éditeur quand, fidèle à lui-même, il appellerait à la fin du mois pour venir aux renseignements. À son éternelle question de savoir si elle s'était remise en selle, Charlotte pourrait répondre qu'elle était enceinte et que pour l'instant, il n'y avait que cela d'important dans sa vie. On transformerait ces quelques mois de repos en année sabbatique et Charlotte lui promettrait de le rappeler dès qu'elle aurait accouché.

Et voilà pour l'éditeur !

Si seulement elle avait su où se cachait Anne, son bonheur aurait été parfait. Bien sûr, elle avait appris que Blanche avait reçu une lettre de New York qui disait de ne pas s'en faire, qu'elle se portait à merveille. Paraîtrait-il que Blanche, l'éternelle inquiète, s'en contentait. C'était les mots qu'Émilie avait employés. Blanche avait même montré la lettre aux policiers, leur disant que les recherches étaient désormais inutiles. Sa fille n'était pas à Montréal, elle était à New York et elle se portait très bien.

Cependant, le fait de savoir Anne vivante et en santé ne suffisait pas à Charlotte. Elle s'ennuyait d'elle avec autant d'intensité que lorsqu'elle vivait en Angleterre. Lorsqu'elle fermait les yeux, l'image de l'enfant de cinq ans se superposait à la jeune fille d'aujourd'hui et Charlotte se sentait coupable. Si elle n'avait pas fui en Angleterre, si elle était restée ici auprès de sa famille, Anne n'aurait probablement jamais pensé à se sauver comme elle venait de le faire parce que son enfance aurait été bien différente.

— Dans le fond, Anne a agi exactement comme moi, murmura Charlotte en insérant la clé dans la serrure de sa nouvelle maison. Elle a fichu le camp pour sauver sa peau.

Pas plus que son père, avec qui elle en avait longuement discuté au téléphone, Charlotte n'arrivait à lui en vouloir. Elle comprenait. Elle la comprenait tellement d'avoir voulu s'éloigner de Blanche qu'elle acceptait de s'ennuyer d'elle à travers un silence qu'elle trouvait lourd.

Un jour, elle l'espérait du fond du cœur, elles auraient l'occasion d'en reparler et l'absence d'Anne ne serait plus, à ce moment-là, qu'un souvenir parmi tant d'autres.

— Une pièce de plus à la courtepointe de ma vie, prononça Charlotte à voix haute en regagnant sa cuisine.

Depuis quelque temps, elle était consciente que les pointes sombres qui avaient illustré les dernières années de sa vie étaient remplacées maintenant par des pointes non seulement claires mais colorées.

— Des rosaces vives et joyeuses comme des éclats de soleil, lança-t-elle encore prenant ses casseroles à témoin.

Elle pivota sur elle-même, satisfaite de ce qu'elle voyait. Rénovée, à la fine pointe du modernisme, la cuisine était la pièce de la maison qu'elle préférait. Depuis leur retour d'Europe, elle s'était découvert un engouement pour l'art culinaire qu'elle prenait très au sérieux. Chaque jour, elle passait un temps infini à expérimenter de nouvelles recettes, pour le grand plaisir de Jean-Louis et d'Alicia.

Et puis l'automne était si beau ! Et la cuisine sentait bon la soupe qui mijotait sur un rond à l'arrière du poêle ! Et elle était enceinte !

Charlotte attrapa une pomme dans le bol de faïence posé sur la table et fila au jardin.

Le soleil de cette fin d'après-midi avait des douceurs apaisantes. Il était caressant sur la peau, enjôleur à travers les arbres qui se dénudaient tranquillement, et l'air embaumait la terre humide et les feuilles mortes qui commençaient à joncher le sol.

Charlotte s'installa sur une chaise longue, croquant à belles dents dans la pomme qu'ils avaient cueillie ensemble, le samedi précédent, dans un verger près du mont Saint-Hilaire. Jean-Louis était friand de ces petites escapades qui faisaient d'un samedi un petit voyage, au grand bonheur d'Alicia qui était toujours autorisée à inviter une amie.

Instinctivement, Charlotte posa la main sur son ventre, le caressa du bout des doigts.

Elle avait hâte de le dire autour d'elle. Prévenir Françoise qui en était à une deuxième maternité, un an et demi à peine après son mariage, serait une très grande joie. Le petit Jean-Luc était né tout juste dix mois après la cérémonie et voilà que son amie attendait un autre bébé.

Charlotte étira un large sourire.

Ce serait un plaisir de partager l'attente avec Françoise. Cette fois-ci, il n'était surtout pas question de cacher son gros ventre comme elle l'avait fait pour Alicia. Elle voulait vivre sa grossesse au grand jour, fière et heureuse.

Enfin!

Puis elle pensa à Émilie et le sourire s'effaça, remplacé par une ombre de tristesse qui traversa son regard.

Comment Émilie allait-elle prendre la nouvelle?

Bien sûr, la dernière fois qu'elle l'avait vue, Émilie resplendissait de bonheur avec son petit Dominique. Cet enfant-là lui avait apporté une sérénité, une joie de vivre qui faisait plaisir à voir.

Mais au-delà de ce bonheur évident, la maternité de Charlotte n'allait-elle pas ramener certains souvenirs douloureux?

Charlotte ferma les yeux en soupirant.

Pourquoi fallait-il qu'il y ait toujours un petit quelque chose de désagréable dans toute joie?

Elle ne voulait pas faire de peine à sa sœur, mais elle ne voulait pas non plus poser un éteignoir à son propre bonheur.

— Demain, murmura-t-elle en se relevant pour retourner à l'intérieur de la maison tout en tenant son cœur de pomme par la queue. Dès demain, je passe voir Émilie. Je préfère régler ça tout de suite. De toute façon, s'il fallait qu'elle l'apprenne par quelqu'un d'autre, je ne me le pardonnerais jamais.

Elle éclata de rire. Depuis qu'elle habitait ici, il lui arrivait souvent de parler toute seule à voix haute.

Elle lança adroitement le cœur de pomme dans l'évier.

— Et maintenant, le souper !

Comme elle s'y attendait, la nouvelle fut accueillie par des cris de sauvage de la part d'Alicia qui se mit à danser autour de la table et par un regard tendrement amoureux de Jean-Louis. Il se leva, s'approcha d'elle et, posant les mains sur ses épaules, il se pencha et l'embrassa dans le cou.

— Merci, murmura-t-il à son oreille. Tu fais de moi le plus heureux des hommes. Je t'aime, ma Charlotte.

Se redressant ensuite, il lança joyeusement :

— Tous les quatre nous allons former une belle famille.

Il avait posé une main sur l'épaule d'Alicia qui s'était un peu calmée et qui s'était approchée, elle aussi, de sa mère. Alors, il ajouta :

— Nous avons déjà la plus gentille des filles. Si c'était un petit garçon, ce serait parfait.

Le sourire qu'ils échangèrent, tous les quatre, fut un des moments que Charlotte n'oublierait jamais. Il resterait parmi les plus lumineux de ses souvenirs et il sentait la tarte aux pommes.

Le lendemain, le temps était à la pluie.

Une journée de grisaille mais encore assez chaude. Charlotte décida qu'il lui faudrait plus que quelques gouttes d'eau pour remettre son projet. Armée d'un parapluie, elle partit chez Émilie dès dix heures le matin. Et dans l'après-midi, elle irait chez Françoise qui habitait à deux rues de là.

Quand elle arriva devant la maison de sa grand-mère, Charlotte arrêta un moment. Cela lui faisait tout drôle de penser que c'était elle qui aurait dû habiter là. Comme quoi, dans la vie, rien n'était immuable.

Elle remonta l'allée qui menait à la véranda, se demandant comment elle allait aborder le sujet.

Dès que la porte s'entrouvrit, Charlotte écarquilla les yeux.

Émilie faisait peine à voir. Charlotte avait de la difficulté à reconnaître en sa sœur la jeune femme radieuse qui lui avait ouvert lors de sa dernière visite. Le cheveu terne et l'œil éteint, Émilie était encore en robe de chambre. Pourtant, son visage s'éclaira dès qu'elle aperçut Charlotte.

— Entre, je suis contente de te voir.

Elle fronça les sourcils sans toutefois cesser de sourire.

— Ma parole, tu as l'air en grande forme, ce matin !

Charlotte avait déjà refermé la porte et elle secouait son parapluie avant de l'accrocher à la patère.

— Peut-être, oui. Mais toi, par contre, sans vouloir t'offenser, tu fais peur à voir. Tu n'es pas livide, ma pauvre Émilie, tu es verte.

Émilie poussa un soupir à fendre l'âme.

— Je sais. Je suis épuisée. J'ai envie de dormir tout le temps. J'ai l'impression que les journées ne sont pas assez longues. As-tu vu ? fit-elle alors qu'elles passaient devant le salon pour se diriger vers la cuisine. Il reste encore des boîtes qui ne sont pas vidées. Avec les commandes de peintures et Dominique, je ne sais plus où donner de la tête. Je te jure qu'il y a des journées où je me dis que c'est maman qui avait raison: un bébé et un déménagement, cela ne va pas ensemble. Alors là, pas du tout.

Tout en parlant, elles avaient regagné la cuisine. Sans répondre tout de suite, Charlotte s'était penchée sur le landau où Dominique essayait d'attraper un hochet pendu à une corde.

— Cet enfant-là est une vraie merveille! As-tu vu ses yeux?

Puis Charlotte se tourna vers Émilie et la détailla d'un regard sévère. Décidément, sa sœur n'avait pas l'air d'en mener large.

— Et à part ça? Toi, ça va?

Émilie haussa les épaules.

— Ça va!

Puis elle dessina un sourire.

— Dominique est un amour. Dans le fond, c'est la peinture qui est de trop pour l'instant. C'est curieux, mais en ce moment, je n'ai même plus le goût de peindre. Marc n'arrête pas de me dire que rien ne presse et de profiter de Dominique pendant qu'il est tout petit. Mais monsieur Edgar appelle sans cesse pour savoir quand les nouvelles toiles vont être prêtes. C'est agressant, à la longue. Même si je sais qu'il a raison.

Émilie expliqua que, un peu à contrecœur, elle s'était remise à la peinture durant les siestes de Dominique. Mais elle était tellement fatiguée que tout ce qu'elle faisait lui apparaissait terne et sans intérêt.

— J'en suis là. Fatiguée, crevée. Et tu le sais! Quand je suis au bout de mon rouleau, c'est la nausée qui s'en mêle. Maman me le faisait justement remarquer, l'autre jour. Elle aussi trouve que je n'ai pas très bonne mine.

Tout en parlant, Émilie avait remarqué que le sourire de

Charlotte s'était accentué. Elle souleva un sourcil inquisiteur.

— Mais veux-tu bien me dire ce qu'il y a de drôle dans tout ça? Tu es là à me regarder avec un air béat!

Charlotte sursauta.

— Oh! Il n'y a rien de drôle sauf que peut-être…

Tout en parlant, Charlotte avait reporté le regard sur le petit Dominique qui s'était désintéressé du hochet et qui, maintenant, examinait ses mains avec la plus grande attention, en louchant, ce qui lui tira un autre sourire. Le temps d'une bouffée de tendresse et elle revint à Émilie, sérieuse, surprise que sa sœur n'ait pas compris ce qui lui arrivait peut-être. Jamais elle n'avait vu Émilie dans un tel état sauf quand elle attendait sa petite Rosalie. À cette époque-là aussi elle avait souffert de nausée et elle était tout le temps fatiguée. Mais comment le dire et surtout, comment Émilie allait-elle réagir? Elle décida de prendre le chemin le plus direct.

— Et si je te disais que ce que tu ressens ressemble à un début de grossesse? Souviens-toi quand…

— Non, c'est impossible!

Émilie avait parlé d'un ton dur, brutal, avant de se détourner en rougissant. À ce geste, Charlotte comprit qu'elle ne s'était pas trompée. Émilie savait mais refusait de l'admettre. Sa voix se fit de velours quand elle demanda:

— Pourquoi est-ce que ce serait impossible? Tu le sais très bien que rien n'empêche que tu sois à…

— Non, tu m'entends? Je ne suis pas enceinte.

Émilie avait le visage ruisselant de larmes.

— Je ne veux plus jamais être enceinte. J'ai trop peur.

À ces mots, Charlotte s'approcha d'elle et la prit dans ses

bras. Le déni d'Émilie lui faisait mal comme si c'était à elle que tout cela arrivait.

— C'est normal de toujours avoir un peu peur quand on attend un bébé. Moi aussi j'ai eu peur quand j'attendais Alicia. C'est tout à fait normal, ce que tu ressens, Émilie. Dis-toi seulement, si ça peut t'aider, que cette fois-ci, tu ne seras pas seule. Nous serons deux à avoir peur en même temps.

Émilie se dégagea de l'étreinte de Charlotte et la dévisagea à travers ses larmes. Puis elle renifla.

— Est-ce que j'ai bien compris? Est-ce que tu veux dire que tu es enceinte?

Charlotte était resplendissante.

— Oui. Ça ressemble à ça!

Puis dans un souffle, elle demanda:

— Et toi?

Émilie se remit à rougir de plus belle.

— Oui, soupira-t-elle. Enfin je crois. Après trois mois sans règles, je ne vois pas ce que ça pourrait être d'autre. Mais personne ne le sait encore. Pas même Marc.

— Mais qu'est-ce que tu attends?

Émilie haussa les épaules.

— Je ne sais pas. Peut-être un miracle. Peut-être aussi que j'attends jusqu'après la naissance pour être bien certaine que tout ira bien.

Puis elle ouvrit les bras en signe d'ignorance.

— Je ne sais pas, répéta-t-elle. C'est ridicule, mais j'ai l'impression que si je n'en parle pas, un bon matin je vais m'éveiller et je vais m'apercevoir que ce n'était qu'un mauvais rêve. Je sais bien que c'est idiot mais…

Émilie ne compléta pas sa pensée et, s'approchant du landau, elle souleva son fils et le cala au creux de ses bras. Le bébé la regardait avec des yeux immenses et un magnifique sourire.

Émilie le fixa longuement, dessina un sourire un peu triste pour répondre au sien et revint enfin à Charlotte.

— C'était trop parfait comme ça. Tout ce que j'ai dit tout à l'heure, ce n'était pas vrai. C'est sûr que je suis débordée, mais si la nausée et les crises de sommeil ne s'en étaient pas mêlées, j'y arriverais très bien. Dominique est un bon bébé et dans un an ou deux, on aurait pu aller lui chercher une petite sœur.

— Mais c'est exactement ce qui est en train de se passer. Dans quelques mois, Dominique aura un petit frère ou une petite sœur, formula Charlotte d'une voix pressante.

Émilie porta le regard au loin, par la fenêtre qui donnait sur le jardin mouillé et gris.

— Oui. Si tout va bien. Mais pourquoi, cette fois-ci, est-ce que ça irait bien ? J'ai perdu tellement de bébés que je n'en fais plus le décompte. Alors j'ai peur. Peur d'être déçue. Peur surtout d'avoir mal comme je me suis juré de ne plus jamais avoir mal.

Charlotte se détourna un instant. Elle savait les mots qui auraient pu atténuer la peur. Mais Émilie ne les comprendrait pas. Elle n'accepterait pas qu'on lui dise de se tenir loin de sa mère pour que tout aille bien.

Charlotte se contenta donc de faire les quelques pas qui la séparaient d'elle et posa un bras protecteur autour de ses épaules.

— Je suis là. Ta peur, on va la vaincre ensemble. Et Marc aussi va t'aider. Je suis certaine que ça va bien aller.

Émilie posa sa tête sur l'épaule de Charlotte. Le regard de Dominique allait de l'une à l'autre sans trop savoir où se poser. Puis il esquissa un sourire fragile. Les larmes d'Émilie s'étaient remises à couler. Alors Charlotte intensifia la pression de son bras.

— Je suis certaine que tout va bien se passer, répéta-t-elle.

Et elle était sincère. Si Blanche ne s'en mêlait pas, tout allait se dérouler normalement.

Tout en berçant sa sœur contre elle, Charlotte se fit à ce moment le serment d'être présente. Elle serait la gardienne de ce petit bébé qu'Émilie portait. Toute la famille se serrerait les coudes autour d'Émilie pour qu'elle puisse vivre les plus beaux mois de sa vie.

Ce fut à cette pensée que le cœur de Charlotte se gonfla de tristesse. De famille il n'y avait plus tellement à Montréal! Son père était au loin, et Anne…

Le visage d'Anne lui traversa l'esprit et Charlotte comprit que tant que sa petite sœur ne serait pas de retour parmi eux, ses bonheurs à elle ne seraient jamais vraiment complets.

## CHAPITRE 13

# *Les solitudes parallèles*

Tout s'était joué en quelques semaines.

Quelques interminables semaines où Jason s'était demandé s'il s'agissait de bouderie, de ressentiment, de colère ou d'indifférence.

Raymond n'avait pas reparlé de l'incident, ce qui l'avait surpris. Ce silence combiné avec l'attitude de Raymond, avec sa rage presque quand il avait su pour Anne, l'avait déconcerté. Même ses propos à lui auraient pu ouvrir la porte à d'autres discussions. Or, il n'en fut rien.

Ces mêmes semaines furent aussi celles où il s'était ennuyé d'Anne comme jamais auparavant même s'il avait appris que Blanche avait reçu une lettre disant qu'elle se portait bien.

Lui, il savait qu'elle ne se portait pas si bien que cela.

Entre-temps, madame Deblois était revenue, rapportant dans ses bagages sa bonne humeur un peu bourrue, ses regards perçants et ses remarques pertinentes. Quelqu'un lui avait sûrement raconté l'histoire puisqu'elle avait eu pour lui, au lendemain de son arrivée, de ses petites tapes amicales, de ses sourires affectueux et une grosse tarte au sucre dont Jason raffolait.

À sa façon, ce retour avait apporté, temporairement, une modération à ses nombreuses interrogations qui étaient jusqu'à ce jour sans réponse.

Quelques jours plus tard, l'été quittait brusquement

Bridgeport comme il le faisait chaque année, en vingt-quatre heures à peine, emportant avec lui les touristes et une grande partie des émotions qu'avait suscitées cet été 1953.

Au lendemain du *Labor Day*, les rues s'étaient vidées des vacanciers, le collège avait rouvert ses portes et certains commerces, fermé les leurs. La chaleur qui persistait s'était réinventée en un climat supportable, le soleil semblait moins énergique, et la brise s'était truffée d'une subtile senteur d'humus étayant celle des poissons.

C'était le temps des récoltes, et l'odeur des champs, venue du continent, refoulait les effluves marins dans leur territoire.

Soulagé, Jason s'était laissé gagner par le souffle d'automne qui passait sur la ville, croyant naïvement qu'il suffisait de ne plus penser, de ne plus spéculer pour tout oublier.

Il y eut donc une semaine de répit. Il profita de la rentrée pour ne plus réfléchir, pour ne plus se morfondre, pour ne plus s'inquiéter et se contenta d'apprendre à connaître ses nouveaux professeurs.

Puis Raymond avait parlé d'un voyage à Montréal parce qu'il s'ennuyait de ses filles et les émotions avaient refait surface.

Le simple fait de vouloir voir Charlotte et Émilie, de les serrer contre lui, comme Raymond l'avait dit, et Jason avait finalement tout compris.

Raymond était un homme d'émotion. Malhabile mais sincère.

Sa mère, il le savait depuis toujours, était une femme aimante. Le silence qui avait suivi l'altercation avec Raymond aurait pu en déconcerter plus d'un, mais pas lui. L'apparente indifférence de sa mère avait été le respect habituel qu'elle portait aux gens. Jamais il ne l'avait vue brusquer les choses ou les confidences. Elle n'imposait ses vues qu'en de rares occasions même s'il savait qu'elle avait toujours été ferme dans ses décisions.

Mais pour Raymond...

Il allait de découvertes en reconnaissances. Ce qu'il avait appelé intérieurement de la lâcheté, de la mollesse, n'était peut-être pas ce qu'il pensait.

Malgré tout ce qui s'était proféré l'autre soir, les regards que Raymond lui lançaient étaient porteurs d'affection. Pourtant, Jason n'avait rien dit qui puisse provoquer la tendresse.

Tout comme les paroles que Raymond lui adressait n'étaient en rien agressives. Cependant, à certains égards, Jason l'aurait peut-être mérité.

Et voilà que ce soir, assis à la table en train de manger, il disait tout simplement avoir besoin de la chaleur de ses deux filles aînées pour se rappeler celle d'Anne. Il l'avouait en toute humilité: il s'ennuyait terriblement de sa benjamine même s'il ne s'inquiétait pas vraiment pour elle.

— Je lui fais confiance.

Ces quelques mots avaient ouvert les yeux de Jason.

Ce fut ainsi que, de gestes en paroles, Jason avait compris qu'à sa façon, Raymond aussi était respectueux des gens, de leurs émotions. Petit à petit, il avait compris ce qui pouvait attacher si fortement sa mère à cet homme qu'il avait toujours vu comme une piètre reproduction du géant qu'avait été Humphrey.

En un sens, Jason était maintenant capable de l'admettre, Antoinette et Raymond se ressemblaient beaucoup, même si leurs attitudes différaient sur plusieurs points.

C'est pourquoi, en ce soir d'octobre, quand il entendit frapper à la porte de sa chambre, il eut le réflexe d'ouvrir. Qu'importe qui se trouvait de l'autre côté du battant, il était le bienvenu.

— Je peux entrer?

Raymond le regardait avec un curieux mélange d'espoir et de fermeté dans le regard.

Jason s'effaça pour le laisser passer alors que des milliers de papillons s'étaient mis à palpiter dans sa poitrine. Il savait qu'un moment important de sa vie allait se jouer, là maintenant, et que même s'il avait voulu opposer un refus ou en reporter l'échéance, il était trop tard.

Raymond s'installa maladroitement au pied de son lit.

— Voilà.

Raymond avait la tête penchée et regardait ses mains. Il semblait au moins aussi mal à l'aise que lui. Jason s'empara aussitôt de l'idée, joua avec elle un instant et s'en trouva réconforté. Il redressa imperceptiblement les épaules, plus confiant, à l'instant où Raymond levait les yeux vers lui.

— Voilà, répéta-t-il comme s'il avait besoin d'une entrée en matière. Tu sais que je veux aller à Montréal. Ça fait un certain temps que j'en parle. Je crois que le moment est venu. J'ai envie de voir mes filles, surtout que je viens d'apprendre qu'elles sont toutes les deux enceintes. Mais j'ai aussi envie de marcher dans les rues de Montréal, il me semble que je saurai à ce moment-là si Anne s'y trouve.

Raymond venait de prononcer les mots que Jason se répétait chaque soir avant de s'endormir. Lui aussi, il aurait voulu marcher dans les rues de Montréal. Lui aussi avait l'intime conviction qu'il saurait alors si Anne s'y trouvait. La lettre venue de New York datait déjà de plusieurs semaines et n'était peut-être qu'un leurre.

En une fraction de seconde, Jason eut l'impression qu'il y avait réellement des papillons dans sa poitrine. Ils allaient s'échapper d'un instant à l'autre et envahir sa chambre. Il avala péniblement sa salive, la gorge nouée, incapable de parler.

Pourtant, Raymond n'avait presque rien dit. Dans le fond, il n'avait exprimé qu'une certaine intuition. Mais elle était si proche de ce qu'il ressentait lui-même que Jason sut aussitôt qu'un fragile lien de confiance pourrait peut-être se tisser entre eux. Il aurait voulu être capable de tendre la main vers Raymond, mais le geste refusait de concrétiser l'intention. À la place, il esquissa un sourire tremblant dans lequel Raymond se hâta de puiser pour avoir le courage de poursuivre.

— J'aimerais que tu m'accompagnes, fit-il simplement. Après tout, Anne est ta sœur. Peut-être sauras-tu mieux que moi où la trouver.

C'était la première fois que Raymond faisait allusion à sa paternité et, contrairement à tout ce qu'il avait anticipé, Jason n'était pas troublé. L'émotion était palpable, foudroyante mais bonne. Un à un les papillons quittaient sa poitrine, laissant le cœur battre librement. Le sourire fut plus franc.

— D'accord.

— Bien… bien. Merci. Et si tu le veux, nous pourrons peut-être en profiter pour parler à Émilie. Charlotte, elle, s'en doute depuis longtemps.

Raymond n'avait pas à préciser. Jason savait fort bien de quoi il voulait parler. Il n'avait rien contre. Après tout, ils n'allaient annoncer qu'une vérité. Jason était leur frère.

Cependant, il y avait une chose qu'il voulait claire et limpide entre Raymond et lui. Une autre vérité qui n'appartenait qu'à lui, mais que Raymond devrait accepter. La détermination se lisait dans chacun des traits de son visage quand il prit la parole:

— D'accord, je veux bien t'accompagner et je suis prêt à rencontrer Émilie. Mais jamais je ne pourrai t'appeler papa. Ce nom, c'est à lui qu'il appartient et il en sera ainsi jusqu'à la fin de mes jours. Je veux que ce soit très clair entre nous.

Tout en parlant, Jason s'était détourné et du doigt, il montrait Humphrey qui souriait sans fin dans son cadre argenté. Raymond inspira profondément. Il s'y attendait. Cela faisait quand même un peu mal. Les grandes retrouvailles et les accolades ne seraient pas pour eux. Il se contenta de poser la main sur l'épaule de son fils, à peine un effleurement, et de lui dire, la gorge nouée par l'émotion:

— Comme tu veux, Jason. De toute façon, jamais je ne t'aurais demandé ça.

Raymond s'était levé. Il fit les quelques pas qui le séparaient de la porte, posa la main sur la poignée et resta ainsi, immobile, durant quelques secondes avant de se retourner vers Jason qui l'observait toujours.

— Par contre, ajouta-t-il d'une voix chargée d'émotion, moi, j'ai trois filles et un fils et ça, vois-tu, ça ne changera jamais.

En disant ces mots, le regard de Raymond était particulièrement brillant des larmes qu'il tentait de retenir.

Ce soir-là, Jason ne fit pas ses devoirs.

Ils partirent le samedi suivant, à l'aube, pour être rendus à l'heure du souper. Charlotte les attendait et se faisait un plaisir de les recevoir chez elle. Antoinette avait un surplus d'ouvrage qui ne pouvait souffrir d'aucun retard et madame Deblois s'était plainte d'un mal de dos aussi vif qu'imprévu. Elles ne pourraient donc pas les accompagner. Jason flairait les prétextes à plein nez mais ne passa aucune remarque. Peut-être sa mère avait-elle raison de croire que son fils et Raymond avaient besoin de ce tête-à-tête.

D'un commun accord, ils avaient décidé de passer quelques jours chez Charlotte avant de s'installer chez Émilie pour la fin du séjour.

— Charlotte est au courant et elle t'attend. Je crois même qu'elle espérait ce moment-là depuis longtemps. Et puis tu la connais, n'est-ce pas?

Bien sûr, Jason l'avait souvent rencontrée. Mais le fait de savoir qu'elle était sa sœur changeait tout de même certaines perspectives.

L'accueil de Charlotte fut simple et chaleureux. Elle l'embrassa sur la joue, plongea son regard dans le sien et lui dit simplement:

— Tu es ici chez toi, Jason. La porte de cette maison est ouverte à toute ma famille et à celle de Jean-Louis. Maintenant, suis-moi. Je vais te montrer ta chambre.

L'accueil d'Émilie fut plus réservé. Raymond lui avait longuement parlé, dans l'après-midi du dimanche, et lorsqu'elle arriva chez Charlotte pour souper, il était évident qu'elle ne s'était pas encore fait une opinion. Elle tendit la main à Jason en rougissant, lui souhaitant maladroitement la bienvenue, puis elle s'éclipsa vers la cuisine.

Ce ne fut qu'à la toute fin du repas qu'un grand courant d'émotion réunit Jason à ses sœurs pour la première fois. Brusquement, sans le moindre signe avant-coureur,

Raymond se leva de table, bousculant sa chaise. Il s'excusa et quitta la pièce précipitamment. Charlotte fixa intensément Émilie puis se tourna vers Jason. Le nom d'Anne était dans toutes les pensées. Il ne manquait qu'elle pour que Raymond ait enfin toute sa famille auprès de lui. Lui aussi avait dû le remarquer.

Personne ne dit un mot.

Marc avait la tête penchée sur son assiette et Jean-Louis fit signe à Alicia de venir à la cuisine avec lui. Marc leur emboîta aussitôt le pas, visiblement soulagé de se soustraire à l'ambiance qui régnait dans la salle à manger.

Quand Jason se retrouva seul avec Charlotte et Émilie et que le bruit d'un sanglot filtra de la salle de bain, il se leva à son tour.

— Je vais tout faire pour retrouver Anne. Je vous le promets. Raymond mérite d'être enfin heureux.

Jason fut surpris lui-même par ses paroles. Depuis quand se souciait-il du bonheur de Raymond? Pourtant, jamais il n'avait été aussi sincère en disant quelque chose. Il resta immobile, perplexe, comme s'il cherchait quelques mots à ajouter, peut-être des mots qui n'existaient pas, puis s'excusant lui aussi, il quitta la pièce à son tour.

* * *

Jason avait profité de ce que Raymond passait quelques heures avec Marc à son bureau pour arpenter la ville dans tous les sens, seul, essayant de deviner où Anne avait pu aller pour se cacher. Elle avait si peu tracé le portrait de sa vie quand elle lui avait écrit au cours de la dernière année, se contentant d'exprimer sa colère devant tant d'injustice, qu'il ne savait trop comment orienter ses recherches. Il était toutefois persuadé qu'elle était ici, pas loin. Il avait le pressentiment qu'elle espérait être trouvée même si jamais elle n'aurait fait les premiers pas.

Il avait marché sans but précis, essayant de faire parler son instinct. Or, l'intuition qui l'avait amené à Montréal était maintenant silencieuse.

Après quelques heures de promenade inutile sous un ciel de plus en plus couvert, il entra dans un petit casse-croûte et demanda un café. Il ne pouvait continuer de marcher sans fin et sans but dans l'unique espoir de croiser Anne, par le plus providentiel des hasards, au coin d'une rue. C'était ridicule.

Mais où pouvait-elle être? Que pouvait-elle faire pour subvenir à ses besoins? Nul doute qu'elle devait travailler. Personne ne peut vivre de l'air du temps.

Jason s'employa alors à essayer d'imaginer ce qu'Anne avait pu trouver comme travail.

Que savait-elle faire?

La seule chose qui lui venait à l'esprit, c'était le mot « musique ». Tourné dans tous les sens, ausculté sous toutes ses coutures, la musique restait la seule certitude que Jason avait concernant Anne. Jamais elle ne pourrait résister longtemps sans musique.

Il se demandait encore comment elle avait pu survivre pendant un an, chez sa mère, sans son piano qui continuait de s'empoussiérer chez lui, près de la grande fenêtre du salon. Même madame Deblois avait refusé d'y toucher.

— Pas sans Anne! Elle est l'âme de ce piano. Je ne sortirai rien de bon de cet instrument sans ma petite Anne.

Charlotte lui avait bien révélé, répondant à son interrogation, qu'Anne jouait un peu sur le piano de l'école, qu'elle avait aussi pratiqué à l'église du quartier, Jason savait que ce n'était pas suffisant. Anne avait besoin de plus que cela pour être heureuse. Il fut surpris de voir que sa famille s'était contentée de cette vague réponse. Allons donc ! La famille Deblois ne connaissait-elle donc pas Anne comme lui la connaissait ?

Ce fut à cet instant qu'il eut l'idée de concentrer ses recherches autour des endroits où on pouvait entendre de la musique. À défaut d'en jouer, Anne y avait peut-être trouvé un refuge, une façon de survivre sans trop souffrir de l'ennui.

Où donc y avait-il de la musique dans une ville comme Montréal ?

Procures, bars, restaurants, parcs…

Le visage de Jason s'éclaira. Voilà où chercher Anne. Elle s'était peut-être trouvé du travail dans un de ces endroits. Elle avait du talent et faisait plus que son âge. Elle pourrait donc être n'importe où dans le monde musical de Montréal.

Levant la main, il demanda à la serveuse qu'on lui apporte un bottin, du papier et un crayon.

Il passa plus d'une heure à éplucher le bottin, prenant des notes, divisant les commerces par quartier, relevant des adresses. Il ne voulait pas se contenter d'appeler, il voulait se présenter lui-même, bardé d'une photo d'Anne et de la conviction profonde d'un frère qui aime sa sœur. Personne ne pourrait rester insensible à sa présence, il s'en était convaincu.

De prime abord, il élimina certains quartiers jugés trop dangereux. Jamais Anne ne s'installerait dans un coin de la ville où elle risquait d'être reconnue.

De la même façon, au nom des commerces qu'il avait

sous les yeux, l'ouest semblait aussi un endroit peu attirant pour celle qui avait tant tempêté devant l'anglais.

Ce qui ne lui laissait pas beaucoup de marge de manœuvre. Le sud de la ville, peut-être quelques commerces dans l'est et d'autres dans le nord, à gauche de la rue Saint-Denis... S'il ne trouvait rien là, alors il irait vers l'ouest. Mais ce serait en dernier recours.

Armé de sa bonne volonté et d'un espoir plus grand que lui-même, Jason quitta le restaurant et emprunta la rue Saint-Laurent pour descendre vers le sud.

Il n'eut pas à chercher longtemps. Le second commerce, une procure ayant pignon sur la rue Sainte-Catherine, apporta enfin une éclaircie.

Le propriétaire le regarda en fronçant les sourcils, comme s'il cherchait dans sa mémoire.

— Anne Deblois, vous dites? Vous la cherchez? Et quelle raison aurais-je de vous répondre?

Le cœur de Jason battait la chamade.

— Je m'appelle Jason Douglas. Je suis son frère. Tenez! J'ai une photo de nous deux.

Extirpant un portefeuille racorni de la poche arrière de son pantalon, le jeune homme sortit précautionneusement un instantané où l'on voyait deux jeunes gens sur une plage. Robert Canuel cacha son embarras en se penchant sur la photo. Nul doute, il s'agissait bien de mademoiselle Anne, souriante comme il ne l'avait jamais vue sourire. C'était la première fois qu'il lui trouvait un air vraiment heureux, sans la moindre ambiguïté. Mais alors, pourquoi ce nom, Douglas, s'il était son frère? Monsieur Canuel leva les yeux, intrigué.

— Vous dites que vous êtes son frère?

Jason se sentait observé comme un insecte bizarre, jusqu'à maintenant inconnu.

— Oui… Je suis son frère… En fait, pour être plus précis, je suis son demi-frère, bafouilla-t-il en rougissant. Alors ? La connaissez-vous ? L'avez-vous vue récemment ?

Monsieur Canuel posa la photo sur le comptoir mais laissa la main dessus comme s'il ne voulait pas que Jason la reprenne.

— Je la connais, oui. Par contre, je ne l'ai pas vue récemment. Pas depuis le milieu du mois d'août. Pendant quelques mois, elle a joué de la musique pour moi, là, dans la vitrine. Elle était appréciée de la clientèle. Puis un matin, elle n'est pas venue et je ne l'ai jamais revue.

Jason se sentait fébrile. Toute une partie de la vie d'Anne venait de sortir de l'ombre. C'était ici qu'elle avait assouvi sa faim de musique. Il savait bien que l'école n'était pas la véritable réponse. Pour une seconde fois en quelques heures à peine, il fut surpris de voir à quel point la famille d'Anne la connaissait mal. Puis il dévisagea le propriétaire de la procure. Il lui sembla un brave homme. Un homme à qui Anne aurait pu faire confiance. Ce serait donc ici qu'elle reviendrait si elle était trop malheureuse, il en était persuadé.

— Pourriez-vous me rendre un service ? Pourriez-vous dire à Anne, si jamais vous la voyez, que son frère la cherche ? Que Raymond… que son père s'ennuie d'elle et voudrait lui parler ? Pas besoin d'en dire plus, elle va comprendre.

Monsieur Canuel resta silencieux, la tête penchée sur la photo pour que le jeune homme, ce Jason, ne puisse voir la rougeur qui lui était montée au visage. Puis il se décida enfin à parler, du bout des mots, à la surface des choses, même si son cœur criait de douleur parce qu'Anne n'avait pas cru bon de se confier à lui.

— Je peux, oui, promit-il vaguement. Mais comme je vous l'ai dit, cela fait quand même un bon moment que je ne l'ai pas vue.

Jason balaya l'objection d'un haussement d'épaules.

— C'est sans importance. Je sais qu'elle reviendrait si la musique lui manquait trop.

Il jeta un regard autour de lui.

— Cet endroit lui ressemble. Je suis persuadé qu'elle était heureuse, ici.

— Si vous le dites.

Robert Canuel regarda le jeune homme s'éloigner avec une grande ambivalence dans le cœur. Et des milliers de questions. Mais la certitude de savoir qu'Anne ne l'avait pas laissé par manque d'intérêt primait. Il était évident qu'elle était en fugue et que cette fugue avait été provoquée par un problème familial. Qu'est-ce que cela pourrait être d'autre? Pour lui, c'était criant de vérité. On ne s'appelle pas Douglas et Deblois quand on est frère et sœur et qu'on a le même âge. Il était soulagé et blessé. Déçu de voir qu'Anne n'avait pas songé à se confier à lui. Cependant, si la jeune musicienne se terrait dans Montréal, comme on semblait bien le croire, il la trouverait. Quand bien même il devrait soulever tous les cailloux de toutes les rues…

Quand Jason quitta la procure, il ressentait un réel soulagement. Il y avait, quelque part dans la ville de Montréal, un havre où Anne pourrait se réfugier.

C'était l'ébauche d'un certain espoir. C'était peu, c'était mieux que rien. Pour aujourd'hui, cela lui suffirait. Demain, il continuerait à chercher du côté des bars et des restaurants et s'il faisait beau, il irait aussi dans les parcs.

Il remonta la rue Saint-Denis et s'installa au coin de la rue

Sherbrooke pour attendre l'autobus qui le mènerait plus au nord.

Il avait hâte de parler à Émilie puis à Raymond quand il reviendrait du bureau. Ensemble, ils allaient finir par la trouver, même si les policiers que Raymond avait rencontrés semblaient persuadés qu'Anne n'était pas à Montréal.

— Pour nous, c'est clair, la lettre prouve qu'elle n'est pas ici.

Jason, lui, n'y croyait pas. Anne était peut-être passée par New York, mais elle ne s'y était pas arrêtée.

Il passa la demi-heure suivante, passant d'un autobus à l'autre, à élaborer mille et une conclusions à l'escapade d'Anne. Bientôt, ils seraient tous réunis, c'était évident.

Cependant, l'euphorie provoquée par la rencontre avec le propriétaire de la procure ne résista pas à l'atmosphère qui régnait dans la maison d'Émilie. La journée était sombre, les nuages étaient apparus vers onze heures et s'étaient chevauchés à la grandeur du ciel tout le long de l'après-midi. En dépit de cela, personne n'avait songé à faire un peu de clarté dans la maison. Déçu de n'avoir personne à qui raconter sa découverte, Jason fit quelques pas.

— Il y a quelqu'un ?

Il tendit l'oreille, mais le seul bruit qu'il semblait percevoir était des sanglots. Curieux, inquiet, il grimpa l'escalier. Aurait-on appris quelque chose d'important concernant Anne ?

Les pleurs venaient de la chambre du bébé. Intimidé, Jason n'osait avancer. Puis brusquement, la curiosité l'emporta. Il frappa doucement et sans attendre de réponse, il ouvrit la porte.

Émilie berçait le petit Dominique, face à la fenêtre, le regard perdu devant elle. Elle pleurait.

— Quelque chose ne va pas?

Jason avait l'impression qu'il venait d'entrer dans un sanctuaire. La chambre sentait bon le talc pour bébé. Une ribambelle d'oursons multicolores galopaient sur les murs et il entendait les gazouillis du bébé qui ne semblait pas du tout perturbé par les pleurs de sa mère. Au contraire. Pendant un moment, Jason eut le sentiment que Dominique cherchait à consoler Émilie. Jason eut alors la certitude que les larmes d'Émilie n'avaient rien à voir avec Anne. Elle ne se serait pas réfugiée ici si elle s'était inquiétée pour sa sœur.

Il s'approcha d'elle.

— Quelque chose ne va pas? demanda-t-il pour la seconde fois, d'une voix très douce, ne voyant vraiment pas ce qu'il pourrait dire d'autre.

Émilie tourna son visage vers lui. Il était rouge et congestionné. Visiblement, cela faisait un long moment qu'elle pleurait. Elle renifla et s'essuya le visage du revers de la main avant de répondre d'une voix éraillée, soulevant une épaule tremblante.

— Non, ça va.

Puis les larmes recommencèrent de plus belle.

— Non, se reprit-elle dans l'instant. Non, ça ne va pas.

Jason avait l'impression de se retrouver devant un torrent gonflé par la crue des eaux tellement Émilie semblait fébrile. Les mots se bousculaient sur ses lèvres sans qu'elle soit capable de les retenir.

— J'ai l'impression d'être déchirée en dedans. Tout ce que je croyais stable est en train de s'effriter. Tu veux savoir ce qui ne va pas? J'ai peur, Jason. J'ai peur que le jour où mon bébé va naître, je ne serai plus capable d'aimer Dominique. Et je n'aime pas ça. Regarde-le! C'est un merveilleux petit garçon, gentil, rieur et il mérite mieux qu'une maman incapable de l'aimer. Alors je me dis qu'il vaudrait peut-être mieux que j'aille le reporter à la crèche avant qu'il ne soit trop tard. Quelqu'un d'autre saura l'aimer à ma place. Mais d'un autre côté, je sais que les risques de perdre mon bébé sont grands. Je n'ai jamais été capable de mener une grossesse à terme, jamais. Alors qu'est-ce que je vais devenir si je n'ai plus Dominique et que je perds mon bébé ? Je crois que j'en mourrais.

Les derniers mots d'Émilie sortirent péniblement comme étranglés par sa gorge devenue trop étroite tellement elle pleurait.

Jason ne savait que dire. Il n'y connaissait rien. Il ne pouvait même pas tenter d'imaginer, car il n'était pas une femme. Qu'est-ce qu'on pouvait bien ressentir quand on avait un enfant en soi ? Était-ce aussi intense, exclusif, que ce que l'on ne pouvait que deviner vu de l'extérieur ? La seule chose qu'il savait, c'était les mots que sa mère avait déjà employés pour parler de sa naissance. Elle avait dit de lui qu'il avait été la plus grande joie de sa vie.

Par contre…

Jason prit une profonde inspiration avant de s'accroupir près d'Émilie. Incapable de résister, il passa un doigt sur la joue de Dominique qui lui répondit d'un sourire.

Par contre, il pouvait parler des découvertes qu'il était en train de faire. Il pouvait dire qu'il avait constaté que l'amour avait mille et un visages. Il pouvait lui confier que jamais il n'aurait pu savoir qu'un jour, Raymond aurait de l'importance à ses yeux. C'était pourtant ce qui était en train de se produire. Jamais l'amour qu'il avait ressenti pour Humphrey ne serait remis en cause. Mais en même temps, il avait compris que la vie lui faisait le cadeau d'un autre père qu'il pourrait aimer à sa façon.

Et ce fut ce qu'il lui raconta. Malhabilement, avec des mots de garçon de seize ans pour qui les émotions sont souvent des accessoires inutiles. Jason fouilla jusqu'au fond de lui, faisant taire sa pudeur, pour inventer les paroles qui apprendraient à Émilie qu'elle n'avait pas à s'inquiéter. Si elle ne découvrait pas la façon de faire, son cœur, lui, saurait s'y prendre pour que Dominique garde sa place.

Émilie buvait les paroles de Jason. Les larmes avaient cessé de couler et elle reniflait par petits coups, un doigt emprisonné dans la menotte de Dominique.

— J'ai passé des mois à refuser de penser à Raymond autrement qu'en le voyant comme un usurpateur. Pour moi, il cherchait à voler une place qui ne lui appartenait pas. Puis un jour, je l'ai vu pleurer pour Anne. Je l'ai vu s'inquiéter et même s'en prendre à moi parce que je ne lui avais pas dit tout ce que je savais. C'est ce jour-là, à travers les paroles blessantes, que j'ai compris que Raymond était un père, un vrai, et que j'avais peut-être de la chance qu'il accepte de croiser ma route. Jamais je ne pourrai l'appeler papa, et il le sait. Mais au-delà de ce mot et de l'amour que j'y attache, peut-être pourrons-nous devenir amis. C'est juste ça que je veux te dire. Ne laisse pas partir Dominique et fais-toi confiance. Fais confiance aux émotions que tu ressens pour lui.

Quand Jason quitta Montréal pour retourner chez lui, il savait qu'il laissait derrière lui une grande partie de son cœur.

Il n'avait pas trouvé Anne.

Il en était malheureux. L'impétuosité de ses seize ans avait vraiment cru qu'il dénicherait sa cachette. Il ne lui restait plus qu'un espoir, et c'était monsieur Canuel. Sans avoir eu la moindre confirmation en ce sens, il savait cependant que cet homme veillerait et chercherait à sa place.

Il était retourné à la procure, hier matin, sachant que son départ était imminent, et le propriétaire lui avait assuré qu'il appellerait s'il voyait Anne. Il avait déposé dans la caisse enregistreuse les numéros de téléphone au Connecticut que Jason lui avait inscrits sur un petit papier.

— Promis. Si je la vois, je lui fais le message que vous la cherchez et je vous appelle.

Jason avait la conviction qu'il ferait plus que cela. Il l'avait vu dans le regard de l'homme. Il y avait une tendresse infinie qui traversait ce regard quand il prononçait le nom d'Anne. Une tendresse qui ressemblait à la sienne. Et quand on tient à quelqu'un à ce point, on ne fait pas juste attendre. Sans savoir d'où lui venait ce sentiment, Jason lui faisait confiance.

Légèrement rassuré quant au sort d'Anne, Jason s'appuya contre la portière en fermant les yeux.

La route serait longue.

Elle serait d'autant plus longue qu'une bonne part d'inquiétude l'accompagnerait pour traverser les bois du Vermont et les petites villes industrielles du New Hampshire et du Massachusetts.

Car il ne laissait pas juste Anne derrière lui. Il laissait aussi deux femmes qu'il connaissait bien peu. Deux femmes qui étaient ses sœurs et qu'il voyait entourées d'ombre et de secrets.

Émilie qui l'avait embrassé en le remerciant. Elle avait même eu quelques mots qui l'avaient bouleversé.

— Je ne savais pas qu'avoir un jeune frère pouvait être si important. En fait, je n'étais pas du tout certaine d'avoir envie d'avoir un frère. Puis tu es venu et je ne savais pas quoi faire de toi. Et tu m'as parlé. Merci. Merci d'être là. Merci de m'avoir parlé comme tu l'as fait.

Quelques instants plus tard, elle avait ajouté :

— Ce sera notre secret. Je ne voudrais pas que Marc sache qu'un jour j'ai pleuré parce que j'avais peur de ne pas avoir assez d'amour pour deux enfants. Ça le blesserait et je ne veux pas blesser l'homme que j'aime. Un jour, je lui en parlerai. Mais pas maintenant.

Jason n'avait rien dit et sur cette route qui le ramenait chez lui, il emportait le secret qui le liait à Émilie.

Comme il emportait le sourire un peu triste de Charlotte.

Pourtant, il avait longtemps cru que Charlotte était la plus épanouie des trois sœurs. À la côtoyer jour après jour, il avait trouvé qu'elle semblait portée par une tristesse indéfinissable. « On dirait qu'elle est née triste » pensa-t-il, bougeant sans cesse, cherchant une position confortable.

Il aurait voulu avoir plus de temps pour mieux les connaître. Pour connaître aussi leur mère, cette Blanche, dont on ne parlait jamais. Elle devait savoir, elle, pourquoi ses filles étaient si différentes des autres filles qu'il rencontrait. Comme si, chacune à sa façon, les trois sœurs Deblois n'étaient pas capables d'être heureuses.

Le temps de se dire que c'était dommage, Jason s'endormait enfin, la tête ballottée par le roulement de l'auto qui filait vers chez lui.

Quand Raymond entendit la respiration de Jason devenir de plus en plus profonde et régulière, il tourna le bouton de la radio pour trouver un poste local. Lui aussi, il laissait beaucoup derrière lui. Malgré cela, il était quand même satisfait de son voyage.

Lui aussi avait la conviction profonde qu'Anne était à Montréal et quand Jason avait parlé de monsieur Canuel, il s'était retenu pour ne pas se précipiter à la procure.

Mais il y avait Jason. Jason à qui il devait prouver qu'il lui faisait confiance. Il s'était donc fié à sa parole et son fils avait semblé l'apprécier.

Raymond poussa un long soupir.

Quand donc viendrait le jour où il aurait enfin toute sa famille auprès de lui ?

## Chapitre 14

# *Les chemins tortueux*

Blanche avait appris l'horrible nouvelle par Émilie.

Elle était restée de marbre, donnant l'image d'une femme stoïque, forte, indestructible. N'avait-elle pas toujours été une mère remarquable et compréhensive aux yeux d'Émilie ?

Mais dès après son départ, Blanche s'était affalée dans un fauteuil où elle était prostrée depuis des heures.

Ainsi donc, Antoinette avait gagné, elle avait été la plus forte.

Elle avait donné un fils à son mari.

Jason…

Cet enfant qu'elle ne connaissait pas, elle le détestait du plus profond de son être. Il venait tout balayer, tout détruire.

C'était forcément à cause de lui que, sans la moindre hésitation, Raymond s'était bâti une nouvelle vie aux côtés d'Antoinette.

Il s'était forgé une nouvelle famille, édifié une nouvelle existence à partir de ce fils et même ses filles l'avaient suivi.

Toutes ses filles.

Blanche eut un frisson incontrôlable en se le répétant.

Toutes ses filles s'étaient ralliées à leur père.

Mais que s'était-il passé pour qu'elle perde le contrôle de sa famille à ce point ? Elle avait l'impression d'avoir dérapé sur une plaque de glace placée juste sous ses pieds, par exprès.

Un scénario mené de main de maître par une femme sans scrupules qui lui avait volé non seulement son mari mais aussi ses filles.

Antoinette.

Elle s'en était toujours méfiée sans toutefois y mettre trop d'importance. Elle n'était que la maîtresse. Elle aurait plutôt dû la combattre, la bannir de leur vie au lieu de la tolérer. Or, non seulement elle l'avait tolérée, elle avait même fermé les yeux sur l'aventure que Raymond avait eue avec elle. Elle jugeait même que cela lui convenait puisque cela tenait son mari à une distance respectable de leur lit conjugal.

Quelle idiote elle avait été!

Mais comment aurait-elle pu se douter qu'un jour, ce seraient ses filles qu'elle perdrait au change?

Charlotte, il y avait longtemps qu'elle en avait fait son deuil. Elle avait toujours été la fille de Raymond avant d'être la sienne. Le fait qu'elle s'était rangée derrière son père ne la surprenait pas. Elle comprenait maintenant pourquoi elle ne l'appelait jamais.

Blanche ne s'y attarda pas. Sauf pour se dire qu'elle avait bien fait de ne pas se présenter à son mariage. Elle n'avait été invitée que par pure politesse et son absence avait dû soulager tout le monde. À commencer par elle-même.

Quant à Anne, ce n'était guère mieux. Elle n'avait jamais compris cette enfant-là. Elle était si différente, si déconcertante.

Elle avait surtout été si dérangeante, bousculant tout sur son passage, arrivant dans une existence que Blanche trouvait déjà difficile à l'époque de sa naissance.

Puis voilà qu'elle venait de s'enfuir. Anne l'avait abandonnée pour une banale question d'école.

Blanche ne comprenait pas.

Pourquoi Anne n'avait-elle pas tout simplement parlé? Pourquoi Anne s'entêtait-elle à toujours se taire, à toujours bouder? Elles auraient pu discuter, arriver à un compromis.

À moins qu'Anne n'ait cherché à lui faire passer un message!

Blanche se redressa imperceptiblement sur le fauteuil, agacée par l'idée qui lui avait traversé l'esprit. Elle jongla un instant avec cette possibilité puis s'y abandonna avec plaisir, presque soulagée de trouver enfin un sens valable à la fugue d'Anne. Sa fille s'était servie du prétexte de l'école pour lui passer un message.

Celui qu'elle la reniait, qu'elle reniait la vie qu'elles menaient ensemble. Elle avait fui pour opérer une scissure non seulement dans leur vie à deux mais aussi dans l'intégrité de leur vie familiale.

C'était un complot bien ficelé.

Après, quand tout le monde se serait bien moqué de Blanche, Anne rejoindrait son père et son frère. Elle devait bien se douter que maintenant que son père avait un fils, qu'elle-même avait un frère, sa mère n'aurait plus la force de se battre.

Les épaules de Blanche s'affaissèrent. Anne n'avait pas tort si elle pensait qu'Antoinette avait été la plus forte.

Elle avait gagné sur tous les tableaux, en trichant avec la fourberie que seule une maîtresse pouvait concevoir.

La grosse Antoinette avait porté le fils de Raymond.

Blanche n'était plus à la hauteur. Elle ne pouvait plus endosser son statut de mère comme une armure inviolable, on la lui avait volée. Anne avait commencé à la lui prendre quand elle avait vécu toute une année aux côtés d'Antoinette et de Jason. Le désaveu avait commencé avant même que Blanche en prenne conscience. Aujourd'hui il était trop tard pour faire marche arrière. Elle avait perdu, tout perdu.

De la part d'Anne, cette attitude sournoise et hypocrite ne la surprenait pas. Anne avait toujours été une enfant vicieuse.

Mais Émilie…

Juste à penser au nom de cette fille qu'elle aimait tant, Blanche sentit monter dans sa gorge un dur sanglot qui lui coupa le souffle. Elle se plia en deux, mordant ses poings pour ne pas crier de douleur.

Même Émilie lui avait échappé.

Elle avait parlé de Jason en termes sobres mais affectueux. Il était évident qu'Émilie aussi s'adaptait à la nouvelle situation proposée par Raymond.

Maintenant, elle comprenait tout.

Émilie avait commencé à la trahir, elle aussi. Voilà pourquoi elle ne suivait plus ses conseils et n'en faisait qu'à sa tête.

Cette idée de vouloir être enceinte devait venir de là. Le prétexte de dire que cette grossesse était un accident ne tenait plus. À sa façon, Émilie la défiait, lui faisait comprendre qu'elle n'avait plus besoin d'elle. Pourtant, elles en avaient longuement discuté quand le petit Dominique était entré dans sa vie. Même si elle avait dit à sa fille qu'elle trouvait cette arrivée un peu prématurée, elle se réjouissait de voir qu'Émilie avait compris qu'elle n'était pas faite pour porter des enfants.

Blanche se rappelait très bien qu'à cet instant, le regard d'Émilie s'était voilé. Elle avait ouvert la bouche comme si elle avait voulu dire quelque chose puis s'était ravisée en détournant la tête. Blanche s'était dit que sa fille était triste à cette idée, ce qui était normal. Toute femme rêve de porter un enfant. Savoir qu'on en est incapable n'est pas facile à accepter. Émilie était donc désolée, affligée même, mais elle était raisonnable. Comme Blanche lui avait appris à l'être. Une femme malade n'est pas une femme comme les autres.

Aujourd'hui, l'attitude d'Émilie n'avait plus rien à voir avec la nostalgie.

C'était de l'hypocrisie. Émilie devait savoir depuis longtemps qu'elle était enceinte et elle l'avait narguée en lui taisant sa condition si longtemps.

Aveuglée par l'amour inconditionnel qu'elle ressentait pour sa fille, Blanche n'avait rien vu.

Aujourd'hui, Émilie ne l'écoutait plus. Elle était enceinte et elle allait y laisser sa santé, sinon la vie. Pourquoi ne s'était-elle pas contentée du gentil Dominique comme elle le lui conseillait ?

La réponse lui sautait aux yeux, implacable.

Parce qu'Émilie ne lui appartenait plus. Émilie avait maintenant une autre famille. Celle que son père lui offrait sur un plateau d'argent. Voilà la raison qui faisait qu'Émilie s'éloignait de plus en plus.

Or, sans Émilie, elle n'avait plus rien.

Blanche s'était lentement redressée et regardait autour d'elle comme si elle espérait y découvrir un secret qui pourrait effacer la douleur d'être.

Il n'y avait que le néon rouge de l'épicerie qui clignotait, railleur.

Il n'y avait que des souvenirs douloureux étouffant les quelques instants rayonnants de sa vie.

Blanche s'était mise à se balancer inconsciemment sur

son siège, à défaut d'être bercée comme elle en aurait tant eu besoin alors qu'elle avait mal à crier. Elle ne se rappelait pas avoir jamais été bercée ou cajolée par sa mère. Sa vie avait été un désert aride, sans amour, sans affection. Seul son père avait eu des gentillesses à son égard, mais il ne lui avait jamais dit qu'il l'aimait. Pas plus que sa mère d'ailleurs qui avait traversé sa vie comme une ombre grise, sans importance.

Et dire que ses frères voulaient toujours qu'elle aille la voir.

Blanche n'en avait pas envie.

La prochaine fois qu'elle les verrait, elle le leur dirait.

Et tant pis si le prix à payer était la solitude, car elle se doutait qu'ils lui en voudraient.

Le mot « solitude » flotta dans la pièce comme le fantôme d'une réalité trop longtemps caressée. Blanche avait passé sa vie à être seule. Elle s'était battue contre tous pour être comprise, aimée, mais personne ne l'avait écoutée.

Jamais.

Que s'était-il passé pour que tout lui échappe ? Pour qu'il ne lui reste plus que des larmes amères et un semblant de liberté ?

Blanche ne le savait pas.

Elle s'accrocha au mot « liberté » qui avait flotté dans son esprit un instant pour ne pas couler à pic. Elle avait besoin d'une bouée, d'un phare dans les ténèbres qui l'engloutissaient.

Le seul beau côté à cet abandon général, à cette solitude entrevue, c'était la liberté.

Plus d'inquiétude, plus de sacrifices, plus de contraintes, elle n'était plus la mère.

Elle n'était plus rien qu'une épave flottant quelque part sur l'océan de ce qu'on appelait la vie.

Blanche eut un rire étouffé qui ressemblait à un ricanement moqueur.

— Qu'est-ce que la vie ? murmura-t-elle en se relevant du fauteuil où elle était en train de s'ankyloser. Un grand mot vide. Ce n'est qu'une supercherie ! Je préfère être une épave plutôt qu'une femme malheureuse. Une épave ne vit plus, elle flotte au gré des marées ! Je vais me laisser flotter sur les vagues de l'indifférence des autres. Voilà ce que je vais faire. Ils ne m'atteindront plus, ne me toucheront plus.

L'envie de boire fut subite et irrépressible. Blanche en fit son bonheur d'un instant.

Depuis l'autre soir, en août, elle avait réussi à se retenir. Le porte-monnaie qu'elle avait retrouvé vide le lendemain matin, l'inquiétude qu'elle avait ressentie pour Anne, la culpabilité qu'elle avait éprouvée sans vouloir se l'avouer, l'avaient retenue.

Elle y avait puisé un semblant de fierté. Le jour où Anne reviendrait, elles pourraient toutes les deux repartir à zéro. Elle voulait y croire.

Ce soir, tout cela n'avait plus aucun sens.

Elle n'avait plus à s'inquiéter, elle n'avait plus d'avenir.

Et seule, elle aurait suffisamment d'argent pour arriver.

Pourquoi se priver ? Même si elle savait qu'au fond du verre elle rejoignait toujours le même fantôme insaisissable qui lui faisait signe, il ne lui restait plus que l'alcool comme réconfort. Malgré la douleur qui venait toujours en premier, cette brûlure qui descendait le long de sa gorge, le long de son âme, cet instant magique où plus rien n'avait d'importance était toujours présent.

Après la culpabilité, venait toujours cette espèce d'euphorie qui précédait l'insouciance et, à ce moment-là, elle était heureuse.

C'était le seul bonheur qui lui restait. Fragile, ne s'offrant à elle qu'après les remords et la douleur. Mais fidèle d'une fois à l'autre.

L'instant de grâce où plus rien n'avait d'importance.

Blanche se prépara à sortir.

Novembre était glacial, elle devrait bien se vêtir.

Pour ce soir, juste pour cette fois, elle tenterait de retrouver le petit bar où elle s'était réfugiée la nuit où elle cherchait Anne.

Parce que ce soir, elle avait décidé de fêter sa liberté retrouvée au lieu de pleurer une solitude qu'on lui imposait.

Demain, elle passerait à la Commission des liqueurs pour se procurer une bouteille. Elle n'avait pas les moyens de se retrouver dans un bar trop souvent.

Mais elle aurait peut-être les moyens de s'offrir un peu de bonheur chaque jour.

Chaque soir quand la pénombre arriverait, quand la noirceur rendrait les souvenirs plus réels, plus douloureux, Blanche sortirait sa bouteille pour oublier qu'elle avait toujours eu peur du noir. Quand la solitude lui tomberait sur les épaules, lourde comme une chape de plomb, elle sortirait la bouteille pour avoir un peu de compagnie …

Désormais, elle ne boirait plus, elle s'offrirait sa dose d'oubli. Ce n'était pas pareil.

Ce n'était plus un caprice ou un vice.

Avec l'arrivée de Jason, c'était devenu une question de survie.

* * *

Pendant un mois, Anne s'en était contentée. Le quatuor de blues était agréable à entendre et, deux fois par semaine, elle s'était attablée devant un cola qu'elle ne buvait pas, juste pour le plaisir de les écouter. Le serveur n'avait jamais insisté pour qu'elle prenne autre chose et elle n'avait jamais dépassé l'heure du couvre-feu. Alors madame Bolduc n'avait jamais posé de questions indiscrètes sinon qu'elle avait appris qu'Anne adorait la musique et qu'elle s'offrait à l'occasion un petit concert dans une boîte sympathique.

Anne passait des heures merveilleuses, l'esprit emporté par les notes dans cet univers sonore qui lui était familier, réconfortant. Elle revenait jusqu'à la pension de madame Bolduc portée par son rêve de n'avoir que la musique dans sa vie. Un jour, ce serait elle qui jouerait. Ce serait elle qu'on voudrait entendre.

Ces soirs-là, elle s'endormait en composant des symphonies !

Un mois avait passé et le quatuor avait terminé son engagement sans qu'Anne n'ait eu le courage de leur parler, de leur demander où ils joueraient par la suite. Elle allait les regretter. En sortant du bar, ce soir-là, elle remarqua une photo collée dans le coin de la vitrine qui annonçait qu'une certaine Muriel prendrait l'affiche la semaine suivante. Accoudée à un piano, une femme sans âge défini souriait avec insolence, les lèvres entrouvertes. Elle était habillée d'une robe noire au profond décolleté et tenait un micro dans une main. Anne laissa donc la curiosité remplacer l'attente habituelle et compta les jours qui la mèneraient au jeudi suivant.

Ce soir-là, dans une salle bondée, enveloppée de la fumée des cigarettes et partageant sa table avec des étrangers qui buvaient de l'alcool et qui applaudissaient trop fort, Anne comprit que sa légitime envie de faire de la musique était devenue jalousie.

Ce n'était plus un orchestre qu'elle entendait, c'était du piano. Toutes ces mélodies, elle aurait pu les jouer elle-même, sans partition. Les quelques mois passés en compagnie de monsieur Canuel lui avaient entrouvert les portes d'un univers musical nouveau où elle avait rapidement progressé parce qu'elle s'y sentait à l'aise. Cette Muriel jouait le même genre de musique et pas mieux qu'elle.

Anne avait fermé les yeux pour que personne ne puisse remarquer les larmes de rage qu'elle sentait poindre au bord de ses paupières.

Ce n'était pas juste que cette femme ait le droit de jouer du piano alors qu'elle-même en était privée. Était-ce le simple fait de chanter qui lui donnait ce droit ?

Dépitée, Anne revint à la pension à pas lents.

Elle ne savait pas chanter et probablement que cela ferait toute la différence. Personne ne voudrait jamais d'une joueuse de piano sinon comme accompagnatrice. Mais encore faudrait-il qu'elle connaisse une chanteuse !

Quand elle finit par s'endormir, les notes d'un requiem résonnaient dans sa tête. Ce n'était pas avec son salaire de misère qu'elle allait pouvoir se faire connaître. Juste la robe de cette Muriel devait coûter une fortune…

Pour la première fois, le lendemain, elle se fit porter malade. Elle avait mal dormi et ce n'était là qu'un demi-mensonge. Elle ne se sentait vraiment pas bien.

Madame Bolduc lui apporta un bouillon de poule et lui

fit remarquer qu'elle avait légèrement monté le chauffage.

— J'ai pas envie d'avoir une grippe sous mon toit, expliqua-t-elle en remontant les couvertures jusqu'au menton d'Anne qui trouvait bien agréable de se faire dorloter. Si vous l'avez trop forte, c'est alors que tout le monde l'attraperait et j'ai pas de patience pour les malades. Je l'ai épuisée auprès de mon défunt mari.

Anne savait fort bien qu'elle ne couvait pas une grippe. C'était un mal à l'âme qui menaçait de devenir endémique. Elle voulait jouer, c'était devenu une urgence.

Elle passa la journée au lit, pensant à monsieur Canuel, à madame Mathilde, à son vieux professeur si gentil au Connecticut. C'était grâce à eux qu'un jour, elle avait découvert la passion de la musique. Elle n'avait pas le droit de la laisser s'éteindre.

Elle devait continuer, pour elle comme pour eux. Et pour ce faire, elle devait trouver un piano.

Malheureusement, à première vue, elle ne pouvait revenir en arrière pour aller frapper à la porte de ceux qui l'avaient aidée auparavant. Le Connecticut était trop loin et de toute façon, elle s'était juré qu'elle n'y mettrait plus jamais les pieds. Quant à madame Mathilde, elle ne l'avait pas revue depuis de longs mois, plus d'un an en fait, et elle n'avait pas les moyens de payer des cours qui ne correspondraient probablement plus au genre musical qu'elle affectionnait. Madame Mathilde était peut-être au fait des nouvelles tendances, mais elle n'en restait pas moins une inconditionnelle du grand classique.

Et cette gentille dame connaissait un peu trop bien ses parents.

Ne restait plus, à ses yeux, que monsieur Canuel qui

aimait la même musique qu'elle et qui ignorait tout de sa famille.

Anne passa l'après-midi à penser à lui, à s'inventer mille scénarios où ils se retrouvaient, heureux de se revoir, heureux de refaire de la musique ensemble.

Un peu surprise, Anne s'aperçut qu'il était la personne dont elle s'ennuyait le plus. Même Charlotte et Émilie ne lui manquaient pas autant que cet homme généreux qui lui avait ouvert la porte de sa procure et de son petit atelier de musique. Il y avait eu entre eux, l'espace de quelques saisons, une communion totale à travers les notes. De toute sa vie, elle ne s'était jamais sentie aussi proche de quelqu'un qu'elle l'avait été de Robert Canuel. Il l'inspirait, la motivait, la guidait.

Et petit à petit, à travers les souvenirs qui refluaient en elle, Anne comprit qu'elle avait besoin de lui. Non seulement pour la musique qu'ils faisaient ensemble mais pour sa présence unique, si complémentaire à ce qu'elle était. Sa tranquillité, sa discrétion, sa passion pour la musique lui manquaient terriblement.

Mais comment revenir dans le temps et tout effacer ? Lui avait-il pardonné sa désertion du mois d'août ? L'avait-il remplacée dans la vitrine ? Avait-il continué de composer ? L'avait-il oubliée ?

Anne avait peur de trouver les réponses à toutes ces questions. Elle avait peur d'être horriblement déçue. Des déceptions à son compte, il y en avait à revendre. Une de plus aurait été, à ce moment de sa vie, une de trop.

Anne finit par s'endormir avec la conviction profonde qu'elle s'était piégée elle-même et que même si elle rêvait de revoir monsieur Canuel, il était probablement trop tard pour le faire.

Ce fut au réveil qu'elle entrevit une solution possible.

Pourquoi se donner tant de mal à chercher et chercher alors que la réponse est parfois juste au bout de son nez?

Anne sauta en bas du lit, le moral remis au beau fixe. Pas plus tard que ce soir, elle saurait si elle avait raison. Il y avait peut-être une solution à son problème de musique.

Et quand celui-ci serait réglé, elle verrait ce qu'elle pouvait faire pour revoir monsieur Canuel.

Elle se présenta à la boutique de confection avec un large sourire. Dès le travail terminé, elle s'occuperait de ses choses personnelles. Un piano, il y en avait un et pas si loin que cela!

À cinq heures précises, Anne franchissait la porte de la boutique et remontait l'avenue, droit devant elle.

Malgré la détermination qui pouvait se lire sur son visage, Anne n'en menait pas large. Depuis quelques mois, elle n'avait pas eu le choix de prendre sur elle pour foncer afin de subvenir à ses besoins, mais tout au fond d'elle-même, Anne n'aimait pas foncer. Elle avait toujours peur d'être reconduite. Elle avait toujours peur que l'on se moque d'elle. Immanquablement, quand elle avait à faire les premiers pas, elle entendait la voix de Blanche qui lançait son inimitable *insignifiante.*

Cette fois-ci n'échappa nullement à la règle.

Arrivée devant le petit bar où elle aimait à se retrouver, Anne ralentit le pas, jeta un coup d'œil à la dérobée dans la pénombre intérieure, constata qu'il n'y avait personne à part le serveur qui lui tournait le dos de telle sorte qu'elle ne put savoir si c'était celui qu'elle connaissait. Elle soupira d'indécision puis poursuivit son chemin.

On allait assurément la trouver prétentieuse!

Ce fut la voix de Charlotte, venue de nulle part et

enterrant celle de Blanche, qui la décida à faire demi-tour. Elle l'entendait l'encourager comme elle l'avait fait la première fois qu'elle s'était retrouvée tout en haut du plus haut plongeoir. Anne devait avoir dix ou onze ans, c'était l'été où sa sœur était venue d'Angleterre pour les visiter. Anne était pétrifiée, le plongeoir était si haut. Malgré tout, elle s'était fiée à la voix de sa sœur qui criait qu'elle était capable et elle avait été fière d'elle quand elle avait enfin réussi à vaincre sa peur et à se jeter dans le vide.

En ce moment, Anne avait la même sensation. Elle allait se jeter dans le vide.

Quand elle entra dans le bar, elle fut heureuse de voir que c'était le serveur habituel qui frottait les verres derrière le comptoir. Il avait l'air gentil et il devait bien la reconnaître, lui aussi, depuis le temps qu'elle venait deux fois par semaine.

Elle s'approcha de lui et, prenant une profonde inspiration, elle lui servit le boniment qu'elle commençait à savoir par cœur. Elle venait de la campagne, elle s'était trouvé un emploi à la ville et tout allait pour le mieux dans le meilleur des mondes à l'exception d'une chose. Toute jeune elle avait appris à jouer du piano et depuis qu'elle était à Montréal, l'instrument lui manquait. C'était pourquoi il l'avait vue si souvent ici. Elle s'ennuyait de la musique. Comme elle avait remarqué que l'après-midi, il n'y avait personne pour en jouer, serait-il possible qu'elle vienne parfois s'installer au clavier? Elle ne demandait ni cachet ni rien du tout. Elle voulait jouer tout simplement. Le mercredi était sa journée de congé.

Anne avait parlé tout d'une traite et elle s'arrêta à bout de souffle, persuadée qu'on lui jetterait un rire à la figure en guise de réponse.

Il n'en fut rien.

Le serveur la regardait en se grattant le crâne.

— Je vois, je vois.

Anne avait plutôt l'impression qu'il ne voyait rien du tout et cherchait à gagner du temps pour formuler un refus qui serait sans équivoque.

Ce qui n'était pas du tout le cas.

Richard Morin était tout simplement perplexe. Et surtout ravi de voir que la jeune fille qu'il trouvait si jolie pourrait peut-être passer encore plus de temps ici, à une heure où il pourrait engager la conversation avec elle. Mais voilà ! Il n'était peut-être pas la personne désignée pour prendre une telle décision. Après tout, il n'était que le serveur. Par contre, une des conditions de son embauche avait été qu'il fasse preuve d'initiative. N'avait-il pas là une occasion en or de se faire valoir ?

Il hésita encore un peu, se demandant s'il n'allait pas dépasser les bornes qui étaient les siennes. Il y avait tout de même une marge entre déplacer des tables, modifier la présentation d'une carte et consentir à ce qu'une jeune fille s'installe au piano.

Devant un mutisme qui se prolongeait, Anne avait déjà tourné les talons, le cœur dans l'eau. Richard eut l'intuition que s'il ne répondait pas tout de suite, il ne la reverrait jamais. Cette perspective précipita sa décision. Tant pis si le patron n'était pas content. Il n'allait tout de même pas le foutre à la porte pour si peu. Après tout, n'avait-elle pas dit qu'elle n'exigeait rien en retour de ces quelques heures qu'elle passerait devant le piano ? Et si elle n'avait aucun talent, il serait toujours temps de lui faire comprendre que l'engagement ne tenait plus.

— Mademoiselle!

Anne se retourna vivement, le cœur battant entre la déception et l'espoir.

— Oui?

— Je vous en prie, ne partez pas. Je crois que nous pourrions peut-être nous entendre. Le mercredi, avez-vous dit?

Des jours qui suivirent, Anne garderait longtemps l'impression qu'ils avaient été les plus chaotiques de toute son existence. Les événements s'étaient précipités, les décisions à prendre aussi et les résultats de tout cela avaient été immensément surprenants et satisfaisants.

Le mercredi suivant, Anne se présenta au bar dès le début de l'après-midi. Elle était intimidée même s'il n'y avait que deux buveurs dans la place. L'un sirotait une bière, le nez plongé dans un journal, et l'autre un liquide ambré dans un verre en forme de ballon, ce qui lui fit aussitôt penser à Blanche. Quelques moqueries lui montèrent à la tête et elle se trouva idiote d'avoir osé demander la permission de jouer. Elle faillit même prendre la poudre d'escampette tellement elle était nerveuse.

Mais le piano était là, lui faisant signe dans un reflet de soleil qui s'était glissé sous la toile expressément pour la séduire.

Anne ne put résister.

Elle salua le serveur et s'approcha de la minuscule scène. Elle enleva son manteau, ajusta le banc, s'assit bien droite devant l'instrument et releva machinalement les manches de son chandail.

Puis elle prit une profonde inspiration en fermant les yeux.

Dès qu'elle posa les mains sur le clavier, la magie opéra

comme elle avait toujours opéré. Le temps de quelques gammes et les notes se présentèrent spontanément au bout de ses doigts.

Les pièces qu'Anne connaissait se suffisaient à elles-mêmes et n'avaient besoin d'aucune voix pour les mettre en valeur.

Elle joua pendant deux heures, sans s'arrêter. Le bar avait cessé d'exister, l'univers entier tenait à ce clavier qu'elle faisait rire et pleurer tour à tour. Quand elle plaqua le dernier accord, elle avait le dos raide et les doigts douloureux.

Elle se redressa et, avant même qu'elle n'ait tourné la tête vers la salle, un applaudissement se faisait entendre.

— Bravo ! Quel talent !

Muriel, la chanteuse de l'autre soir, avançait déjà vers elle.

— Comment se fait-il que je ne vous connaissais pas ? Je me présente. Muriel Gamache, Mumu pour les intimes. J'étais venue chercher mon cachet, mais vous avez réussi à me garder ici plus longtemps que je ne l'aurais voulu. Avez-vous une minute ? J'aurais peut-être quelque chose à vous proposer.

Muriel était un moulin à paroles et un véritable ouragan. Tout en parlant, elle avait déplacé une table et faisait signe à Anne de la rejoindre.

— Venez ! Allez, ne vous faites pas tirer l'oreille. C'est mauvais quand on veut brasser des affaires. À moins que vous n'ayez une famille qui vous attende ? demanda-t-elle habilement.

— Non. Il n'y a personne.

Muriel dessina un sourire victorieux.

— Alors asseyez-vous. J'en ai pour deux minutes.

Se détournant, elle leva la main et commanda :

— Richard ? Comme d'habitude. Deux fois.

Cinq jours plus tard, Anne quittait la pension sous le regard humide de madame Bolduc.

— Aurais-je le plaisir de vous revoir, ma chère enfant ? Vous allez me manquer.

Anne avait embrassé sa joue piquante en lui promettant de venir régulièrement.

— Vous aussi vous allez me manquer.

Sur ces mots, elle s'était détournée avant de se mettre à pleurer. La tête haute, elle avait longé l'allée où les rosiers n'étaient plus qu'un souvenir et elle avait attendu le taxi sur le trottoir.

Elle était venue avec un simple sac à dos, elle repartait avec une petite valise de plus, s'étant acheté quelques vêtements chauds.

C'était une belle journée de novembre, froide mais remplie de soleil. Anne se dit qu'elle se souviendrait longtemps de ce petit vent glacé qui lui gelait le bout du nez. C'était aujourd'hui que sa vie prenait enfin le sens qu'elle avait toujours voulu lui donner.

Elle allait enfin vivre pour la musique.

Vingt minutes plus tard, elle s'installait chez Muriel Gamache qui habitait un logement situé encore plus à l'ouest.

Le mois qui venait serait fait de pratiques intensives.

Et vers la mi-décembre, Anne quitterait Montréal pour Chicago. Elle serait l'accompagnatrice de Muriel qui avait décroché un contrat pour la période des fêtes dans un grand hôtel de la ville américaine.

— Je déteste jouer et chanter en même temps, lui avait-elle confié. Mais quand Estelle m'a laissée tomber, je n'ai pas eu le choix. Il faut bien gagner sa vie. Mais maintenant, avec toi, je sens que la gloire est à nous !

Anne ne demandait pas mieux que de la croire.

D'autant plus que Chicago, c'était suffisamment loin pour ne plus craindre d'éventuelles retrouvailles. Elle en profiterait même pour écrire à Charlotte afin de la rassurer sur son sort, lui demandant de faire parvenir la nouvelle à tous ceux qu'elle jugerait important de prévenir.

Anne n'avait pas la moindre idée de qui s'inquiétait pour elle et de qui s'en fichait éperdument.

Ensuite, elle écrirait à monsieur Canuel. Quelques excuses sur papier, dire qu'elle s'ennuyait de leurs longues heures musicales paveraient peut-être la route à l'éventualité d'une rencontre à son retour.

Quand elle monta à bord du train qui la mènerait à Chicago, Anne ne laissait aucun regret derrière elle. Seule la fierté d'avoir réussi toute seule à donner le coup de barre décisif à sa vie dominait.

Elle allait enfin vivre pour et par la musique.

# CHAPITRE 15

## *Sous quelques flocons de neige*

Personne n'avait eu envie de partir pour Montréal quand on avait commencé à parler de Noël. Ni Raymond, ni madame Deblois, ni sa mère... personne. L'idée d'un réveillon sans Anne étant trop déprimante, on l'avait rapidement écartée. Charlotte avait appelé la veille pour savoir quelle était leur décision et elle avait semblé soulagée d'apprendre que personne ne se déplacerait. Elle avait alors annoncé qu'il en allait de même de leur côté. Chacun fêterait Noël dans l'intimité.

C'était un peu prévisible et Jason pouvait le comprendre. Malgré tout, il était déçu de ne pas entreprendre le voyage vers le nord. Tout au long de l'automne, il avait entretenu le vague espoir qu'il pourrait reprendre son errance à travers les rues de la ville de Montréal. Il était persuadé que si personne n'avait reçu d'autre lettre de la part d'Anne, c'était uniquement parce qu'elle vivait à Montréal et qu'elle ne voulait pas être retrouvée.

Il n'avait osé appeler monsieur Canuel pour savoir s'il avait entrepris quelque démarche que ce soit.

Néanmoins, il n'était plus inquiet pour Anne, il était curieux.

Il passa un Noël plutôt boudeur, trouvant de plus en plus que la maison était vide sans la présence d'Anne. Seul avec sa mère, cela pouvait aller, il s'y était habitué avec les années. Mais avec Raymond et madame Deblois sous leur toit, sans

Anne, cela n'allait plus. Leur présence l'agressait, un peu comme des visiteurs attendus avec impatience mais qui finissent par nous déranger quand ils restent trop longtemps. Jason aurait voulu pouvoir compter les jours avant leur départ. Les quelques liens qui avaient pu se nouer entre Raymond et lui lors du voyage ne traçaient en fait qu'un canevas sur lequel Jason n'arrivait pas à bâtir quoi que ce soit.

Quelques semaines de plus et il avait compris que certaines affections ne se commandent pas. À certains égards, il appréciait la présence des Deblois mère et fils, à d'autres il aurait préféré qu'ils s'en aillent.

Mais de départ il n'y aurait pas, il devait se faire à l'idée, et apprivoiser un nouveau père lui semblait aussi futile que difficile. Sur ce point, la présence d'Anne aurait été la bienvenue, elle qui semblait si bien connaître Raymond.

Mais le connaissait-elle vraiment ? Après tous ces mois de silence, Jason commençait à en douter. Quand on aime quelqu'un, on finit par pardonner.

Or, de toute évidence, par son silence, Anne prouvait qu'elle n'avait rien pardonné du tout. Elle continuait d'en vouloir terriblement à son père. Cette attitude correspondait si peu à l'image qu'ils avaient projetée tous les deux, durant l'année où ils avaient vécu avec lui, que Jason n'était plus sûr de rien. Sinon qu'avec Anne, le quotidien avait été beaucoup plus harmonieux et qu'elle manquait sérieusement à leur vie familiale. Même s'il était vrai que les données de leur équation avaient beaucoup changé depuis qu'ils savaient tous que Raymond avait joué un rôle important par le passé, Jason restait convaincu que sans Anne, la vie ne saurait reprendre comme avant.

Il s'était donc mis à en vouloir à Raymond sans trop savoir ce qu'il lui reprochait. Peut-être simplement un mal d'être qui semblait affecter tout le monde autour de lui.

Se pouvait-il qu'Anne les boude encore après tout ce temps? Était-ce la raison qui l'avait fait fuir? Savoir que Jason était son frère?

Le jeune homme avait de la difficulté à s'en convaincre. Allons donc! En quoi cette erreur du passé pouvait-elle toucher Anne à ce point? Était-ce une tare que de l'avoir lui comme frère? Une fois dépassé le seuil critique de cet amour qu'elle disait éprouver pour lui, il devait bien rester quelque chose, non? L'idée qu'il ne fut rien de plus qu'un amoureux sur papier était dérangeante et l'attristait.

Délibérément, quand il était en plein processus de méditation, il passait alors à Blanche. La fugue d'Anne avait à voir avec Blanche et non avec eux!

C'était plausible pour ne pas dire possible. Surtout quand il repensait à cette fichue nuit où elle avait disparu sans laisser la moindre trace. Il lui arrivait souvent de se demander pourquoi Anne était apparue sans avertissement, un soir d'été, pour disparaître aussi vite sans explication autre que de lui avoir dit qu'elle l'aimait. Avec le recul, Jason avait de plus en plus de difficulté à voir une certaine logique dans ce raisonnement. Même si Anne avait cru l'aimer, car de cela non plus il n'était plus du tout convaincu, pourquoi serait-elle arrivée en cachette?

Il avait vraiment hâte de la revoir pour pouvoir lui poser toutes ces questions qui pour l'instant étaient sans réponse.

C'est pourquoi, quand il reprit le chemin du collège après les vacances de Noël, alors que la neige avait enfin recouvert le sol rendant le froid moins agressif, il comprit que la curiosité pure et simple avait eu le dessus sur l'inquiétude.

Il voulait savoir ce qui s'était réellement passé dans la tête d'Anne pour qu'elle file comme cela, sans laisser d'adresse.

Mais quand, à quelques jours de là, Charlotte rappela pour dire, tout excitée, qu'elle venait de recevoir une lettre postée de Chicago, tout comme Émilie d'ailleurs, il laissa tomber la curiosité pour la déception, suivie de peu par l'exaspération.

Pourquoi Anne ne lui avait-elle pas écrit à lui aussi? Lui en voulait-elle encore de lui avoir appris la vérité si abruptement? Il trouvait son attitude enfantine. Après tout, il n'y était pour rien dans tout ce cafouillage stupide. Si elle avait des reproches à faire, elle n'avait qu'à s'adresser à Raymond et à sa mère, pas à lui.

L'appel de monsieur Canuel, quelques jours plus tard, alors qu'il arrivait du collège, lui fit bondir le cœur encore plus fort. Le propriétaire de la procure tenait à lui dire personnellement qu'Anne lui avait fait parvenir un petit mot disant qu'elle se portait bien et espérait le revoir dans un avenir rapproché. N'est-ce pas que c'était une bonne nouvelle? Jason avait raccroché un peu trop vivement. La voix curieusement enjouée de son interlocuteur, qu'en d'autres circonstances il avait trouvé plutôt réservé, avait achevé de le déprimer.

Il semblait bien qu'Anne cherchait à faire la paix autour d'elle. Sauf avec eux et avec sa mère. Raymond avait vérifié: Blanche n'avait rien reçu, elle non plus.

De savoir qu'Anne les plaçait sur un pied d'égalité avec Blanche fit que Jason passa de l'irritation à la colère.

Anne était profondément injuste en agissant comme elle le faisait. Il ne pouvait concevoir qu'elle puisse le traiter ainsi, lui, l'ami à qui elle se confiait, comme elle traitait Blanche qu'elle disait détester.

Il passa la soirée enfermé dans sa chambre à ruminer ses rancœurs. Depuis bientôt six mois, il avait l'impression qu'il était resté sur place, à tourner en rond. S'il persistait dans cette voie, il se mettrait à trépigner comme un enfant gâté. Il en avait assez ! Il aurait bientôt dix-sept ans, les études supérieures arrivaient à grands pas, il n'avait plus de temps à perdre en enfantillages. Si Anne voulait bouder, qu'elle boude ! Lui, il ne jouait plus à ce petit jeu.

Il avait une vie à vivre et présentement, elle tiraillait de tous les côtés. Raymond, ses amis, l'école, les copines... Il avait l'impression d'être sollicité de partout et il jugea qu'il était temps d'apporter quelques réponses à toutes ces interrogations qui lui encombraient l'esprit. Quant aux questions concernant Anne, il s'en occuperait plus tard. Quand elle aurait décidé de cesser d'agir en gamine capricieuse. Il n'y pouvait plus rien.

L'appel de monsieur Canuel avait tout fait basculer. Anne se portait bien ? Grand bien lui fasse ! Lui, il allait en profiter pour passer à autre chose. Depuis cet appel, Jason en voulait à Anne comme tous les frères de seize ans en veulent un jour ou l'autre à leur sœur, ou à leurs parents, ou à leurs amis... Son âge le rattrapait enfin et Jason s'endormit avec la ferme intention de se remettre en selle. À partir de demain, il regarderait devant lui, pas en arrière.

Et ce fut effectivement à partir de ce jour-là que Jason cessa de regarder Raymond en chien de faïence. Il était là pour rester? Tant pis. De toute façon, il n'y pouvait rien changer. Alors aussi bien essayer d'y trouver de bons côtés. Ne serait-ce que pour le voir faire la vaisselle, le soir après souper, quand lui-même avait une montagne de devoirs à faire et que sa mère était retenue à l'ouvrage.

Et quelques semaines passèrent. Et Antoinette comprit que son fils était en train de changer, de vieillir. Elle l'observait de loin, sans jamais intervenir. « On apprend à devenir adulte, seul face à soi-même » pensait-elle, quand parfois il lui arrivait d'avoir envie de le prendre tout contre elle comme lorsqu'il était enfant.

Elle espérait seulement qu'il n'y laisserait pas trop de plumes.

Quand Jason sortit des brumes du sommeil, en ce samedi matin de la fin de janvier, il eut la nette sensation qu'Humphrey était là, tout près. Il sentait même les effluves de sa lotion. Il comprit aussitôt que cette impression était dans la continuité d'un rêve qu'il n'arrivait pas à se rappeler.

Il inspira profondément en ouvrant les yeux.

Dehors, il tombait une lourde neige gonflée d'eau. Une neige à bonhomme, comme il le disait quand il était petit.

Ce fut à ce moment que le souvenir s'imposa. Son premier bonhomme de neige. Immense, dodu, avec un vieux chapeau d'Humphrey sur la tête et le balai tout échevelé qui traînait au fond du garage. Ils l'avaient fait ensemble, son père et lui, sur la plage face à la mer. Il n'y avait pas encore beaucoup de neige et le sable s'y était mélangé, lui donnant une curieuse couleur dorée. Il était tellement grand, encore plus que son père, que Jason lui avait trouvé des allures de roi.

Ce fut son roi de l'océan. Un océan qui ne gelait jamais, les vagues donnant à la plage toute blanche des allures de royaume étranger. Humphrey lui avait expliqué que c'était à cause du sel dans l'eau qu'elle ne gelait pas.

Humphrey avait toujours réponse à tout. Il n'était pas comme Raymond qui souvent avouait son ignorance.

Jason eut un mouvement d'impatience face à ces deux

hommes qui pouvaient revendiquer le nom de père mais qui se ressemblaient si peu.

Pendant un instant, les voix d'Humphrey et de Raymond se disputèrent dans sa tête. C'était la première fois que Jason leur permettait de se confronter. La maison était silencieuse sous cette neige qui tombait. Tout le monde dormait, tandis que Jason entendait la bataille qui se livrait dans sa chambre. C'est alors que la voix d'Humphrey domina. Cette voix immense qu'il prenait quand il était en colère. Même de cette voix-là, Jason comprit qu'il s'ennuyait.

Le cœur gonflé par une tristesse qu'il n'avait pas vue venir, Jason se cacha la tête sous l'oreiller, dérisoire paravent contre les souvenirs qui l'envahissaient. La voix d'Humphrey n'était pas dans sa chambre, elle était dans sa tête et dans son cœur et tous les oreillers du monde n'y pourraient rien changer. Il ressortit de sa cachette, tout rouge, hirsute, et se cala confortablement contre l'oreiller en soupirant.

Alors il permit à son père de revenir à lui.

Qu'est-ce qu'Humphrey lui aurait dit à propos de Raymond ? À propos d'Anne ? Que lui aurait-il conseillé de faire ?

Un sourire tremblant illumina brièvement son visage. Son père lui aurait sûrement dit de laisser le temps faire son œuvre. Voilà ce qu'il lui aurait proposé. De ne pas arrêter de vivre et d'attendre. C'était toujours ce qu'il disait quand, gamin, Jason trouvait que rien n'allait assez vite à son goût.

— Mon fils, disait-il de sa voix grave aussi imposante que sa stature, dans la vie, il y a les choses qu'on peut changer et il y a celles qu'on doit accepter même si elles ne nous plaisent pas. Pour ces dernières, il n'y a que le temps pour en venir à bout. Que le temps qui passe…

À six ans, par la force des choses, il avait enfin compris ce qu'Humphrey avait toujours voulu lui dire. Le temps qui passe aplanit les douleurs, les rend moins vives et amène des joies qui semblaient inaccessibles.

C'était d'ailleurs ainsi que, petit à petit, il avait fini par s'habituer à son absence. Et sans même qu'il s'en aperçoive, la vie avait repris un cours normal, tranquille, presque heureux.

Aujourd'hui, il avait l'impression d'être dans l'envers d'un décor qu'il connaissait bien. Comme le calque d'une situation déjà vécue.

Le temps saurait-il, encore une fois, bien faire les choses ?

Peut-être…

Peut-être que Jason n'avait rien à forcer et que tout doucement, à la longue, il finirait par s'habituer à une présence comme il s'était s'habitué à une absence. Peut-être…

Peut-être aussi qu'au bout du compte, il finirait par être heureux que Raymond soit son père.

À cette pensée, Jason ferma les yeux et serra très fort les paupières. Il avait l'impression d'être malhonnête, tricheur. La voix d'Humphrey qu'il avait entendue si forte, si imposante n'était plus qu'un murmure dans sa tête. C'est alors que, sans qu'il sache trop bien pourquoi, cette voix s'emmêla à celle d'Émilie. Là, tout de suite, il aurait aimé qu'elle soit à ses côtés. Sa douceur, sa force tranquille, même ses indécisions lui manquaient. En un certain sens, elle lui ressemblait beaucoup.

Jason ouvrit les yeux sur la neige qui tombait lourdement.

Émilie…

Ce soir, il lui écrirait. Ce soir, quand il aurait eu le temps de faire un peu de ménage dans ses émotions.

Il pressentait qu'avec elle, il pourrait parler de tout ce qui le tourmentait parce qu'elle comprendrait exactement ce qu'il ressentait.

* * *

Anne avait l'impression de vivre un conte de fées.

Pourtant la ville n'avait rien d'attirant.

Chicago était une ville triste, grise, sale de toutes ces fumées d'usine qui flânaient parfois au-dessus de la ville comme un mauvais présage. Et il y avait ce vent, tenace, à rendre fou. Venant du lac, il était glacial en cette période de l'année. Il était omniprésent. Maître des rues et des arrière-cours, il s'infiltrait jusque sous les vêtements.

Malgré cela, Anne adorait Chicago.

C'était la ville de la liberté.

Muriel et elle venaient de terminer leur premier concert sous un tonnerre d'applaudissements. En cette veille de Noël, les gens étaient joyeux. Ils se préparaient à passer à table pour le réveillon. Anne aussi avait une place réservée pour le repas, dans la grande salle à manger de l'hôtel, et cela l'impressionnait. Depuis qu'elle était arrivée, on la traitait comme une dame et c'était tellement nouveau qu'elle prenait plaisir au moindre petit détail.

Avant de partir, sa nouvelle amie lui avait fait coudre une robe, bleu nuit comme Anne en avait toujours rêvé et, oui, quand elle se mirait dans la glace, Anne se trouvait fière allure. Elle avait effectivement l'air d'une dame. D'une grande dame.

Mais alors qu'Anne s'apprêtait à regagner le couloir qui menait à la salle à manger, suivant le troupeau de clients qui quittaient le bar les uns après les autres en discutant joyeusement, Muriel l'arrêta en lui disant qu'elle voulait célébrer leur succès avant de passer à table.

Le serveur arrivait déjà avec une bouteille de champagne. Le bruit que fit le bouchon en sautant résonna joyeusement aux oreilles d'Anne et, devant elle, dans une coupe en cristal, les bulles scintillaient déjà sous la lumière tamisée des lustres du bar.

Même si elle trouvait jolies toutes ces bulles qui dansaient dans sa coupe, Anne n'avait pas tellement envie d'y toucher. Cependant, tout comme l'autre soir quand elle avait scellé son alliance avec Muriel avec un verre de cognac, elle n'osait le dire. Ce soir-là, elle qui n'avait jamais prié avait supplié le ciel de l'aider quand les premières vapeurs du liquide, qui ressemblait étrangement à celui que Blanche buvait, avaient chatouillé fortement son nez. Elle avait calé son verre sans la moindre grimace. Seules quelques larmes lui étaient montées aux yeux et d'un geste élégant elle les avait fait disparaître en détournant la tête.

S'il fallait que Muriel s'interroge sur son âge véritable, tous ses beaux projets tomberaient à l'eau.

Et il y avait, tapie en elle, cette vieille compagne qui s'appelait la peur. Cette peur de ne pas être aimée, de ne pas être acceptée arrivait toujours à refaire surface. Elle refusait de lâcher prise. Anne vivait avec elle depuis tant et tant d'années qu'elle ne cherchait même plus à la comprendre. Elle était là, parfois somnolente, parfois bien éveillée, toujours présente, lui faisant accepter bien des choses pour qu'à son tour, Anne se sente acceptée des gens.

La peur, que parfois Anne appelait de la gêne, se manifestait sous toutes sortes de formes. Des palpitations, des mains tremblantes, des sursauts. La dernière fois qu'Anne l'avait distinctement sentie, c'était à la frontière.

Anne était persuadée qu'on allait la réexpédier illico à Montréal puisqu'elle n'avait aucun papier valable. Or, tout comme lors de son voyage rapide au Connecticut, ses vagues réponses avaient semblé satisfaire le douanier qui n'avait pas insisté. Anne en avait été quitte, une fois de plus, pour un beau mélange d'émotions et un cœur trépidant pour une longue demi-heure.

Et voilà que maintenant, elle avait une coupe de champagne devant elle. Elle n'avait pas le choix de la boire. Elle devait jouer le jeu jusqu'au bout. Elle n'était plus la petite Anne, l'insignifiante, elle était Anne Deblois, pianiste invitée !

Quand Muriel leva son verre pour trinquer, Anne suivit scrupuleusement chacun de ses gestes. Elle fut agréablement surprise de goûter à la fraîcheur du champagne. C'était nettement mieux que le cognac. Cela lui faisait même penser à de la boisson gazeuse comme elle en buvait chez elle quand elle était petite. Du ginger ale. Elle accepta donc un second verre, puis un troisième alors qu'elle s'apprêtait à suivre Muriel vers la salle à manger, sa coupe à la main.

Elle était légèrement étourdie, mais elle trouvait cela amusant.

Pour une fois, Anne avait la sensation que rien de déplorable ne lui pendait au bout du nez. Pour une des rares fois de sa vie, elle se sentait au-dessus de tous les problèmes qui avaient jalonné sa vie.

Elle était à Chicago !

Depuis un mois, elle n'avait fait que de la musique. Du matin au soir sans aucune arrière-pensée, sans reproche ou crainte, elle était restée devant le piano. Muriel avait une voix chaude et sensuelle que les clients semblaient apprécier. Ses connaissances en jazz et en blues lui semblaient illimitées et Anne apprenait vite. Le concert de ce soir en avait été la preuve. Que pouvait-elle espérer de plus, sinon que tout cela continue? Et pour le faire, elle était prête à avaler de ces breuvages un peu forts qui prolongeaient l'illusion qu'elle était quelqu'un.

Quand, de retour à leur chambre, Muriel l'embrassa dans le cou en lui souhaitant un joyeux Noël, Anne était trop ivre pour y voir autre chose qu'une marque de cette grande amitié qui les liait. Elles étaient unies par la musique. Elles étaient unies par le succès.

Jamais auparavant, Anne n'avait eu d'amie comme Muriel. Même Jason, emporté par les bulles du champagne, lui semblait bien fade à côté de Muriel. La vie au Connecticut n'avait aucune commune mesure avec la vie qu'elle menait grâce à Muriel.

Alors, à son tour, elle embrassa Muriel sur la joue en lui souhaitant un bon Noël.

Deux semaines plus tard, elles étaient unies par une relation trouble qu'Anne mit plusieurs jours à comprendre.

Quand Muriel l'avait regardée dans les yeux en lui disant qu'elle l'aimait, Anne était restée de marbre. Des mots d'amour, on lui en avait déjà dit et après, on s'était permis de tricher. Alors elle n'y croyait plus. Elle avait même détourné la tête, prête à protester.

Mais les mots étaient restés gelés sur ses lèvres. Anne n'avait jamais été capable de dire ce qu'elle pensait.

Elle était revenue face à Muriel qui la dévisageait.

Dans le regard de Muriel, dans sa voix, il y avait autre chose que de l'amour et ce fut cette autre chose qui l'attira.

Quand Muriel la poussa vers le lit, Anne se laissa faire.

Quand les mains commencèrent à la dévêtir, elle n'eut même pas un frisson.

Elle se doutait de ce qui allait suivre et, plus forte que le dédain ou la peur, c'était la curiosité qui permettait ce qu'elle voyait comme une espèce de rituel entre elles.

Quand la bouche explora son cou, sa gorge, son ventre, Anne se laissa aller à la sensation intense qui lui faisait palpiter le cœur.

C'était agréable.

Curieusement, elle eut une pensée pour madame Mathilde et mademoiselle Renée. Se pourrait-il que…

Cette pensée fit tomber les dernières barrières de sa réserve.

Quand une vague de plaisir l'emporta loin de la chambre d'un grand hôtel de Chicago, lui faisant oublier jusqu'à la musique, elle crut un instant qu'elle venait de découvrir l'amour.

Au réveil le lendemain, elle savait qu'il n'en était rien.

Pourtant, elle ne regrettait pas. Il y avait une sorte d'indifférence, de passivité sur ce qui s'était passé entre Muriel et elle. Le souvenir d'un moment de plaisir intense dominait les souvenirs qu'elle gardait de cette nuit. Mais encore plus fort que tout cela, Anne avait l'intuition que tout s'était joué dans un regard et elle se demandait pourquoi.

Elle se demandait surtout pourquoi elle avait terriblement envie de revoir ce regard-là posé sur elle.

Ce fut par un matin de tempête, quelques jours plus tard, alors qu'elle regardait la ville grise devenir toute blanche, qu'Anne comprit enfin pourquoi elle s'abandonnait aussi facilement à Muriel.

Au-delà des mots d'amour auxquels elle ne croyait plus, il

y avait du désir dans le regard de Muriel. Un désir incontrôlable qui faisait mourir toutes les méchancetés de sa mère.

Ce n'était plus vrai qu'elle n'était qu'un accident, que personne ne voulait d'elle. À travers le regard de Muriel, Anne était enfin un être désirable.

Pour elle, ce regard-là avait plus de prix et d'importance que tous les mots d'amour galvaudés depuis la nuit des temps. Même Jason n'avait jamais eu un regard comme celui-là pour elle.

Ce fut ce même matin, seule devant la fenêtre d'un hôtel impersonnel, la tempête frappant à sa vitre et saupoudrant de blanc la ville de Chicago pour faire oublier sa laideur, qu'elle comprit que tant qu'il y aurait cette lueur dans les yeux de Muriel, elle resterait avec elle.

Pour le reste, il n'y avait rien à décider. Elle allait d'un piano à l'autre et cela la satisfaisait.

Quant à sa famille, elle aviserait à son retour à Montréal.

Peut-être écrirait-elle même à son père. Pourquoi pas? Dorénavant, il avait sa vie et elle avait la sienne.

Curieusement, et elle se disait que c'était grâce à Muriel puisqu'elle ne voyait vraiment pas autre chose, elle n'avait plus peur de personne, et cela lui faisait un bien immense de se sentir enfin importante.

Quand elle laissa retomber le rideau, elle se demanda s'il neigeait dans le Connecticut ou à Montréal dans une sorte de réflexe brumeux qui avait tranquillement remplacé l'ennui qu'elle avait ressenti au début de sa fugue. Elle eut une pensée pour Charlotte, pour Émilie dont les visages lui apparaissaient parfois dans une espèce de flou clair-obscur, une autre pour monsieur Canuel dont elle savait si peu de choses mais qui lui manquait tant, puis elle se dirigea vers la salle de bain.

## Chapitre 16

# *Les grandes désillusions*

Émilie avait fait semblant d'oublier. Le temps où *cela* ne se voyait pas, c'était relativement facile.

Elle n'était pas enceinte, elle ne voulait pas l'être, ce n'était qu'une rumeur.

Juste avant Noël, quand le ventre avait commencé à arrondir, elle avait fermé la porte de l'atelier, incapable de se concentrer sur ses dessins, et elle avait transformé ses inquiétudes incontrôlables en un débordement d'affection qu'elle projetait sur Dominique qui ne demandait pas mieux que d'avoir une maman à plein temps.

Elle l'aimait en abondance, comme si l'amour pouvait se conserver pour un usage ultérieur, posé sur une tablette à travers les pots de confitures.

Car si les paroles de Jason avaient fait un bout de chemin suffisamment long pour qu'elle décide de garder Dominique, Émilie n'en demeurait pas moins à demi convaincue. La crainte de ne plus aimer son petit garçon au jour de la naissance de cet enfant à qui elle ne voulait pas penser ou celle de mal l'aimer s'il arrivait quelque malheur restait bien présente dans son cœur.

Elle traversait les journées sur le bout des pieds, en retenant son souffle. Elle puisait un simulacre de courage dans le regard radicalement amoureux de Marc et dans la présence attentionnée de Charlotte. Sur ce point, cette grossesse non voulue concrétisait un des rêves les plus fous de son enfance : jamais elle n'avait été aussi proche de sa sœur aînée, jamais elles ne s'étaient autant ressemblées. Désormais, elles étaient deux femmes, deux mères partageant les mêmes espoirs et les mêmes inquiétudes.

N'empêche qu'Émilie avait la sensation de vivre par procuration une aventure qui ne lui était pas destinée.

Pourtant, autour d'elle, la vie elle-même respirait la confiance.

Le médecin était confiant, Marc était confiant, Charlotte était confiante, sa belle-mère était confiante et même son père, à distance, était confiant. Tout le monde autour d'elle affichait un sourire béat devant son état. Échaudée par une existence qui l'avait souvent déçue, Émilie restait malgré tout sur la défensive.

Quand elle reçut la lettre venue de Chicago, elle versa quelques larmes de soulagement. Anne se portait bien et faisait de la musique comme elle avait toujours rêvé d'en faire. Puis une vague de tristesse l'avait submergée. Elle s'ennuyait de sa petite sœur avec qui elle aurait aimé partager ce qu'elle vivait. Elle savait qu'Anne aussi se serait réjouie. L'image des trois sœurs se jurant fidélité, dans l'ancienne cuisine de ses parents, lui revenait souvent à l'esprit. Émilie se demandait si ce souvenir était présage de bonheur ou de malheur, car quelques mois après cet événement où Anne avait prédit qu'elles formeraient, avec Alicia et le bébé qu'Émilie portait, le clan des filles Deblois, elle avait finalement perdu la petite Rosalie. Malgré tout, elle s'ennuyait d'Anne et de sa musique qu'elle n'avait pas eu la chance d'écouter très souvent.

En fait, seule sa mère jetait un regard réprobateur sur son ventre qui grossissait à vue d'œil. Mais sa mère ayant toujours eu peur pour sa santé, Émilie essayait de ne pas trop y porter attention. Elle écoutait ses conseils d'une oreille distraite, se dépêchait de les oublier et amenait toujours Dominique avec elle quand elle allait la visiter. Sans trop savoir pourquoi, elle se sentait en sécurité quand le bébé joufflu et rieur était avec elle.

Puis vint le soir où, alors qu'elle allait se coucher, la rumeur qui voulait qu'elle soit enceinte devint une réalité inéluctable.

Le bébé bougeait.

Nul doute possible, c'était lui qui manifestait sa présence par de tout petits frôlements qu'Émilie reconnut aussitôt.

Elle n'en parla pas, attendit que Marc se soit endormi et elle se releva sans faire de bruit.

Un rayon de lune qui passait par le corridor la mena jusqu'à la chambre de Dominique.

Elle resta longtemps immobile dans l'embrasure de la porte, écoutant le souffle léger et régulier de son fils. Écoutant les frémissements de cet autre enfant qui essayait déjà de se faire entendre.

Puis elle s'approcha du petit lit, une main posée sur son ventre.

Elle traversa une grande partie de la nuit, assise à côté du lit de Dominique, un bras passé à travers les barreaux, caressant d'un geste possessif le dos tout rond de son fils.

Elle ne savait pas trop si elle avait envie de rire ou de pleurer.

Il y avait comme un grand point d'interrogation dans son cœur et elle tentait de le comprendre.

Car, au-delà de tout ce qu'elle avait cru, très curieusement, les mouvements du bébé avaient modifié le visage de sa crainte. Brusquement, et sans trop savoir d'où lui venait ce sentiment, Émilie avait peur maintenant de ne pas aimer le bébé qui s'en venait. Pour Dominique c'était acquis, jamais elle ne pourrait le renier. L'amour ressenti pour ce petit bout d'homme était tellement grand, tellement exclusif qu'elle se demandait où trouver l'amour que l'autre réclamerait.

Dès le lendemain, elle essaya donc de commencer à tout multiplier par deux. Plus le temps passait et plus la perspective d'avoir deux bébés se précisait.

Elle rangea les vêtements de Dominique devenus trop petits pour lui dans une grande boîte de carton. Mais plutôt que de la porter au sous-sol, elle la déposa bien en vue dans la seconde chambre qui donnait sur la cour, celle qui était encore inoccupée.

Elle pivota sur elle-même.

Pour la première fois, elle se demanda si elle la préférerait en rose ou en bleu. Ce soir, si son humeur s'y prêtait, elle en parlerait à Marc. Elle savait que cela lui ferait plaisir.

Quatre mois, trois mois et demi, trois mois…

Émilie avait l'impression d'assister à un compte à rebours. Plus l'échéance approchait et plus elle se sentait rassurée. Hier, elle avait magasiné avec Charlotte et elles s'étaient amusées comme des gamines.

Elle avait reçu deux lettres de Jason et elle s'était empressée de lui répondre. Elle trouvait dommage d'apprendre à connaître son frère par le biais de mots couchés sur du papier, même si Charlotte avait tenté de la convaincre que c'était probablement encore mieux ainsi. Émilie n'avait jamais été une femme de lettres. À l'exception des livres de Charlotte, elle ne lisait pas. Elle voyait le monde en couleurs et non en mots. C'est pourquoi, dans sa dernière lettre, elle avait invité Jason à venir passer quelques jours à l'occasion de Pâques. Il lui semblait deviner, à travers les mots, que c'était ce qu'il espérait. Tout comme elle, il lui donnait l'impression d'être quelqu'un qui avait besoin de voir et de toucher pour comprendre.

Puis un matin, tout bascula.

La peur, cette hideuse courtisane qu'elle avait tenue tant bien que mal à distance, était de retour. Sa main glacée plantait ses griffes dans son cœur, dans son esprit, dans son âme, dans son ventre.

Quand elle était venue pour se lever, elle s'était aperçue qu'elle avait les jambes enflées.

Comme avant, exactement comme avant, le matin au réveil. Tout allait bien puis subitement, sans avertissement, elle s'était éveillée avec des jambes énormes. Quatre ans plus tôt, de cela Émilie se souvenait fort bien, elle en avait ri. Quelques jours plus tard, elle perdait sa petite Rosalie.

C'était la première fois depuis l'automne, depuis qu'elle savait pour cette grossesse involontaire, qu'elle osait prononcer ce nom.

Rosalie…

Elle se roula en boule sur le côté et referma les yeux pour ne pas avoir à affronter Marc qui commençait à s'éveiller à côté d'elle.

Elle l'entendit bâiller, s'étirer, puis il se leva doucement, croyant qu'elle dormait encore.

Quand il eut quitté la chambre, Émilie ouvrit les yeux et se permit de rêver à Rosalie.

Dans son ventre, était-ce elle qui tentait à nouveau sa chance? Elle savait que c'était absurde d'y penser mais elle n'y pouvait rien. Depuis que le bébé avait commencé à bouger, elle avait l'impression d'avoir bouclé la boucle en reprenant sa première grossesse là où elle s'était interrompue. Et si c'était Rosalie qui était là, alors Émilie n'avait plus aucun doute. Elle saurait aimer deux enfants.

En elle, la crainte avait disparu.

Et elle ne voulait pas perdre ce petit être qui n'était encore qu'un espoir.

Il ne lui restait qu'une joie immense au cœur depuis quelque temps et voilà que ce matin, la peur lui était revenue.

Dorénavant, ce serait avec la peur qu'elle devrait négocier. La peur de voir le château de son fragile bonheur s'écrouler une fois de plus.

Elle passa une des pires journées de son existence, surveillant son corps comme jamais elle ne l'avait surveillé auparavant. Pourtant, elle en avait passé des jours et des nuits à l'écoute de chacun des messages que son ventre lui lançait. Les crampes, la constipation, les diarrhées avaient été et étaient encore à l'occasion une grande partie de son quotidien. Or ce n'était rien à côté de ce qu'elle vivait présentement.

Au début de l'après-midi, n'en pouvant plus, elle appela son médecin. Il se fit rassurant, lui répétant pour la énième fois que cette grossesse se présentait encore mieux que la dernière fois. N'avait-elle pas elle-même constaté, à la dernière visite, à quel point le cœur était vigoureux?

— Pour Rosalie aussi, le cœur était fort, répliqua Émilie, un drôle de trémolo dans la voix.

— Je sais. Mais tout le reste semblait plus fragile. Pas cette fois-ci. Je vous le répète: prenez du repos, dormez les jambes surélevées, évitez le sel, mangez bien et surtout, surtout, pas de laxatifs cette fois-ci.

Émilie raccrocha, mais les mots du médecin, eux, restaient accrochés à son oreille.

« Pas de laxatif cette fois-ci... »

C'était le *cette fois-ci* qui ne passait pas.

Le médecin laissait-il entendre que l'autre fois elle avait délibérément fait quelque geste qui puisse mettre en péril la vie de sa petite Rosalie ?

C'était un non-sens. Émilie sentit alors la colère monter en elle. Cet homme ne savait pas de quoi il parlait.

Elle entra dans la cuisine bien décidée à oublier toute cette conversation. Tout allait bien. Elle prendrait du repos, elle éliminerait le sel, elle dormirait les pattes en l'air et elle déciderait de ce qu'il fallait dire à sa prochaine visite chez le médecin. Elle lui demanderait ce qu'il avait bien voulu dire par là, avec son *pas de laxatif cette fois-ci.*

« S'il y a une prochaine visite chez le médecin ! »

La peur, insidieuse, y allait de ses suggestions.

Pour Rosalie aussi, elle s'était dit la même chose : j'en parlerai à ma prochaine visite. Mais cette visite n'avait jamais eu lieu.

Quand elle avait revu le médecin, elle était en train de perdre son bébé.

À nouveau, la peur était là, fallacieuse, cruelle, tourmentant son cœur et son esprit.

Dominique l'attendait à la cuisine, assis sagement dans son parc. Dès qu'il aperçut Émilie, il se tortilla pour rouler sur le ventre et rampa jusqu'aux barreaux. Il la regardait avec un grand sourire.

Alors Émilie fondit en larmes.

Elle prit Dominique dans ses bras et le serra très fort contre elle, mélangeant ses pleurs à ses gloussements de plaisir.

La chaleur du bébé la réconforta et lentement les larmes tarirent. Elle n'était plus seule, il y avait aussi Dominique. Elle n'avait pas le droit de se laisser aller au désespoir.

— Allez, bonhomme, tu retournes dans ton parc. Maman a promis à papa de faire un gâteau pour dessert.

Le souvenir la prit au dépourvu, venu des tréfonds de sa mémoire, là où elle l'avait enfoui pour ne plus jamais y revenir.

Le souvenir d'une discussion pénible qui avait failli lui coûter son mariage et sa famille.

Émilie s'arrêta brusquement au beau milieu de la cuisine, deux œufs dans une main et une pinte de lait dans l'autre.

Comment avaient-ils dit cela, au juste? Quels mots avaient été employés pour suggérer que Blanche avait...

Émilie ferma les yeux en secouant la tête. Cela n'avait aucun sens.

Mais le souvenir refusait de lâcher prise. Les voix de Marc et de Charlotte tournaient sans relâche autour d'elle, bien présentes dans sa cuisine, et celle du médecin à qui elle venait de parler se joignait à elles.

Émilie était toujours debout, au milieu de la pièce, secouant la tête pour faire mourir les images qui maintenant se précipitaient comme un film passé en accéléré. Toutes ces images qui jusqu'à aujourd'hui étaient restées floues, impersonnelles, sans consistance réelle autre que la grande douleur qui avait suivi.

C'était entre Noël et le jour de l'An, elle était chez ses parents, elle venait de demander à Blanche de coudre la robe de baptême.

Puis elle la vit, cette image qu'elle avait voulu oublier. Sa mère revenait de la cuisine avec un gros pot de limonade ou de jus d'orange, Émilie ne se rappelait plus.

Sa mère qui insistait pour qu'elle en prenne deux fois.

— C'est bon pour toi, avait-elle dit. Ça va faire désenfler tes jambes.

Et Émilie avait cru sa mère. Quand Blanche s'était-elle trompée à son sujet? Elle en avait bu deux grands verres.

Qu'est-ce qu'il y avait dans ce jus pour que sa mère dise qu'il allait faire désenfler ses jambes? En soi, un jus de fruit, hormis les vitamines qu'il contient, n'a pas de valeur thérapeutique. Ce n'est rien du tout, un jus de fruit.

Émilie se sentait fébrile. Elle aurait voulu pouvoir partir sur-le-champ pour retrouver sa mère.

Elle seule connaissait la réponse qui pourrait faire mourir la peur.

Brusquement Émilie voulait savoir, alors que pendant toutes ces années, elle avait voulu tout oublier.

Elle ne voulait pas vivre les prochains mois soumise à l'angoisse. Elle ne voulait plus vivre en sursis. Elle ne voulait pas avoir peur de manger, peur de bouger, peur de penser durant les trois prochains mois qui dureraient l'éternité si elle n'allait pas au fond des choses.

Émilie regarda autour d'elle, surprise de voir qu'elle tenait des œufs et du lait dans ses mains. Ah oui! Le gâteau…

Émilie replaça les œufs et le lait au réfrigérateur. Ce soir, il n'y aurait pas de dessert. Tant pis.

Dominique était couché sur le ventre et s'intéressait à quelques blocs multicolores. C'était un gentil bébé.

Émilie posa la main sur son ventre.

Lui aussi serait probablement un gentil bébé. Comme l'aurait été Rosalie si elle avait eu la chance de vivre.

Demain. Demain elle demanderait à la mère de Marc de garder Dominique et elle irait voir sa mère.

Et alors, peut-être qu'après, la peur mourrait d'elle-même et qu'elle serait enfin libérée.

Quand Émilie arriva à la porte du logement de Blanche, il n'y eut aucune réponse.

Le temps d'une immense déception suivie presque aussitôt d'un tout aussi immense soulagement, car elle ne savait comment aborder le sujet, et Émilie tournait les talons. Tant pis, elle reviendrait plus tard. Demain ou dans quelques jours.

À mi-chemin dans l'escalier, elle s'arrêta brusquement.

Si elle remettait cette démarche à plus tard, elle ne la ferait jamais. Émilie se connaissait bien. Elle avait toujours manqué de courage devant certaines situations, certaines vérités. Aujourd'hui, la peur de revivre son cauchemar lui tenait lieu de courage. Elle devait s'en servir.

Elle fit demi-tour et recommença à grimper le long escalier à paliers. Elle avait une clé du logement, elle entrerait donc et attendrait sa mère. Elle ne devait pas être très loin, probablement quelques courses qui finiraient bientôt.

Quand il faisait froid ou qu'il faisait trop chaud, quand il pleuvait ou qu'il ventait trop fort, sa mère ne s'absentait jamais longtemps.

Aujourd'hui, c'était un mélange de froid et de vent qui ramèneraient Blanche rapidement.

Émilie attendit à peine quelques minutes. Le bruit d'un pas qui montait péniblement l'escalier l'amena sur le palier et elle glissa la tête par-dessus la rampe.

— Maman ?

Blanche leva la tête et afficha un large sourire.

— Émilie ! Quelle belle surprise ! Ça faisait longtemps. Dominique est-il avec toi ?

Émilie se sentit rougir.

— Non. Pas aujourd'hui. Je... J'avais envie de parler tout bonnement avec toi, sans qu'on soit dérangées.

Une ombre de déception traversa le regard de Blanche qui se reprit dans l'instant. Après tout, quelques heures de conversation à bâtons rompus avec Émilie avaient aussi leur charme. Elle était si seule dans ce petit appartement qu'elle trouvait maintenant trop grand.

— J'arrive, fit-elle, essoufflée, en mettant le pied dans le couloir qui scindait le logement en deux. Le temps de déposer tout ça à la cuisine et je te rejoins au salon.

De loin, alors qu'Émilie était déjà dans la petite pièce qui servait de salon, elle demanda :

— Tu veux quelque chose à boire ?

Émilie fut secouée par un frisson incontrôlable et violent.

— Non, merci !

Blanche arriva enfin, un café à la main.

— Je n'ai pu résister, s'excusa-t-elle en soulevant sa tasse. J'étais gelée jusqu'à la moelle des os !

Émilie se contenta d'opiner avant de prendre une longue et profonde inspiration. Blanche l'examina les sourcils froncés.

— Plutôt silencieuse ! Quelque chose ne va pas ? Dominique ! Il est arrivé quelque chose à Dominique !

Le timbre de voix de Blanche venait de passer au mode affolement, ce qui avait fait d'une banale interrogation une affirmation angoissée.

L'inquiétude manifestée par sa mère au sujet de Dominique agaça prodigieusement Émilie.

Cette manie de toujours anticiper le pire, de voir des drames là où il n'y avait que la banalité du quotidien.

Émilie retint à grand-peine le soupir d'exaspération qui lui gonflait la poitrine. C'était la première fois de toute sa vie qu'elle se sentait plus forte, plus importante que sa mère. Depuis toujours, elle s'en était remise à elle pour prendre les décisions. Elles se ressemblaient tellement toutes les deux. Même la santé fragile était un lot commun. Émilie avait été nourrie, gavée de cette affirmation depuis sa plus tendre enfance.

Et si Charlotte avait raison ? Et si, depuis le tout début, les données avaient été faussées ?

Émilie haussa imperceptiblement les épaules. Aujourd'hui, alors qu'elle défendait son bonheur, plus rien de tout cela n'avait d'importance.

Ce n'était pas ce qu'elle voulait savoir.

Brusquement les mots de Charlotte lui revinrent en mémoire avec une précision telle qu'elle les entendit retentir dans la pièce, entre Blanche et elle.

« Et si je te disais que c'est à cause d'elle que tu as perdu ton bébé ? »

Ces mots, et tous les autres où Charlotte disait d'être prudente car leur mère était dangereuse, ces mots qu'Émilie avait toujours voulu occulter sans se donner la peine de les écouter, de les analyser, en ce moment, ils étaient sa raison d'être. Elle voulait savoir ce qui s'était réellement passé à la fin du mois de décembre 1948.

— Mais non ! Il n'est rien arrivé à Dominique, répliqua-t-elle un peu trop sèchement. Il se fait tout simplement gâter par son autre grand-mère à l'instant même où je te parle. Gertrude adore son petit-fils même si elle aurait préféré une petite-fille.

L'occasion de parler de Rosalie était là, à sa portée. Les

mots lui étaient venus spontanément, ouvrant toute grande la porte des explications.

— Une petite-fille…

Émilie posa la main sur son ventre.

— Je ne sais pas si cette fois-ci je vais avoir une fille. Le sais-tu, toi, maman ? Habituellement, tu sais tant de choses.

Blanche ne répondit pas. Le ton qu'avait employé Émilie était doucereux, trompeur, presque sournois. Il ressemblait aux voix qu'elle entendait quand elle avait pris quelques verres de brandy. Elle détourna la tête.

Sans tenir compte du silence de Blanche qui n'était pour elle qu'une manière de l'inviter à poursuivre, Émilie avait repris la parole.

— Te souviens-tu, maman, que j'ai déjà été enceinte ? Peut-être que oui, après tout, même si je trouve curieux que tu ne m'en aies jamais reparlé. Mais qu'importe ! Si tu ne t'en souviens pas, je vais te rafraîchir la mémoire. Voilà… Il y a quatre ans, j'ai porté un bébé. Presque sept mois de grossesse. Le soir de Noël, Gertrude et toi vous vous disputiez gentiment à savoir si ce serait un garçon ou une fille. Tu voulais un garçon et elle, une fille. Est-ce que ça te dit quelque chose, maman, cette discussion avec Gertrude ? Finalement, c'était une fille. Marc et moi, nous avions décidé de l'appeler Rosalie. Malheureusement, elle est arrivée trop tôt. Beaucoup trop tôt. Elle a à peine eu le temps de pousser un premier pleur. Ça aussi tu dois le savoir, car on m'a dit qu'en apprenant sa mort, tu avais été prise d'angoisse. Une angoisse tellement forte qu'elle t'a tenue à l'écart du monde pendant des années. Te souviens-tu de tout ça, maman ?

Tandis qu'Émilie parlait, Blanche regardait fixement le café qu'elle faisait tourner dans sa tasse comme elle faisait tourner son brandy dans le verre en forme de ballon qu'elle s'était acheté la semaine dernière. C'était moins triste de boire dans un joli verre qu'à même la bouteille. Cela lui donnait l'illusion de ne pas être seule.

— Regarde, maman ! Regarde mes jambes.

Blanche sursauta et risqua un regard vers Émilie. Tout en parlant, sa fille avait relevé le bord de ses pantalons, dévoilant des chevilles en forme de tuyau.

— Regarde comme mes jambes sont enflées ! Ça m'est arrivé tout d'un coup. Hier matin quand je me suis réveillée, mes jambes étaient énormes. Mais le médecin me dit que c'est parfois normal, que je ne dois surtout pas m'inquiéter. Je ne suis pas très grande, ce n'est peut-être qu'un petit problème de circulation sans gravité. À Rosalie aussi j'avais eu les jambes enflées. Ça, est-ce que tu t'en souviens ? Moi, je me rappelle que tu semblais inquiète à ce sujet même si tu n'en as pas beaucoup parlé. Puis j'ai dit que j'avais soif et tu nous as préparé du jus.

Blanche était hypnotisée par le café qui ondulait dans la tasse. La voix d'Émilie disposait sur le fond de café tous les morceaux du puzzle qu'elle cherchait à reconstituer, chaque fois qu'elle buvait. Cette sensation d'échapper quelque chose n'était plus là. Seule la culpabilité demeurait inchangée. La voix d'Émilie poursuivait, s'emmêlant aux voix accusatrices qu'elle finissait toujours par retrouver au fond de son verre.

— Et je me rappelle aussi que tu avais voulu que j'en prenne deux fois, de ce jus. Tu disais que je devais manger pour deux et que le jus serait bon pour aider mes jambes. Pourquoi est-ce que ce jus était bon pour moi, maman ? Du jus, ça n'a rien à voir avec de l'enflure.

Les mains de Blanche s'étaient mises à trembler. La sensation de fluidité dans ses souvenirs était maintenant remplacée par l'implacable réalité. Oui, elle se souvenait de tout ce dont Émilie parlait. Les jambes enflées, la panique qu'elle avait ressentie, le jus de fruit. Elle se rappelait même que c'était du jus d'orange.

Et elle y avait versé une pleine bouteille d'huile de ricin.

Blanche s'était relevée et, sans un regard pour Émilie, elle s'était postée à la fenêtre. Elle était tout étourdie. Les souvenirs qui l'avaient si souvent narguée au fond de ses verres de brandy, insaisissable tourmente, se plaçaient sur l'écran de sa mémoire avec une précision redoutable.

Les jambes enflées d'Émilie, son ancienne cuisine, la tablette aux pilules, la bouteille d'huile de ricin…

Blanche ferma les yeux en secouant la tête. Quand elle les rouvrit, elle s'obligea à regarder dehors. Ne pas penser, surtout ne pas revenir dans un passé qui l'avait déstabilisée. Elle ne voulait pas retourner à l'asile.

Les journées commençaient à rallonger. Mars n'était plus très loin. Les passants marchaient juste sous sa fenêtre, indifférents à la douleur qui lui traversait le cœur.

Malgré la peur qui lui tordait le ventre, malgré la volonté de tout faire disparaître, les souvenirs étaient les plus forts.

Émilie venait d'apporter la lumière sur ces jours qui n'étaient restés qu'un trou noir dans la mémoire de Blanche. Le dernier morceau du puzzle était là, entre ses mains. Il ne lui restait plus qu'à le remettre à Émilie pour que le dessin soit complet.

Après, peut-être ressentirait-elle le soulagement qui lui manquait tant ? Après, peut-être pourrait-elle boire sans revivre cette culpabilité qui la rendait folle ?

Alors elle se décida à parler. Même si les mots sortaient écorchés, même si sa voix était étranglée, elle s'obligea à aller jusqu'au bout.

— Je ne voulais que ton bien, ma chérie. Comprends-moi bien. Je ne savais pas que ton organisme réagirait si mal à une médication que je t'avais si souvent donnée auparavant et qui t'avait certainement sauvé la vie. Tu dois probablement la vie à l'huile de ricin et à l'extrait de fraise, ma chérie. Tu ne peux pas t'en souvenir! Mais tu étais si petite à la naissance. Personne ne me croyait quand je disais que tu étais comme moi, fragile, malade. Il a fallu que j'improvise pour te sauver la vie sans l'aide des médecins. Je t'aimais tellement, Émilie. Je t'aime encore tellement. Jamais je n'ai voulu que tu sois malheureuse à cause de moi. Tes douleurs, je les connaissais, tes joies étaient les miennes, tes espoirs faisaient le bonheur de mes journées. C'est pourquoi, quand j'ai vu tes jambes aussi grosses, j'ai eu peur de te perdre. J'étais persuadée que tu étais victime d'un empoisonnement. Avec des intestins aussi capricieux que les nôtres, c'est toujours possible, tu sais. Mais je te jure que si j'avais su pour ton bébé, jamais je n'aurais osé faire quoi que ce soit. Tu me crois, n'est-ce pas?

Quand Blanche se décida enfin à tourner vers Émilie ses yeux rougis et son visage ruisselant de larmes, elle se heurta à un fauteuil vide. Dans le corridor, la porte d'entrée était en train de se refermer doucement, à peine un souffle. Il y eut les pas qui descendaient lentement l'escalier, puis la porte extérieure claqua, poussée par le vent.

Machinalement, Blanche se retourna vers la fenêtre. Le manteau rose d'Émilie fendait la foule. Elle le suivit des yeux puis brusquement, il disparut au coin de la rue à l'instant où le néon clignotant reprenait sa faction au-dessus de la porte de l'épicerie.

Blanche se détourna. La pièce était vide. Zébrée de rouge par intermittence et vide.

Elle eut alors la certitude que c'était sa vie qui venait de se vider de toute sa substance.

Émilie était partie sans dire un mot.

Et sans Émilie, elle n'était plus rien.

* * *

Quand Marc arriva devant chez lui, il fronça les sourcils et se hâta de sortir de son auto.

Il n'y avait aucune lumière aux fenêtres de la maison et ce n'était pas normal. Émilie la frileuse ne sortait jamais quand il y avait un petit vent sournois comme celui d'aujourd'hui. Surtout depuis qu'elle partageait ses promenades avec Dominique.

Il gravit les marches en deux enjambées.

La porte n'était pas fermée à clé, ce qui était encore plus curieux. Il entra en coup de vent.

— Émilie ? Tu es là ?

— Dans le salon.

Le soulagement de Marc fut bref. La voix d'Émilie était mouillée comme si elle était en train de pleurer. Il se précipita vers le salon, laissant tomber son manteau derrière lui, à même le sol.

— Mais qu'est-ce qui se passe ? Et Dominique ? Où est Dominique ?

Émilie regarda autour d'elle comme si effectivement elle cherchait le bébé. Puis elle renifla.

— Dominique est chez ta mère.

Marc avait fait les quelques pas qui le menaient jusqu'à Émilie, sans penser faire un peu de clarté. Un réverbère lointain est bien suffisant quand on ne sait trop ce qui nous attend.

— Chez maman ? Mais pourquoi ? Tu es malade ?

Marc s'était approché de la bergère et s'était agenouillé à côté d'Émilie. La lumière du lampadaire de rue dessinait des sillons brillants sur les joues d'Émilie.

— Mais qu'est-ce qui se passe, Milie ? Tu as mal ? Il y a un problème ?

Tout en parlant, Marc avait posé la main sur le ventre de sa femme. Geste de curiosité, geste de protection. Émilie posa la sienne par-dessus.

— Non. Au contraire, tout va bien.

Brusquement, elle éclata en sanglots. Alors Marc explosa.

— Tout va bien ? Bonté divine, Milie ! On ne le dirait pas. Vas-tu enfin me dire ce qui se passe ici ? J'arrive et il fait noir comme chez le loup, Dominique n'est pas là, tu te berces dans le noir en pleurant et tu me dis que tout va bien. Qu'est-ce que je dois comprendre là-dedans, moi ?

À travers les larmes d'Émilie, Marc vit fleurir un sourire.

— Que tout va bien.

Émilie se redressa, essuya son visage.

— J'ai vu maman cet après-midi.

Elle sentit la main de Marc se crisper sur son ventre.

— Ne crains rien. Désormais, il n'y aura plus jamais rien à craindre. Mes larmes sont des larmes de soulagement. Et les dernières d'un deuil qui vient de prendre fin. Je peux laisser Rosalie où elle est. Je ne suis pas responsable de ce qui est arrivé.

— Tu… Ta mère a avoué?

— Si on veut. À demi-mots. Ça m'a fait du bien. Maintenant, j'ai envie de regarder l'avenir avec sérénité. Je peux le faire. Les peurs sont derrière moi.

Après un court silence, elle demanda:

— Pourras-tu un jour me pardonner de t'avoir si peu fait confiance?

Marc l'empêcha de continuer en posant ses lèvres sur les siennes.

— Il n'y a rien à pardonner, murmura-t-il ensuite. Je t'aime, Milie. J'aime notre fils et le bébé qui va arriver bientôt. Le reste n'a plus d'importance.

— Merci.

Elle ajouta encore, après quelques secondes d'un silence fin comme une dentelle:

— Quand nos deux enfants seront assez grands pour le comprendre, on leur dira qu'ils auraient pu avoir une grande sœur qui s'appelait Rosalie et nous irons tous ensemble au cimetière. D'accord?

— D'accord.

— Tu vois, j'avais raison: tout va merveilleusement bien.

— Et ta mère?

— Maman? Je ne sais pas. Je suis partie avant qu'elle ait fini de parler. J'en avais assez entendu. Charlotte avait raison. Maman est vraiment malade. C'est peut-être pour ça que malgré tout, je n'arrive pas à lui en vouloir. Je n'ai pas envie de la voir pour l'instant, mais je ne peux pas la détester. Est-ce que tu peux comprendre ça?

Marc hésita avant de répondre.

— Je ne sais pas, peut-être. Il n'y a que toi qui puisses répondre à ça.

À son tour, Émilie resta songeuse.

— Je crois que tu as raison. Mais pour l'instant, je n'ai pas envie d'analyser tout ça. Je verrai plus tard. J'ai juste envie d'être bien.

Émilie renifla une dernière fois et se releva.

— Et maintenant, si on allait chercher Dominique? J'ai terriblement envie de le serrer dans mes bras et ta mère doit bien se demander ce qui se passe.

— On y va.

La voix de Marc était rauque.

— Mais avant...

Se penchant, il posa la tête sur le ventre d'Émilie et l'embrassa tendrement. Puis il se redressa et prit sa femme tout contre lui.

— Merci, Émilie. Merci d'être la femme que tu es, faite de douceur, de pardon et de compromis. C'est probablement pour ça que je t'aime autant.

Il prit ensuite une profonde inspiration et lança:

— Et maintenant, on va chercher notre petit homme. Je me demande bien quelle sorte de grand frère il va être.

Émilie répondit à son interrogation par une petite grimace moqueuse avant d'ajouter:

— Dominique va sûrement être un gentil grand frère. C'est ta mère qui me le faisait remarquer. Il lui fait étrangement penser à son papa. Toujours de bonne humeur et séducteur comme pas un!

## Chapitre 17

# *Pour l'amour de la musique*

La lettre était restée plus de trois jours dans la pile avec les autres, au fond du tiroir où Robert Canuel rangeait son courrier. Il était un homme organisé et le courrier, il s'en occupait deux fois la semaine, comme il faisait sa comptabilité tous les dimanches matin. C'était sa messe hebdomadaire. Il avait promis de se présenter de nouveau à l'église le jour où une femme entrerait dans sa vie. En attendant, il avait mieux à faire. Il était croyant, priait tous les soirs avant de se mettre au lit, mais sa foi avait un petit quelque chose de païen qui transformait immanquablement les demandes en supplications et les résultats obtenus en amulettes capables de conjurer les mauvais sorts quand viendrait le temps d'une autre demande. Malgré tout, nul doute que Dieu existait puisqu'il était parfois exaucé.

La lettre, donc, avait revu la lumière du jour par un samedi matin ensoleillé de janvier alors qu'il n'y avait pas encore de clients à la procure. Le samedi matin était toujours un moment creux dans la semaine. Les gens préféraient faire l'épicerie avant de vaquer aux autres occupations. Monsieur Canuel en profitait donc pour dépouiller son courrier et le classer en deux piles distinctes afin d'y revenir plus tard, en même temps que la comptabilité.

Au fil des ans, les piles ne variaient guère. Les comptes arrivaient de façon régulière et abondante alors que le courrier personnel se limitait, la plupart du temps, à quelques cartes postales, occasionnelles, envoyées par des clients assidus et reconnaissants ou par quelques amis rencontrés dans certains bars où la musique les réunissait parfois.

Une lettre était donc une aubaine.

Il l'avait soupesée, l'avait mirée dans la lumière.

Qui donc pouvait penser à lui depuis Chicago et se donner la peine d'écrire une lettre au lieu de la traditionnelle carte qui se résumait habituellement en un bulletin météo ?

Robert Canuel avait tiré le banc de bois qui traînait à l'arrière du comptoir et s'était installé derrière la caisse enregistreuse pour enfin décacheter l'enveloppe.

Curieux, il avait sauté la première page pour se rendre directement à la signature.

Son cœur avait bondi.

Anne, c'était Anne qui lui écrivait.

Il avait appuyé les poignets sur le tiroir de la caisse car brusquement, ses mains avaient été agitées de tremblements. Il avait eu une pensée pour le jeune homme qui était venu le voir à l'automne en prétendant être son frère même s'il ne portait pas le même nom, se demandant s'il avait reçu une lettre lui aussi, puis il s'était enfin décidé à lire les deux feuillets couverts d'une écriture claire, ferme, formée de petites lettres nettes comme les notes d'une partition, qui lui avaient aussitôt fait penser à Anne.

La jeune fille commençait en lui demandant pardon pour son abandon du mois d'août dernier.

*...Je regrette infiniment de vous avoir laissé tomber sans avertissement. J'espère que la clientèle ne vous en a pas voulu. Je sais que les gens appréciaient entendre le piano quand ils ve-*

*naient chez vous. Malheureusement, les événements ont fait que j'ai dû quitter une journée plus tôt et la suite a fait que je ne suis pas revenue tel que prévu. M'avez-vous pardonnée ? Si oui, je tiens à vous dire que je m'ennuie de la procure, de votre petite salle de musique, mais surtout de vous. M'avez-vous remplacée ? Égoïstement, j'espère que non. Ainsi, à mon retour, peut-être pourrions-nous reprendre nos séances de composition ? Depuis que vous n'êtes plus là, je n'arrive plus à composer.*

Robert Canuel avait relevé les yeux. Le soleil de janvier qui giflait allègrement le cuivre des instruments de la vitrine lui avait paru aussi chaud que le plus bel avril. Anne lui avait écrit, Anne s'ennuyait, Anne voulait le revoir.

Rassuré, transporté, il avait repris sa lecture.

*Malgré tout, je fais enfin de la musique autant que j'en ai envie. Le jour est consacré aux pratiques et le soir aux concerts. De bien petits concerts, je le concède, mais le plaisir est quand même total. J'aime ce que je fais, j'aime que les gens m'applaudissent. J'aime la musique, ai-je besoin de vous le dire ? Comme vous l'avez peut-être remarqué à l'entête du papier, je suis présentement à Chicago. Mais le contrat de Muriel, la chanteuse que j'accompagne, tire à sa fin. Dans quelques jours, nous serons à New York. Je n'ai donc ni adresse ni numéro de téléphone à vous communiquer. Mais si vous le souhaitez, comme moi j'en ai vraiment envie, je vous ferai signe dès mon retour à Montréal. Nous aurons alors l'occasion de refaire de la musique ensemble. De tout ce que j'ai laissé derrière moi, c'est ce qui me manque le plus.*

*Au plaisir de vous revoir,*

*Anne.*

Robert Canuel avait levé la tête, un pli soucieux barrant son front, le cœur battant une incroyable contradiction. Il était indéniablement heureux d'avoir enfin des nouvelles d'Anne. En plus, elle semblait bien se porter et elle disait s'ennuyer de lui. Par contre, il était inquiet de ce nom qu'elle avait glissé dans sa lettre.

Muriel...

Robert Canuel avait échappé un soupir d'impatience.

Anne avait parlé d'une chanteuse appelée Muriel. Or, il connaissait une chanteuse appelée Muriel. Il la connaissait même très bien, et cela ne lui plaisait guère de savoir la jeune Anne en sa compagnie.

Cette Muriel, il l'avait rencontrée dans un bar où elle chantait. Sa voix chaude et grave lui avait plu. Ils s'étaient revus à quelques occasions puis ils avaient commencé à faire de la musique ensemble. La grande polyvalence de Robert Canuel qui touchait le clavier et grattait la guitare était un atout aux yeux de Muriel. Elle avait réussi à le convaincre de l'accompagner quand elle chantait à Montréal. Comme cela brisait agréablement la monotonie de sa solitude, Robert Canuel avait acquiescé à sa demande.

Pendant quelques mois, ils s'étaient produits ensemble sur quelques scènes de Montréal, attirant de plus en plus de gens. Le jazz et le blues commençaient à être à la mode depuis les prestations de certains chanteurs noirs américains qui y excellaient. De bonne grâce, Robert Canuel s'était accommodé de sa gêne sur une scène, du penchant marqué de Muriel pour l'alcool et de son attirance pour les femmes. Comme côté musique, ils s'entendaient fort bien, il avait fermé les yeux sur certaines attitudes et habitudes qui lui semblaient malsaines. Jusqu'au jour où Estelle était apparue dans la vie de Muriel. C'était une pianiste médiocre, mais elle avait indéniablement certaines qualités que Robert Canuel ne pourrait jamais offrir. Il y avait eu quelques discussions orageuses avant qu'Estelle s'installe au piano. Ce soir-là, tant par défi pour contrer la provocation de Muriel qui n'avait sollicité sa nouvelle amie au clavier que par un subit désintéressement, il en avait profité pour s'éclipser discrètement et, à partir de ce jour, il avait évité les bars qui mettaient en scène *Muriel et son escorte.*

Puis il avait fini par l'oublier ou presque.

Et voilà qu'elle avait ressurgi dans sa vie comme une ombre malfaisante.

Le soleil qui entrait à profusion avait subitement repris ses tiédeurs d'hiver et les instruments brillaient d'un éclat qui lui avait paru factice.

Au même instant, un client matinal avait fait tinter la clochette au-dessus de la porte et il avait glissé la lettre dans le tiroir de la caisse enregistreuse. Cela n'avait été qu'à l'heure du midi, profitant d'une accalmie, que Robert Canuel y était revenu.

Il l'avait relue, avait ressenti la même exaltation à la première page, suivie d'une identique inquiétude à la seconde. Il n'y avait pas des douzaines de Muriel, chanteuse, dans la ville de Montréal. Le risque de se tromper était faible.

Dans quel guêpier Anne avait-elle mis les pieds ?

À moins que Muriel n'ait changé, ce dont il doutait fort.

À moins que leur relation ne concerne que la musique, ce qui était peut-être possible.

À moins qu'Anne ne soit assez forte pour faire face à Muriel, ce qui était plutôt improbable.

Il avait alors revu mademoiselle Anne, comme il l'appelait,

le regard triste et inquiet, s'enfuyant de chez lui dès la noirceur tombée.

C'était encore une enfant. C'était parfois la femme la plus femme qu'il lui avait été donné de rencontrer.

Que s'était-il passé pour que subitement elle se mette à voyager de par le vaste monde?

L'inquiétude avait dominé.

Le reste de la journée avait été à l'avenant et ce fut aux côtés d'un client particulièrement indécis qu'il avait appris que lui aussi pouvait être impatient et impoli.

Cinq heures n'avaient pas encore sonné à l'horloge de la procure que la clé était à la serrure parce que Robert Canuel avait fermé boutique.

Ce soir-là, malgré le froid, il avait appelé un taxi pour se faire conduire dans l'ouest de la ville, quartier où habituellement Muriel donnait ses concerts. Il avait fait quelques bars, s'était réchauffé de quelques cafés pour finalement apprendre que Muriel était à l'extérieur du pays pour un bon moment encore, la nouvelle pianiste qui l'accompagnait faisant fureur.

Robert Canuel avait repoussé le verre de rhum qu'il s'était commandé et était rentré chez lui pour cultiver et son ennui et son inquiétude.

Cela n'avait été que le lundi suivant qu'il avait repensé à Jason, le jeune homme de l'automne. Frère ou pas frère, il avait promis de donner des nouvelles s'il en avait. Or, il en avait eu. Et, avant toute chose, Robert Canuel était un homme de parole. Le cœur piqué par l'épine d'une subite jalousie, il avait fouillé dans la caisse enregistreuse pour retrouver le papier avec les numéros et il avait pris le téléphone en cette fin d'après-midi d'une journée particulièrement glaciale. L'hiver n'en finissait plus de geler et de poudrer ses tempêtes.

L'appel avait été bref.

Robert Canuel avait raccroché, un sourire euphorique sur les lèvres.

Le jeune homme n'avait reçu aucune lettre, ce qui, de toute évidence, était une raison implicite de croire qu'il était effectivement le frère de mademoiselle Anne. Quand on se décide à écrire aux siens après un long silence, le frère passe en dernier.

Peut-être.

Du moins, était-ce là ce que Robert Canuel avait choisi de croire.

Et de ce jour, il s'était mis à surveiller le passage du facteur.

De janvier à mars, en passant par un mois de février particulièrement clément, il avait guetté durant un nombre incalculable d'heures l'arrivée de la poste et passé un nombre infini de minutes à dépouiller son courrier, ce qu'il faisait maintenant de façon systématique tous les matins.

Mais il n'y avait plus rien eu. Ni lettre, ni carte postale, ni appel téléphonique.

Anne avait-elle regretté sa lettre? Après tout, il n'était pour elle qu'un vieux monsieur, propriétaire d'une poussiéreuse procure de musique. Un vieux monsieur, musicien du dimanche n'ayant qu'une fraction de son talent. Un vieux monsieur ayant un cœur qui battait comme s'il avait vingt ans mais cela, elle ne le savait pas.

Le saurait-elle un jour?

Plus le temps passait et plus Robert Canuel en doutait.

Chaque soir, il remontait le cœur lourd retrouver un logement silencieux.

Depuis quelques semaines, la lecture de la lettre qu'il avait posée sur sa table de nuit tenait lieu de prière, la salle de musique était devenue son sanctuaire et un samedi sur deux, il faisait son pèlerinage dans l'ouest de la ville. Un jour, il finirait bien par apercevoir Anne ou Muriel ou les deux. Ce jour-là, il verrait la conduite à adopter, il s'en tiendrait surtout aux propos de la lettre pour rassurer Anne.

Elle était toujours la bienvenue chez lui, tant à la procure qu'à son modeste appartement.

En attendant, il essaierait de composer quelques pièces. Ce serait son cadeau de bienvenue.

Et depuis quelques soirs, à défaut d'un interlocuteur en chair et en os, il était revenu à ce Dieu hypothétique à qui il avait promis tout récemment, même sans épouse sous son toit, de remettre les pieds à l'église en échange d'une certaine Anne Deblois saine et sauve.

Car pour lui, nul doute, avec Muriel, Anne avait un pied dans l'antichambre de l'enfer.

* * *

Quand Anne arriva à New York, elle eut l'impression de se retrouver en terre connue. Était-ce dans une autre vie ou simplement à quelques mois de là qu'elle promenait ses désillusions le long de ces mêmes avenues ?

L'envie de se fondre à cette ville gigantesque l'amena, le premier matin, à quitter l'hôtel très tôt pour se rendre à Central Park faire une promenade.

Un immense coup de cafard l'attendait embusqué au coin de la rue.

Elle était à un jet de pierre de Bridgeport, et Montréal se

situait tout juste sous l'horizon. À certains égards, le parc ressemblait au parc La Fontaine et Anne eut l'impression de remonter dans le temps. Elle avait dix, quinze ou seize ans, elle venait ici pour se cacher de Blanche, pour cacher ses peurs et ses larmes.

L'ennui des siens fut si fort qu'elle passa les deux heures suivantes à tenter de se les imaginer. À tenter de s'imaginer qu'elle n'aurait qu'à se lever pour prendre un autobus et les retrouver.

Charlotte était-elle enceinte comme elle se promettait de l'être dès après son mariage ?

Et Émilie ? Avait-elle enfin ce petit bébé qu'elle disait vouloir adopter ?

Tout naturellement, son esprit se tourna ensuite vers Jason. Après tout, il était son frère comme Charlotte et Émilie étaient ses sœurs. Qu'avait-il pensé d'elle quand il était revenu sur la plage et qu'elle n'était plus là ? Avait-il compris à quel point elle était malheureuse ? Avait-il tenté de la retrouver ?

Et aujourd'hui, pensait-il toujours à elle ou l'avait-il rangée parmi les souvenirs sur lesquels on ne veut pas revenir ?

L'envie de lui écrire s'imposa. Ce soir, après le concert, elle prendrait un moment pour lui envoyer quelques mots. Lui dire qu'elle s'était fait à l'idée de le voir comme un frère et que c'était très bien ainsi.

Mais aussitôt, à imaginer Jason dans la grande maison du bord de mer, l'image de son père se grava sur l'écran de sa pensée. Habitait-il avec Antoinette et Jason ou, devant son absence, était-il retourné vivre à Montréal ?

Anne n'arrivait pas à savoir. Elle n'arrivait plus à deviner son père comme elle croyait deviner ses sœurs.

Quand elle songeait à lui, elle avait l'impression de regarder un étranger.

Elle lui en voulait toujours de ne pas lui avoir fait confiance. Le secret qu'il avait porté tout le long de ces années lui apparaissait, encore aujourd'hui, comme une traîtrise. Il lui avait menti par son silence. Ils avaient vécu ensemble tous les deux, seuls, et Anne avait sincèrement cru en cette complicité qui existait entre eux. Lui, pendant tout ce temps, il lui jouait la comédie du nouvel amour avec Antoinette. Pourquoi?

— Pourquoi, murmura Anne à voix haute. Pourquoi ne m'a-t-il rien dit?

Anne se tenait pliée en deux, assise sur un banc comme elle l'avait fait si souvent à Montréal, laissant le temps filer jusqu'au souper pour ne pas avoir à rencontrer sa mère. Il faisait froid, de ce froid cruel quand il n'y a pas de neige. Mais Anne ne le sentait pas. D'avoir pensé à son père l'avait amenée tout naturellement à sa mère.

Blanche...

À sa façon, Blanche avait été plus honnête envers elle. Depuis toujours, Anne savait que sa mère ne l'avait jamais aimée. Aujourd'hui, elle comprenait pourquoi. Elle espérait ne plus jamais la revoir, mais elle comprenait la détresse qui avait dû être la sienne. Ce qu'elle lui reprochait, c'était de ne pas avoir su mettre une frontière entre son père et elle. Que Blanche en veuille à Raymond était tout à fait normal. Par contre, au-delà de la souffrance que sa mère avait dû connaître, Anne n'avait pas à faire les frais de cette rancune.

Pour une femme comme Blanche, toutefois, la démarcation devait être si pâle qu'elle ne l'avait jamais vue et ne la verrait probablement jamais.

Et pour cela, pour éviter les compromis et les discussions, Anne préférait ne plus jamais la revoir.

Par contre, quand elle serait de retour à Montréal, elle irait voir ses sœurs. Chacune à sa façon, elles lui manquaient, même si leurs relations avaient souvent été sous le signe des imperfections, des lacunes, des émotions parfois compliquées.

Pour les autres, elle verrait avec le temps.

Aujourd'hui, sa famille se résumait à Muriel. Une femme passionnée dans tout son être. Une femme différente qui la faisait se sentir importante. Une femme qui partageait son amour de la musique et les frémissements de ses nuits. Anne ne savait trop si c'était cela l'amour. Elle ne savait plus vraiment ce que voulait dire ce mot. Elle était consciente que dans son cas, il avait souvent été malmené, défiguré, prononcé n'importe comment. Jamais elle n'avait senti son cœur débattre pour Muriel comme il avait déjà battu pour Jason. Mais avait-il à battre plus fort devant celui ou celle que l'on croyait aimer?

Cela non plus, elle ne le savait pas. Et il n'y avait personne auprès d'elle qui pouvait lui répondre.

Elle se contentait de tirer son bonheur de la musique qui remplissait ses journées, du regard possessif que Muriel posait sur elle et des bulles du champagne qui accompagnait ses soirées.

Quand elle retourna à l'hôtel, ce jour-là, Anne avait oublié qu'elle voulait écrire à Jason. Muriel s'impatientait, elles devaient faire les réglages du son pour le concert du soir…

Et les semaines passèrent.

Puis, à son tour, New York fut loin derrière. Dans le train qui la ramenait à Montréal, pour la première fois depuis des mois, Anne sentait l'exaltation de rentrer chez elle.

Elle n'avait qu'un nom en tête et c'était celui de monsieur Canuel. Avec lui, elle retrouverait cette dimension intemporelle et unique que lui procurait la création. Durant son séjour à New York, elle s'était ennuyée de lui, de leurs longues séances dans la salle de musique. Pourtant, elle ne lui avait pas réécrit. Elle y avait souvent pensé mais avait toujours fini par reculer. De toute façon, elle avait tout dit dans la première lettre. Sans savoir ce qu'il en pensait, Anne n'avait rien d'autre à ajouter. Dès qu'elle aurait un moment de libre, dès qu'elle aurait le courage de le faire, peut-être la semaine prochaine, elle irait à la procure.

Pour l'instant, Muriel et elle avaient à pratiquer de nouvelles chansons. Elles retournaient au petit bar où elles s'étaient connues et le patron avait exigé un nouveau répertoire.

Deux semaines passèrent sans qu'Anne n'ait eu le temps de faire quoi que ce soit d'autre que de la musique. Samedi prochain, elles entreprenaient une nouvelle tournée qui commençait à Montréal, passait par Québec avant de se retrouver encore une fois aux États-Unis.

Anne avait le trac. Toutes ces nouvelles mélodies lui trottaient dans la tête sans relâche. S'il fallait qu'elle se trompe ! Jamais, auparavant, cela ne s'était produit. Mais jusqu'à maintenant, elle évoluait en terrain connu, alors que samedi prochain, toutes les pièces seraient nouvelles, à l'exception de deux ou trois.

Bien sûr, elles s'étaient beaucoup exercées, mais pour la première fois de sa vie, Anne n'était pas sûre d'elle devant des partitions.

Quand elles entrèrent dans le bar, Anne reconnut aussitôt

le serveur qui, lui, pourtant, la regardait en fronçant les sourcils. Avait-elle changé à ce point ? Il était vrai que depuis Chicago, Anne avait appris à se maquiller et la robe qu'elle portait était nouvelle, noire comme celle de Muriel avec un profond décolleté. Muriel disait que cela plaisait aux clients des bars qui étaient souvent des hommes. Quand Muriel disait cela, Anne entendait un certain mépris dans sa voix, un mépris qu'elle ne comprenait pas. Mais si Muriel le disait, cela devait être important.

Anne se contenta donc de sourire au serveur, un peu mal à l'aise. Puis elle s'installa au piano et oublia aussitôt tout ce qui n'était pas la musique. Muriel lui apporta une flûte de champagne, comme elle le faisait tous les soirs, et ensemble, elles commencèrent ce premier concert de la nouvelle tournée.

Les chansons se suivirent sans interruption autre que les applaudissements.

Anne était tellement absorbée par la musique qu'elle ne vit pas monsieur Canuel quand il se glissa dans le fond de la salle. Pas plus qu'elle ne remarqua la dureté de son regard quand il vit le serveur apporter une seconde coupe de champagne.

À l'intermission, le rire d'Anne qui monta très haut dans la salle fit mal au musicien. Où donc était la petite fille qui venait chez lui ? Cette femme à la robe provocante, au rire aigu, à la nonchalance étudiée n'avait rien à voir avec la merveilleuse enfant qui avait un talent fou. Quelques années de ce régime et le talent d'Anne ne serait plus qu'un souvenir.

En était-elle consciente ? Avait-elle délibérément choisi cette existence enfumée et rongée par l'alcool ou la vie l'avait-elle obligée à emprunter cette voie ?

Incapable de supporter l'image qu'Anne projetait, il sortit de la salle dans la nuit douce de ce début d'avril.

Il fit les cent pas sur le trottoir et attendit que la musique reprenne pour se décider à retourner à l'intérieur.

Il ne pouvait se résoudre à partir sans la revoir au moins une fois. Il croyait comprendre pourquoi il n'avait pas reçu d'autres lettres. Anne n'avait plus besoin de lui.

Mais lui, il aurait toujours besoin d'elle.

Il reprit sa place, tout au fond de la salle. Fermant les yeux, il se laissa porter par la musique. Dans sa tête, c'était la jeune fille de la vitrine qui jouait pour lui, juste pour lui. Elle n'avait pas d'âge, elle était tour à tour femme et enfant et quand son regard se posait sur lui, il y avait tout l'espoir de la jeunesse au fond de ses prunelles.

Robert Canuel n'ouvrit pas les yeux quand la foule explosa en applaudissements à la fin du concert. Il voulait rester dans son rêve le plus longtemps possible. Puis il entendit quelques personnes quitter, d'autres qui appelaient Muriel et Anne pour qu'elles se joignent à eux et il se dit qu'il était temps pour lui de s'en aller.

Ce fut au moment où il allait enfin ouvrir les yeux qu'il sentit une main se poser sur la sienne. Ces longs doigts fins qui savaient si bien cacher leur force…

Alors il leva la tête. Anne était là, souriante, avec ce même reflet de confiance au fond du regard. À la main, elle tenait encore sa flûte de champagne. Robert Canuel se leva alors et, prenant la coupe, il la déposa sur la table. Anne n'avait pas besoin de tous ces artifices pour être belle et talentueuse. Elle n'avait qu'à être elle-même, la passionnée de musique. Il lui tendit les bras et Anne se jeta à son cou.

— Si vous saviez, comme vous m'avez manqué !

— Si vous saviez, mademoiselle Anne, combien la procure est triste depuis votre départ !

Anne se dégagea et le regarda longuement.

— C'est bien vrai ? Vous ne m'avez pas remplacée dans la vitrine ?

— Vous remplacer ? Personne ne peut remplacer Anne Deblois. Vous êtes unique, mademoiselle Anne.

— Mademoiselle Anne, murmura Anne, songeuse. J'ai l'impression d'être quelqu'un d'important quand vous m'appelez comme ça.

— Mais vous êtes importante.

Anne dessina une moue remplie de doute.

— Peut-être...

Puis elle inspira profondément et esquissa un sourire pétillant.

— Je suis heureuse de vous voir. J'ai tellement de choses à vous raconter. Mais avant, j'aimerais vous présenter quelqu'un.

— Muriel ?

Anne ouvrit de grands yeux surpris.

— Vous connaissez Muriel ?

— Oui, je la connais. Et je n'ai pas vraiment envie de la saluer.

— Mais pourquoi ? Elle est gentille et c'est grâce à...

— Qu'importe, interrompit monsieur Canuel avec un geste évasif de la main. Il se fait tard. Il est temps que je rentre.

Prenant les deux mains d'Anne dans les siennes, il demanda :

— Quand nous reverrons-nous ? Aurez-vous un peu de temps à me consacrer ?

— Demain, lança Anne avec fougue. Demain c'est dimanche et nous ne jouons pas.

Sa voix vibrait d'enthousiasme. Robert Canuel se dit alors qu'il n'était peut-être pas trop tard.

— Et si je disais que je vous attends pour souper, cela vous conviendrait-il ?

— Bien sûr !

Après un instant de réflexion, Anne se permit de demander :

— Et si j'arrivais plus tôt, est-ce que ça vous dérangerait ? J'aimerais tellement faire un peu de musique avec vous.

— Venez quand vous voulez ! Ma porte vous est grande ouverte.

— Merci ! Merci ! Si vous saviez comme ça me fait plaisir ! Demain, promis, je serai là dès le début de l'après-midi.

Quand elle s'envola vers l'autre bout de la salle, monsieur Canuel eut le sentiment que la petite fille n'était pas loin, le pressentiment que tout était encore possible.

Surtout qu'elle avait laissé son verre de champagne sur la table…

Il rentra chez lui en se disant que demain matin, après des années d'absence, il ferait peut-être un saut à l'église.

Pendant ce temps, à l'autre bout de la ville, jamais Anne n'aurait pu imaginer qu'une telle furie se cachait en Muriel. À peine avait-elle prononcé le nom de monsieur Canuel que la chanteuse la toisait d'un œil menaçant.

— Canuel ? Tu connais Robert Canuel ?

— Je… Oui, c'est un ami. Pourquoi ce ton agressif ?

— Lui ? Un ami ? Il pourrait être ton père, ma pauvre fille.

Muriel avait beaucoup bu, célébrant leur petit succès au bar. Muriel buvait souvent beaucoup, beaucoup trop. Elle commençait avec les clients après le concert et continuait à la chambre ou à l'appartement par la suite. Mais comme habituellement Anne buvait aussi, elle n'en avait jamais pris conscience avec autant d'acuité. Ce soir, monsieur Canuel lui avait enlevé son verre et Anne n'en avait pas repris d'autre. Curieusement, après son départ, elle n'avait plus eu envie de champagne.

Maintenant, elles étaient de retour à l'appartement de Muriel qui avait sorti une bouteille de cognac.

— Canuel, répéta-t-elle emportée, dégoûtée comme si elle parlait d'un être immonde. Comment as-tu pu connaître ce petit minable? Ce n'est pas un homme, c'est un rampant. Juste à cause d'Estelle, il m'a laissée tomber. Du jour au lendemain, en pleine tournée. Te rends-tu compte?

— Et après? En quoi ça me regarde tout ça? Je le trouve gentil et il...

Anne se mit à rougir sans poursuivre son idée. Puis, avec un semblant d'enthousiasme dans la voix, elle lança, espérant que la discussion en resterait là:

— Qu'importe! Demain je dois souper avec lui et...

— Pas question! Je t'interdis de le revoir. C'est un insignifiant personnage qui n'a pas de couilles.

— Tu quoi? Tu m'interdis? Mais de quel droit?

— J'ai tous les droits! N'oublie surtout pas qu'on vient de commencer une nouvelle tournée. Et qui a négocié les contrats? Qui est-ce qu'on a appelé pour l'engager? Moi! Tu me dois beaucoup, ma petite. Comme ce Canuel que j'avais sorti de l'ombre et qui m'a laissée tomber. Monsieur n'aimait pas Estelle, monsieur trouvait que je buvais trop! Maudits hommes! Toujours à commander, à vouloir régner en seigneur et maître. Ton Canuel n'est pas mieux. Tu n'as rien à faire avec lui. C'est un insignifiant.

Anne écoutait Muriel déblatérer sur monsieur Canuel et les mots lui faisaient mal. Elle devenait vulgaire et les propos l'incommodaient. Imperceptiblement, de mots en mots, Anne s'était tassée sur elle-même dans le fauteuil. Elle avait recroquevillé ses jambes sous sa robe trop serrée qui lui coupait le souffle. Le maquillage de Muriel avait coulé et elle la trouva laide. Quand, à court d'arguments, Muriel lança son verre contre le mur, Anne vit sa mère se superposer à cette femme avec qui elle partageait sa vie. Toute sa vie, de la musique à son lit.

Brusquement Anne eut peur comme jadis elle avait eu peur de Blanche. Plus Muriel criait et jetait des objets sur les murs et plus Anne se recroquevillait sur le fauteuil. À la fin, excédée, elle se boucha les oreilles et courut se réfugier dans sa chambre. Quand elle croisa son reflet dans le miroir, Anne se trouva aussi laide que Muriel. Son maquillage avait coulé et sa robe trop échancrée laissait voir un de ses seins. D'un geste rageur, elle l'arracha, déchirant les coutures.

La crise de Muriel lui avait ramené toutes les terreurs de son enfance et sa promesse, un jour, de ne plus jamais vivre dans la peur, quel qu'en soit le prix.

Elle passa la nuit à épier les bruits du logement même si elle savait que Muriel avait fini par regagner sa chambre. Assise en tailleur sur son lit, les bras croisés sur sa poitrine, elle se balançait d'avant en arrière en attendant que le jour se lève enfin.

À l'aube, quand la toute petite clarté de l'aube dessina la dentelle des rideaux contre le ciel qui se délavait et que le lampadaire s'éteignit, Anne se leva silencieusement. Elle fit ses bagages et, avant que le soleil ne ramène la chaleur du printemps, elle avait quitté l'appartement de Muriel.

Elle repartait comme elle était venue, avec son sac à dos et sa petite valise. Sur son lit, elle avait laissé ses deux robes de concert et ses pots de maquillage. Elle espérait que Muriel comprendrait le message.

Anne Deblois ne lui devait plus rien.

Il était trop tôt pour sonner à la porte de monsieur Canuel. Le soleil frôlait à peine le bord des toits et le chant des oiseaux n'avait encore aucune concurrence.

Anne descendit vers la rue Sherbrooke. Elle irait à pied en prenant tout son temps. Elle était ce matin si légère qu'elle aurait pu marcher jusqu'au bout du monde ! Il faisait beau et elle aimait entendre la ville s'éveiller.

L'accueil de monsieur Canuel fut à l'image du souvenir qu'Anne avait gardé de lui. Quand elle frappa à sa porte, il ne demanda ni pourquoi elle arrivait si tôt ni pourquoi elle trimbalait un sac sur son dos. Il devinait ce qui avait dû se passer entre Muriel et elle. Sans un mot, il prit sa valise, la posa dans un coin du minuscule vestibule et l'invita à entrer d'un geste de la main.

— Je peux vous servir un café ? Je viens tout juste d'en faire du frais.

Anne ne répondit pas. Elle restait figée dans le couloir, les yeux mi-clos humant l'air autour d'elle. Lentement, elle esquissa un sourire.

— Ça sent bon, ici. Ça sent la musique.

Elle avait enfin la sensation de revenir chez elle. Ici, dans le souvenir de toutes ces notes qu'ils avaient jouées ensemble, c'était un peu sa maison.

Elle ouvrit les yeux et offrit son sourire à monsieur Canuel. Puis elle tendit les mains devant elle, comme une offrande.

— Je n'ai plus rien, annonça-t-elle d'une voix étrangement

calme. Encore une fois, je n'ai plus rien. Que ces deux mains qui savent pianoter!

Elle soupira longuement.

— Je me demande si un jour, ce sera suffisant...

Robert Canuel n'osa répondre. Ce n'était pas à lui qu'Anne s'adressait. C'était avec elle-même qu'elle faisait le point.

— Pourtant, je croyais bien que ça y était, cette fois-ci. Les voyages, les concerts... Je m'étais trompée! Muriel n'était rien d'autre qu'une copie de Blanche.

Monsieur Canuel n'osa demander qui était Blanche. Une amie, un professeur? Peut-être cette mère dont elle avait mentionné l'existence une fois comme par inadvertance? Chose certaine, cette femme semblait avoir fait souffrir Anne, il l'entendait dans l'amertume de sa voix. Puis Anne secoua vigoureusement la tête en frissonnant comme si elle sortait d'une transe avant de revenir à monsieur Canuel.

— Auriez-vous un petit coin à m'offrir? Je ne vous dérangerai pas longtemps. Quelques jours peut-être... Le temps de me trouver un travail et une pension. C'est bête à dire, mais je n'ai nulle part où aller.

Tandis qu'Anne faisait ce constat terrifiant, le cœur de Robert Canuel s'était emballé et cherchait à répondre à sa place. Mais il n'avait pas encore le droit de lui ouvrir son logis et son cœur. Il avait fait une promesse et il la tiendrait. Après, selon la réponse donnée par mademoiselle Anne, il saurait ce qu'il fallait lui dire.

— Je crois que vous vous trompez, commença-t-il le cœur tremblant. Il y a peut-être quelqu'un qui vous attend. À l'automne, un jeune homme s'est présenté à moi en disant qu'il vous cherchait. Il m'a demandé de vous dire, si je vous voyais, que votre père s'ennuie et qu'il attend votre appel. Il a ajouté que vous comprendriez. Voilà, c'est fait. Je crois qu'au Connecticut, il y a deux hommes qui espèrent de vos nouvelles. Peut-être ont-ils aussi un toit à vous offrir ?

En entendant ces mots, le regard d'Anne s'était embué. Elle détourna la tête, brusquement intimidée de voir que monsieur Canuel était déjà présent dans ce jardin qu'elle croyait secret. Que savait-il d'autre à son sujet ? Sa vie avec Blanche était-elle aussi une donnée à l'équation ?

Elle resta silencieuse un long moment, les yeux fermés, respirant profondément comme si elle avait besoin de se calmer pour ne pas laisser éclater sa colère. Pourtant, il n'en était rien. Anne essayait seulement de contrer la grosse boule d'émotion qui l'empêchait de respirer. Jason ne l'avait pas rangée dans ses mauvais souvenirs et son père tout à coup n'était plus le monstre d'égoïsme qu'elle croyait. Les quelques mots de monsieur Canuel avaient ramené à la vie cet ennui d'eux qu'elle ne voulait pas s'avouer. Oui, elle avait envie de revoir Jason et son père, et la grande maison du bord de mer, et Antoinette… Jamais Anne ne s'était sentie aussi libre qu'en ce moment. Alors tant pis si monsieur Canuel les connaissait. Il fallait bien que cela se fasse un jour. Elle savait bien que, d'une façon ou d'une autre, cela finirait par arriver. Anne n'aurait pu vivre éternellement dans l'anonymat.

— Je… je suis heureuse d'apprendre qu'ils m'ont cherchée, avoua-t-elle alors d'une petite voix qui cachait mal l'émotion ressentie. Ça répond à bien des questions. Si vous le permettez, je leur téléphonerai un peu plus tard. Bien entendu, dès que j'aurai un peu de sous, je vous rembourserai la communication. Ça coûte cher un appel interurbain. Je crois que j'ai envie de leur parler.

De nouveau, il y eut une pause. Anne regardait autour d'elle comme si elle espérait y trouver une réponse quelconque, comme si elle jaugeait la situation avant de prendre une décision. Monsieur Canuel retenait son souffle. Il pressentait qu'une grande partie de sa vie allait se jouer dans les quelques mots qui suivraient. Si Anne parlait de s'en aller, il ne la verrait probablement plus jamais. Si elle voulait rester...

Anne soupira bruyamment.

— Mais ça ne règle pas mon problème, tout ça ! Je me sens, comment dire, je me sens soulagée à l'idée de savoir que mon père et Jason pensent à moi. Et j'avoue que j'ai envie d'avoir de leurs nouvelles. Mais aujourd'hui, je ne suis plus la petite Anne de l'été dernier. Je ne pourrais reprendre ma vie où je l'ai laissée. Ni avec eux, ni avec ma mère d'ailleurs. Me permettrez-vous de rester ici pour quelques jours ? Avec le printemps qui commence, je ne devrais pas avoir de difficulté à me trouver un emploi et...

Robert Canuel faillit soupirer à son tour. De soulagement. Il l'interrompit précipitamment.

— Mais vous avez un travail, Anne ! Le piano en bas vous attend toujours, vous savez.

Anne remarqua qu'il ne l'avait pas appelée mademoiselle Anne. C'était la première fois et elle aima aussitôt la simplicité que cela suggérait.

— Vous êtes bien certain ? Vous acceptez de me faire encore une fois confiance malgré ce qui s'est passé l'été dernier ?

— Que s'est-il passé l'été dernier ? Pas grand-chose, si vous voulez mon avis. Vous êtes partie un peu plus vite que prévu et vous avez eu un empêchement qui a reporté votre retour. Mais vous voilà, n'est-ce pas l'essentiel ? Les clients n'en seront que plus heureux de vous avoir aussi longtemps espérée.

Le sourire d'Anne, s'épanouissant à travers ses larmes, lui fut le plus beau des cadeaux.

— Merci. Merci mille fois, monsieur Canuel, fit-elle en reniflant vigoureusement. Promis, vous ne le regretterez pas.

— Robert. Je m'appelle Robert. Si nous sommes pour travailler officiellement ensemble, je préférerais que vous m'appeliez Robert.

Anne se mit à rougir, un peu gênée, mais elle acquiesça aussitôt.

— D'accord... Anne et Robert, musiciens. Ça sonne bien, vous ne trouvez pas ?

Anne tendit ses mains à Robert Canuel qui les emprisonna aussitôt dans les siennes. La jeune fille eut alors l'impression de sceller un pacte avec lui.

— Merci d'être là, fit-elle d'une voix enrouée.

Ses longs doigts étaient toujours prisonniers des mains de monsieur Canuel, de Robert. Anne pencha la tête et fixa longuement leurs doigts entremêlés. Cet homme qui lui offrait de l'aider, il était à la fois son complice et son inspiration. Il était l'ami qu'elle espérait retrouver un jour en Jason et aussi le père dont elle avouait enfin l'ennui. Si elle avait été malheureuse ces derniers temps, c'était bien sa faute.

Quand elle leva enfin la tête, son regard croisa celui de Robert. Elle y retrouva cette lueur qu'un jour elle avait prise pour de l'amour. Le regard de Robert Canuel disait l'acceptation et le désir, l'offrande et l'envie. Le cœur d'Anne se mit à battre très fort.

— Qu'est-ce que je serais devenue sans vous depuis cette dernière année ?

Tout doucement, elle dégagea ses mains en inspirant profondément.

Puis, sans attendre de réponse, elle pivota sur elle-même, bâilla sans vergogne la bouche grande ouverte et revint face à Robert Canuel qui était à se demander s'il n'était pas en train de rêver.

— Il me semble avoir entendu le mot « café ». J'en prendrais volontiers une grande tasse. Je n'ai pas très bien dormi la nuit dernière. Je crois que ça me ferait du bien.

Anne avait déjà fait quelques pas dans le corridor qui menait à l'arrière du logement quand elle s'arrêta brusquement et se retourna. Voyant que monsieur Canuel ne la suivait pas, elle demanda, d'un ton taquin :

— Alors ? Vous m'accompagnez, Robert ? Si je me souviens bien, la cuisine est de ce côté.

Éclatant d'un rire qui sonnait le soulagement, Anne courait déjà vers la cuisine…

# Chapitre 18

## *La nuit des fantômes*

Pendant plus d'un mois, Blanche s'était précipitée au téléphone dès la première sonnerie. Émilie allait finir par l'appeler. Elle allait comprendre que sa mère n'avait voulu que son bien, malgré le drame qui avait suivi. Émilie comprenait toujours tout. Elle était si raisonnable.

Blanche avait donc passé un mois à se contrôler, à ne boire que le soir venu, à une heure suffisamment tardive où il était impossible qu'Émilie tente de la rejoindre. Émilie avait toujours été une couche-tôt à cause de ses maux de ventre.

Pendant ce même mois, Blanche avait gardé la maison propre, impeccable, pour que le petit Dominique puisse ramper à sa guise. Si Émilie n'appelait pas, elle viendrait sûrement, dès que le temps serait plus doux. Émilie ne sortait jamais quand il faisait trop froid, elle savait que sa santé était fragile.

Blanche avait préparé puis jeté des tas de petits gâteaux, juste au cas où. Elle, elle n'en mangeait jamais, son organisme ne les tolérait pas. Heureusement, sur ce point, Émilie ne lui ressemblait pas. Chez elle, le chocolat avait toujours été bien accepté.

Blanche était sortie magasiner malgré une grande fatigue accumulée pour trouver une robe de nuit digne de sa fille quand elle serait à l'hôpital. Émilie devait accoucher dans quelques semaines et elle avait toujours apprécié les jolis vêtements.

Blanche traversa le mois de mars la tête remplie d'espoir et de projets pour l'avenir mais en même temps l'esprit résolument tourné vers le passé par besoin de croire en quelque chose. Elle revoyait inlassablement tous les doux souvenirs qu'elle partageait avec sa fille, son Émilie, et l'exercice donnait un certain sens à l'attente.

Quand arriva le mois d'avril, devant un silence persistant, Blanche commença à avoir des doutes.

Un bon matin elle s'éveilla au bruit de la pluie qui dessinait des rigoles sur la vitre de sa fenêtre et elle admit, pour la première fois, que l'espoir était inutile. Si Émilie n'avait pas donné signe de vie en cinq semaines, elle ne le ferait pas. Quelqu'un avait dû l'influencer, cela ne lui ressemblait pas de la bouder, mais le résultat était le même : Émilie l'avait abandonnée.

Ce jour-là, Blanche saisit cruellement que deux vies étaient en train de lui échapper. La sienne et celle d'Émilie. Elle se retrouvait les mains vides, le cœur rempli d'un amour désormais inutile.

Ce jour-là, elle marcha sans but d'un bout à l'autre de son logement, ultime confiance d'entendre le téléphone sonner, ultime recherche au creux des souvenirs pour retrouver celui qui ferait renaître l'espoir.

En se couchant, l'esprit abruti par l'alcool, Blanche savait que l'espoir était mort.

Le lendemain, elle cessa de répondre au téléphone. Habituellement ce n'était que ses frères qui venaient aux nouvelles ou M^e^ Labonté qui se rappelait à son bon souvenir. À moins que ce ne soit une erreur de numéro, ce qui arrivait nettement plus souvent qu'un appel de Charlotte. Quant à Anne, cela faisait des mois qu'elle n'y pensait même plus.

À peu près le même jour, Blanche cessa aussi de s'occuper de sa tenue. À quoi bon se donner tout ce mal chaque matin puisque personne ne venait jamais la visiter? Une petite robe d'intérieur faisait l'affaire même si elle était défraîchie et, pourquoi pas, une robe de chambre confortable qui faisait oublier que le printemps était tardif cette année.

Blanche vivait au présent parce que son cœur battait toujours et qu'elle respirait involontairement. Pour le reste, sa vie s'était arrêtée.

En fait, Blanche sortait de sa léthargie et se donnait la peine d'une toilette quelconque le jeudi quand elle avait à sortir pour faire les courses. Quelques légumes, un peu de viande, du café et du lait, à l'épicerie d'en face. Plus besoin de sucre et de farine pour les gâteaux ou d'huile pour polir les meubles. Ensuite, elle faisait un arrêt à la Commission des liqueurs au coin de la rue pour l'essentiel de son alimentation.

Tous les jeudis à dix heures précises, on pouvait la voir descendre lentement l'escalier à paliers qui menait à l'extérieur, un sac de toile à la main, le pied lourd étant donné qu'elle aimait de moins en moins sortir de chez elle.

Blanche n'avait jamais aimé faire les courses. Elle détestait côtoyer des inconnus, même si ce n'était que pour leur acheter une douzaine d'œufs. La promiscuité lui donnait des frissons de dégoût. Les gens qui la frôlaient dans la rue lui inspiraient une crainte qu'elle aurait été en peine d'expliquer. Cette panique était là en elle, lui causant des palpitations et des spasmes d'estomac. C'est pourquoi, dès onze heures, elle était déjà de retour, peinant à transporter son sac devenu trop lourd pour elle. L'escalier se montait palier par palier, péniblement, avec de fréquents arrêts pour reprendre son souffle. Elle se rendait directement à la cuisine où elle rangeait ses achats dans l'armoire ou le réfrigérateur, à l'exception des quatre gros quarante onces de brandy qu'elle alignait militairement sur le comptoir. Côte à côte, ils montaient la garde en remplacement des bouteilles de pilules. Comme Blanche ne prenait plus que sporadiquement certains médicaments, elle rangeait maintenant ses nombreux contenants dans la pharmacie de la salle de bain.

Ainsi, chaque jeudi, aussitôt qu'elle avait retiré ses vêtements de sortie pour enfiler n'importe quoi, Blanche se servait un verre de brandy et s'installait au salon, sur une petite chaise droite qu'elle avait placée devant la fenêtre. Accoudée à son rebord, elle regardait les gens passer, leur inventant une destinée pour oublier que sa vie défilait sans attache, sans but. En perdant Émilie, elle avait tout perdu.

Blanche n'attendait plus rien ni personne. Elle regardait désormais le quotidien d'un œil détaché, indifférent. Émilie l'avait répudiée et Émilie avait été sa seule raison d'être depuis tant d'années.

Blanche n'arrivait pas à saisir ce qui avait pu se produire. Bien sûr, elle avait exagéré mais c'était de bonne foi, c'était pour la santé d'Émilie qu'elle avait agi inconsidérément. Mais c'était il y a si longtemps et puis elle s'était excusée. La petite Émilie qu'elle avait tant aimée aurait compris. Pourquoi la femme qu'elle était devenue ne comprenait-elle pas?

Alors, pour saisir l'insaisissable, pour comprendre l'incompréhensible, Blanche commençait à boire très tôt le matin. Il y avait dans l'alcool certains messages qu'elle n'avait toujours pas déchiffrés. Peut-être que la réponse se trouvait là, emmêlée aux vapeurs qui lui brûlaient la gorge. Peut-être. Car Blanche ne l'inventait pas, cette peur qu'elle ressentait devant les gens et cette culpabilité qui venait toujours avant le plaisir. D'où lui venait ce mal d'être qui l'accompagnait depuis toujours ? À questionner le fond de son verre où se cachaient les voix accusatrices, peut-être arriverait-elle à comprendre où et pourquoi sa vie avait dérapé.

Accoudée au rebord de la fenêtre, Blanche regardait les gens avancer à pas pressés, essayant de leur inventer une vie à défaut de pouvoir vivre la sienne. Au fond du deuxième verre, invariablement, la voix revenait. Une voix qui n'était parfois que des cris ou des remontrances, des accusations inexorablement et certains regards que Blanche sentait posés sur elle. Pourquoi, pourquoi se sentait-elle coupable de quelque chose qui n'existait plus ? Elle avait avoué, elle s'était excusée auprès d'Émilie. D'où lui venait donc cette culpabilité qui refusait de mourir ? Elle pensait bien qu'ayant avoué sa faute, les voix se tairaient enfin. Or elles continuaient de lui susurrer qu'elle n'était qu'une mauvaise fille.

Ces voix graves ou criardes selon les journées avaient parfois l'intonation sévère de celle de son père.

Pourtant, les voix n'avaient pas toujours été là. Avant la grosse bêtise avec Émilie, Blanche ne trouvait que de la détente au fond de sa bouteille. Une grande chaleur qui lui faisait oublier la froidure de sa solitude. Elle avait toujours été seule. Même avec un mari et des enfants, Blanche avait vécu seule. Il n'y avait qu'Émilie pour la comprendre, pour partager ses émotions. Aujourd'hui, il n'y avait plus personne. Blanche buvait donc de plus en plus souvent, de plus en plus librement. Car après la culpabilité, il y avait enfin la détente. L'instant d'euphorie où la chaleur l'envahissait à lui faire tourner la tête. Alors Blanche était bien. Presque heureuse. La solitude devenait liberté avant que le sommeil ne l'emporte hors de la réalité.

Aujourd'hui, Blanche avait commencé à boire encore plus tôt, avant même le café. En arrivant dans la cuisine, machinalement elle avait jeté un œil sur le calendrier. Entouré de rouge, le 15 du mois d'avril lui enleva l'envie de remplir le percolateur.

Aujourd'hui, c'était la fête d'Émilie.

Elle avait vingt-neuf ans. Déjà.

Même si Blanche avait la tête lourde et l'esprit brouillon, elle se rappelait très bien l'instant où l'infirmière avait mis bébé Émilie dans ses bras. Elle était si petite, si fragile à côté de Charlotte qui avait été un gros poupon. Un regard entre elles, ce moment unique où la mère contemple son enfant pour la toute première fois, et Blanche avait su que sa vie, que toute sa vie serait consacrée à ce petit être qui lui ressemblait tant.

Elle s'était juré, à l'aube d'un petit matin d'avril, assise dans un lit d'hôpital avec la ville qui s'éveillait devant elle, elle s'était juré que cette enfant-là serait heureuse comme elle n'avait jamais réussi à l'être vraiment. D'aussi loin qu'elle puisse se souvenir, elle n'avait jamais aimé quelqu'un comme elle aimait cette minuscule petite fille.

Aujourd'hui, son bébé avait vingt-neuf ans.

Et elle n'avait plus besoin d'elle. Pire, elle ne voulait plus d'elle.

Émilie l'avait laissée tomber à un tournant de la vie comme on abandonne à la poubelle une paire de chaussures éculées, usées à la corde d'avoir été trop portées mais qu'on a longtemps gardées parce qu'on y a été confortable.

Blanche tira à elle la première bouteille du bord. Elle ouvrit l'armoire, repoussa le joli verre en forme de ballon et s'empara d'un verre à eau.

Elle versa lentement le liquide doré comme le miel, la tête penchée pour sentir l'odeur prometteuse d'évasion.

Elle pressentait qu'aujourd'hui les voix seraient encore plus fortes, plus envahissantes, plus menaçantes. Heureusement, après il y aurait l'oubli, ce gouffre vertigineux qui l'emportait finalement loin des tristesses et de la culpabilité.

Ce matin, plus que jamais, Blanche avait besoin d'oublier que vingt-neuf ans plus tôt, elle avait donné naissance à une petite fille qu'elle avait appelée Émilie. Plus que jamais, elle souhaitait que le gouffre soit profond, noir, opaque et silencieux.

Elle but de grandes gorgées brûlantes à même un verre à eau, accoudée au rebord de la fenêtre de son minable salon où les rouleaux de poussière avaient recommencé à courir sous les meubles.

Aujourd'hui, Blanche fêtait les vingt-neuf ans de son bébé.

Elle but toute la journée, à la fenêtre du salon puis à celle de sa chambre avant de passer à la chambre d'Anne qui donnait sur la cour. Blanche détestait la promiscuité, mais elle sentait le besoin de voir de la vie autour d'elle.

À trois heures de l'après-midi, à travers les brumes envahissantes du brandy, Blanche affrontait toujours les voix accusatrices. Elles refusaient de la laisser tranquille.

Le ciel s'était couvert, l'appartement était froid, car Blanche n'avait aucun contrôle sur le chauffage. C'était un petit logement miteux qu'Émilie avait déniché en attendant de trouver mieux. Bientôt deux ans et Blanche y était toujours. Elle arracha une couverture de son lit et s'enroula dedans. Elle titubait d'une pièce à l'autre, mais les voix la poursuivaient.

La voix !

Blanche cessa de marcher un instant. Elle venait de prendre conscience, à travers les confusions brûlantes et douloureuses au goût de brandy, qu'en ce moment, il n'y avait plus qu'une seule voix qui grondait en elle et c'était celle de son père qui lui répétait, harassante litanie, qu'elle n'était qu'une mauvaise fille.

Cela, Blanche le savait. Elle admettait enfin qu'elle n'aurait jamais dû intervenir dans la vie d'Émilie. Pourquoi alors continuait-elle à entendre des reproches ?

Elle recommença à marcher et se rendit au salon. Il y faisait un peu moins froid.

Étourdie, épuisée, Blanche se laissa tomber sur le tapis.

Pendant un instant, elle se balança impulsivement d'avant en arrière comme elle l'avait vu si souvent faire à l'asile. Elle y puisa un bref instant d'apaisement.

Puis la voix enfla, gronda, tempêta. Blanche se coucha alors sur le sol et remonta les jambes tout contre sa poitrine en rabattant la couverture sur ses yeux comme pour se mettre à l'abri d'un danger. Comme un enfant qui croit que s'il ne voit pas, il n'est pas vu. Dans sa tête, elle suppliait son père de se taire, comme avant elle l'avait déjà supplié de ne plus battre ses frères. Blanche était toute petite, elle ne comprenait pas pourquoi son père corrigeait ses frères aussi sévèrement. Si elle promettait d'être bien gentille, peut-être que son père arrêterait de leur donner la fessée ? Elle n'aimait pas entendre ses frères crier, cela lui faisait peur. Et sa mère, dans un coin de la cuisine qui ne disait rien. Qui ne disait jamais rien…

Quand Émilie sonna, il n'y eut aucune réponse, mais cette fois-ci, elle n'hésita pas. Elle était venue ici avec un but précis en tête, elle ne repartirait qu'une fois ce but atteint. Sortant la clé de son sac à main, elle ouvrit la porte. Elle attendrait sa mère au salon aussi longtemps qu'il le faudrait.

Depuis le matin, elle n'avait cessé de penser à Blanche. Vingt-neuf ans plus tôt, cette femme-là la mettait au monde. Il y aurait toujours entre elles un lien que rien ne pourrait détruire. C'était même Marc qui lui avait dit d'aller la voir si elle était trop malheureuse, trop tendue.

— Je te connais bien, Milie. Tu n'es pas une fille de rancune. Quelle que soit l'offense, tu finis toujours par tout pardonner. Alors profites-en donc aujourd'hui pour faire la paix avec ta mère.

Enjôleur, il l'avait ensuite prise dans ses bras.

— Et ce soir, mon amour, je t'emmène au restaurant. Tout est prévu, c'est maman qui vient garder Dominique. Nous allons célébrer votre anniversaire en grand, madame Lavoie !

Voilà pourquoi Émilie était ici, à la porte du logement de sa mère. Blanche n'avait pas été la meilleure des mères, Émilie le savait parfaitement. Elle avait même fait des erreurs que certains n'auraient jamais pardonnées. Pourtant, malgré tout cela, Émilie savait qu'elle n'avait jamais manqué d'amour. Et pour cette raison, elle jugeait qu'il était temps de faire la paix avec sa mère.

Elle la retrouva couchée à même le plancher dans le salon, entortillée dans une couverture grisâtre. Recroquevillée comme un fœtus, elle semblait dormir. Près d'elle, renversé sur le tapis élimé aux fleurs délavées, il y avait un verre. L'odeur qui imprégnait la pièce, mélange de poussière, de sueur et d'alcool, flottait comme le porte-étendard d'une tristesse sans nom.

Émilie se précipita, souleva délicatement la tête de sa mère. Elle se sentait responsable. Pourquoi avait-elle autant attendu avant de venir la voir? Par rancune, par mesquinerie, par besoin de vengeance?

— Maman?

Blanche n'eut aucune réaction sinon un léger tressaillement. Émilie reposa la tête de sa mère sur le tapis et se releva. Il fallait faire quelque chose. Elle tourna sur elle-même comme si la solution était là, bien tangible, à côté d'elle. Puis elle se mordit les lèvres alors que les larmes commençaient à couler. Que pouvait-elle faire? Qui appeler? Sûrement pas l'ambulance, ils remettraient sa mère à l'asile et cela, jamais elle ne pourrait l'accepter. Appeler Marc amènerait la même solution.

Émilie posa de nouveau les yeux sur Blanche. Avec son gros ventre, elle ne pouvait même pas envisager la porter jusqu'à son lit.

Ce fut à cet instant qu'elle pensa à quelqu'un. Oui, il y avait quelque part dans cette ville deux hommes qui sauraient quoi faire. Deux hommes qui eux aussi, à leur manière, aimaient Blanche tout comme elle.

Fébrile, Émilie se précipita à la cuisine. Sa mère avait bien dû noter le numéro de ses frères dans son calepin. Émilie ne se souvenait pas de les avoir déjà rencontrés, mais quand sa mère parlait d'eux, il y avait de la fierté dans sa voix et une grande tendresse aussi. Eux, ils sauraient quoi faire.

Elle n'eut besoin que de quelques mots pour expliquer la situation.

— Ne fais rien, nous arrivons.

Rassurée, Émilie retourna au salon. Sa mère n'avait pas bougé, elle était toujours sur le côté, les genoux contre la poitrine. Sa respiration était rapide, bruyante. La pièce empestait de plus en plus les relents d'alcool. Malgré cela, Émilie s'approcha de sa mère et réussit difficilement à s'asseoir sur le plancher. Son ventre était énorme. Dans un mois et quelques jours, le bébé devrait être là.

Lentement, à gestes très doux, elle caressa le dos de Blanche. Plus jamais elle ne laisserait la rancune s'immiscer entre elles. Plus jamais. Au-delà du drame terrible que Blanche avait causé, elle restait sa mère, celle qui l'avait veillée et aimée. Qu'importe les erreurs, les mauvais jugements et les décisions arbitraires. Émilie avait finalement compris qu'elle ne pourrait jamais cesser de l'aimer. Elle avait essayé le mois dernier, elle n'y était pas arrivée.

Émilie se mit alors à fredonner une berceuse que Blanche lui chantait la nuit quand les crampes l'empêchaient de dormir.

Une chanson très douce qu'elle était surprise de se rappeler avec autant de précision. Peu à peu, elle eut l'impression que sa mère l'entendait. Elle ne savait en quel pays son esprit vagabondait. Y avait-il un monde particulier et attirant qui existait dans l'esprit des gens quand ils buvaient? Un monde si merveilleux qu'ils ne pouvaient s'empêcher de vouloir y retourner, jour après jour? Émilie ne le savait pas. Quand elle vit l'ombre d'un sourire traverser le visage vieilli de sa mère, elle crut que oui.

Brusquement, Blanche avait l'air heureux, rasséréné. Au fond du tunnel infernal où elle tombait sans fin, où elle confrontait le dragon qui avait la voix de son père, Émilie l'avait rejointe, faisant enfin taire les accusations d'Ernest Gagnon.

Il y eut un grand espace calme et vide en elle. Une plage

déserte et chaude avec Émilie qui l'appelait au loin. Alors Blanche se laissa aller.

Maintenant, elle pouvait s'endormir parce qu'elle n'avait plus peur et n'avait plus à se défendre.

* * *

Maurice et René Gagnon s'occupaient de leur petite sœur avec une grande fermeté enrobée d'une infinie tendresse.

Ils l'avaient installée dans la chambre de René, celle qui donnait vers l'ouest et offrait parfois de spectaculaires couchers de soleil. Pour elle, ils s'accommodaient de partager le même lit.

Le matin, ils lui apportaient gentiment ses petits-déjeuners au lit et, sous prétexte de lui faire la conversation, l'un ou l'autre s'asseyait dans le fauteuil près de la fenêtre et il attendait qu'elle ait tout mangé avant de se retirer.

Le soir, ils concoctaient des petits plats savoureux auxquels Blanche avait beaucoup de difficulté à résister. Quand elle alléguait qu'ils étaient peut-être trop lourds pour sa fragile constitution — « Le soir ! Vous n'y pensez pas ! » —, ils rétorquaient que toutes leurs recettes étaient tirées du répertoire de leur mère, lequel avait reçu l'assentiment d'Ernest quand il était encore de ce monde. Les plats qu'ils préparaient convenaient donc parfaitement au système digestif capricieux des Gagnon, elle pouvait même se permettre d'en reprendre si le cœur lui en disait.

Et parfois, effectivement, le cœur lui en disait !

Ils avaient mis sous clé toutes leurs bouteilles de boisson et étaient prêts à faire abstinence tant et aussi longtemps que Blanche serait sous leur toit. Sobres de nature, le sacrifice n'était pas trop lourd à porter.

Ils avaient entamé des discussions avec le propriétaire du logement de leur sœur pour qu'il accepte de la libérer avant la fin de son bail. S'il s'entêtait, ils paieraient les mensualités à sa place. Mais il était hors de question qu'elle y retourne, l'endroit était trop déprimant.

À tour de rôle, ils trouvaient mille et un prétextes pour que l'un d'entre eux reste à la maison auprès de Blanche. Ils ne voulaient pas la laisser seule ne serait-ce que quelques minutes.

Et le protocole de soins élaboré à partir de l'affection qu'ils avaient toujours eue pour leur petite sœur porta ses fruits.

Blanche avait réappris la confiance en quelqu'un. Ses frères l'aimaient sincèrement sans rien attendre en retour et cela lui faisait du bien. Par moments, elle se disait que c'était la toute première fois de sa vie qu'elle était aimée à ce point. Alors elle pensait aux multiples cadeaux et gâteries de son père et elle se sentait injuste. Et à bien y penser, Raymond aussi avait été gentil à l'occasion et Émilie, malgré le silence boudeur des dernières semaines, avait été très proche d'elle. Quand Blanche avait de telles réflexions, elle se sentait encore plus injuste, ce qui venait confirmer ce qu'elle avait toujours pensé : elle n'était pas faite pour le bonheur.

Pourtant, depuis qu'elle était chez ses frères, la vie avait enfin cette sérénité qu'elle avait longtemps recherchée.

Elle avait retrouvé une partie de son appétit. Émilie l'avait appelée à quelques reprises pour prendre de ses nouvelles. Par plaisir autant que par nécessité, elle restait de longs moments dans la salle de bain à se coiffer et à se maquiller. On ne sait jamais, peut-être aurait-elle une visite ! Puis le goût de la lecture lui était revenu et un matin, elle avait manifesté le désir de se trouver quelques livres pour passer le temps. Elle avait même proposé une promenade au parc qu'elle devinait au coin de la rue, derrière le bouquet d'érables majestueux.

— Le printemps est si beau cette année!

Elle s'émerveillait de tout et de rien et s'extasiait souvent comme une enfant. Même toute jeune, René et Maurice ne l'avaient jamais vue aussi exubérante.

Le soir, maintenant, plutôt que de s'enfermer dans sa chambre, Blanche restait au salon avec eux à bavarder.

Et petit à petit, elle se décida à leur parler de cette vie qu'elle avait menée loin d'eux pendant toutes ces années. Elle parla de Raymond qui n'avait jamais accepté qu'elle puisse être de santé fragile, de Charlotte qui s'était éloignée d'elle dès son entrée à l'école, à quatre ans à peine, d'Émilie qui lui ressemblait tant et d'Anne qui était une énigme pour elle, encore à ce jour. Depuis l'été précédent, elle avait fui la maison et pour toutes nouvelles, elle, sa mère, n'avait reçu qu'une carte postale qui ne disait rien. Les dernières nouvelles qu'elle avait eues de sa fille lui étaient parvenues par Émilie qui avait reçu une lettre en janvier. Depuis, c'était le silence total.

Ses deux frères avaient l'écoute minutieuse d'un confesseur, l'encourageant à poursuivre d'un discret geste de la main ou d'une banale interrogation.

— Ah oui? Tu crois?

Blanche faisait alors une pause, cherchait dans ses souvenirs puis se remettait à discourir. Ce fut ainsi qu'après avoir longuement fait l'inventaire des siens, Blanche se mit à raconter sa vie. Ses angoisses, ses peurs, ses convictions, ses interventions.

Elle parlait d'une voix monocorde, sans émotion apparente autre que cette curiosité de comprendre.

Elle voulait savoir ce qui avait fait d'elle une femme si craintive face à la vie. Avec le temps, elle-même avait de la difficulté à concevoir que ses nombreux problèmes de santé aient pu justifier à eux seuls cette nature mélancolique.

— Si vous saviez à quel point j'ai essayé d'être heureuse moi aussi. Mais je n'y arrive jamais. Curieusement, j'ai toujours cru que j'étais née pour souffrir. Que le bonheur ne pouvait exister qu'après la souffrance. Je crois que sur ce point, je ressemble à notre mère. Je ne l'ai jamais entendue rire. À peine avait-elle parfois un petit sourire et encore, il était toujours effacé. Notre mère a toujours été une femme terne, sans émotion. Avait-elle des sentiments à notre égard? Je ne l'ai jamais su. Il n'y a qu'une seule fois où je l'ai vue épanouie. C'était après le décès de papa. L'image m'a semblé tellement incongrue, tellement déplacée que j'ai préféré ne pas la revoir. C'est pour la même raison que j'ai toujours repoussé votre idée de la visiter. Qu'est-ce que ça m'apporterait de plus de constater que je suis comme elle? Qu'à son image, je suis une femme terne, incapable d'être heureuse? J'ai suffisamment mal de me battre avec mes fantômes sans avoir envie d'en ajouter un de plus.

Blanche avait monologué d'une voix tendue, crispée.

— Les seuls souvenirs heureux de mon enfance me viennent de papa. Pourtant…

Blanche resta silencieuse, le regard dans le vague, essayant peut-être de percevoir enfin les visions qui la toisaient sans qu'elle soit jamais capable de les attraper. René respecta ce silence et attendit que Blanche reprenne d'elle-même, à son rythme.

— Pourtant, fit-elle enfin, quand je bois, c'est la voix de papa en colère que j'entends. Je ne comprends pas. Il m'a tellement gâtée, choyée. C'est pourquoi je tente de rattraper les souvenirs qui m'échappent. J'ai l'intuition que la paix se trouve là, derrière cette colère. Mais j'ai beau essayer de me rappeler ce que j'ai pu faire enfant pour que ça me poursuive encore aujourd'hui, je n'y arrive pas.

Maurice et René se regardèrent longtemps avant que ce dernier ne prenne la parole. Le temps était peut-être venu pour que Blanche accepte enfin de rencontrer leur mère. Depuis quelque temps, au-delà de la joie sincère que la vieille dame éprouverait, ils savaient qu'il n'y avait qu'en passant par leur mère que Blanche pourrait enfin trouver la paix.

— Et si je te disais qu'il n'y a que maman pour t'aider à te souvenir ?

— Maman ? Que pourrait-elle de plus pour moi ? Elle ne me connaît pas vraiment. Nous ne nous sommes jamais parlé. À la maison, c'était avec papa que je passais le plus clair de mon temps.

— Pourtant, c'est toi qui le disais, c'est lui le fantôme qui te hante le plus fort, n'est-ce pas ?

Brusquement, Blanche s'en voulait de s'être confiée à ses frères. C'était son cauchemar à elle. Qu'est-ce qui lui avait pris d'en parler ? Elle tenta d'éloigner la discussion.

— Si on veut. Mais je suis persuadée que notre mère n'a rien à voir dans tout ça. Je vais m'en sortir sans…

— Au contraire, tu as besoin de maman, interrompit René. Il n'y a qu'elle pour t'apprendre ce que tu veux savoir. C'est à elle de te parler. Maman t'aime, Blanche. Encore plus que Maurice et moi.

— Ah oui?

Blanche avait levé un regard sceptique.

— Fais-moi confiance et va la voir. Elle est la seule personne qui saura dire ce qu'il faut pour que tes fantômes s'évanouissent. La seule.

Cette nuit-là, Blanche dormit très mal. Les voix qui jusqu'à ce jour sommeillaient uniquement au fond de ses verres de brandy venaient d'envahir ses rêves. Son père la poursuivait en criant. Elle s'était éveillée en sursaut, le front trempé de sueur, le visage baigné de larmes. Les paroles de son frère René l'avaient probablement ébranlée plus qu'elle ne voulait le croire.

Elle resta longtemps les yeux grands ouverts à observer la lune qui fouillait dans les plis des couvertures au pied de son lit. Elle finit par se rendormir en se promettant d'aller visiter sa mère le dimanche suivant. Après tout, elle n'avait plus rien à perdre. Tout ce qu'elle souhaitait, c'était d'avoir enfin le droit de respirer librement, de dormir paisiblement. Parce que le bonheur, elle n'y croyait plus tellement.

Quand elle entra dans la petite chambre d'hôpital qu'occupait Jacqueline Gagnon, Blanche ne put s'empêcher d'éprouver un peu de compassion pour la très vieille dame qui semblait dormir. Elle était si menue sous les couvertures amidonnées, elle semblait si fragile.

Approchant une chaise, Blanche s'installa près du lit pour attendre le réveil de cette femme qui était sa mère. Une pensée pour Émilie qui l'avait veillée de la même manière quand elle était à l'asile lui amena un peu de tendresse. Elle jaserait un peu avec sa mère, lui prouverait que maintenant elle se portait bien et lui promettrait de revenir. Elle ne voyait vraiment pas ce qu'elle pourrait dire d'autre.

Le regard que Jacqueline posa sur elle, quelques instants plus tard, bouleversa ses prévisions et ses intentions. Dès qu'elle souleva les paupières, la vieille dame la dévora des yeux avec une dévotion que Blanche n'avait jamais aperçue auparavant dans le regard de qui que ce soit. Jacqueline ne voyait pas le visage flétri de Blanche, elle voyait l'enfant, son enfant. Deux grosses larmes parurent aussitôt à ses paupières et coulèrent sur ses joues en suivant les rides. Elle tendit une main tremblante pour toucher sa fille.

— Blanche ! Enfin, tu es là ! La petite fille que j'aime est ici.

« La petite fille que j'aime… »

Les mots autant que le regard coulèrent dans l'âme de Blanche comme une bienfaisante chaleur qui n'avait rien à voir avec la brûlure de l'alcool ou les regards de fierté possessive que son père lui renvoyait. Elle avait attendu un instant comme celui-là durant toute sa vie. Cette tendresse qu'elle avait tant recherchée, elle était là, pour elle, gratuite, abondante, sincère. Blanche éclata en sanglots et, posant le front sur la main de sa mère, elle demanda :

— Dis-moi, maman, pourquoi est-ce que j'ai peur de vivre ?

Jacqueline posa les mains sur la tête de Blanche et se mit à caresser ses cheveux gris comme elle aurait tant voulu pouvoir bercer ses jeunes années. Mais Ernest n'avait jamais voulu qu'elle s'occupe de Blanche.

Quand Blanche revint de l'hôpital avec ses frères, elle ne prononça aucun mot dans l'auto qui les ramenait. Dès qu'elle entra dans la maison, elle s'enferma dans sa chambre et y resta jusqu'au lendemain.

Maintenant, elle savait tout. Elle commençait à comprendre ce qui avait fait d'elle une femme si anxieuse, si peu ouverte aux autres.

Il ne lui restait plus qu'à se faire à l'idée que sa vie, toute sa vie, avait été édifiée sur l'horreur et les mensonges.

Sa mère n'avait eu qu'à poser une seule question pour libérer la mémoire. Blanche eut un sourire amer en pensant que quelques simples mots étaient la clé qui avait ouvert la porte aux souvenirs alors qu'elle avait inutilement supplié l'alcool de lui donner une réponse.

— Blanche, te rappelles-tu comment ton père t'appelait quand tu étais toute petite?

À ces mots, Blanche avait relevé la tête, les sourcils froncés, le regard tourné à l'intérieur d'elle-même. Elle était restée ainsi un long moment puis, lentement, elle avait commencé à remuer la tête dans un geste de déni. En elle, Blanche sentait s'entredéchirer ses convictions et ses souvenirs qui, maintenant libérés, l'envahissaient comme une eau saumâtre où elle risquait de se noyer. Brusquement, ses mains avaient agrippé le drap du lit. Puis elle avait fermé les yeux en secouant convulsivement la tête.

— Non, je ne veux pas. Je ne veux pas que papa m'appelle sa petite femme. Je suis sa petite fille, pas sa femme.

Jacqueline l'avait laissée pleurer. Ensuite, elle s'était mise à parler et ses mots s'étaient placés comme les ombres fidèles des images qui envahissaient enfin l'esprit de Blanche, douloureuses et libératrices à la fois.

Elle revoyait clairement son père qui avait une peur morbide des troubles de digestion. Blanche revoyait aussi les bouteilles qui restaient en permanence sur leur table, coincées entre le sel, le poivre et le sucre. Toutes ces gouttes amères qu'il lui fallait avaler à chaque repas.

Puis elle l'avait revu, s'enfermant avec elle dans sa chambre. C'était le samedi soir. Tous les samedis soirs. Il tenait à lui administrer lui-même le lavement hebdomadaire. Parce que chez les Gagnon, on avait besoin d'un lavement pour être en santé. Il l'avait fait avec ses frères quand ils étaient plus jeunes, maintenant, il le faisait avec elle. Blanche se rappelait les doigts de son père qui lui écartaient les fesses et la canule tiède qui se glissait en elle. C'était désagréable. Elle sentait l'eau qui coulait sur ses cuisses et elle n'aimait pas cela. Invariablement, quelques instants plus tard, il y avait cette douleur intense qui la déchirait. Blanche ne savait pas d'où lui venait tout ce mal, elle ne pouvait rien voir, son père lui enfonçait la tête dans l'oreiller. Mais elle avait mal, très mal. Parfois cela durait longtemps, d'autres fois, non. Puis, lentement, elle sentait la canule qui glissait hors de son corps et les doigts de son père revenaient se poser sur elle, très doux, insistants, caressants. C'était pour enlever la douleur, disait-il. Et il avait raison. Il finissait toujours par y avoir un moment de plaisir qu'elle ressentait malgré tout. Le plaisir qui venait toujours après la souffrance. Ce plaisir qu'elle ne comprenait pas et dont elle était gênée.

Elle se rappelait aussi les regards que sa mère lançait à son père. Ce mépris, cette haine qu'elle ne pouvait extérioriser, car alors Ernest s'en prenait à ses fils.

— Tu vois, Blanche, ton père n'a jamais levé la main sur moi. Il m'avait violée si souvent qu'il savait que j'étais devenue insensible à la souffrance. Non! Si j'essayais d'intervenir, il battait tes frères. C'était plus efficace pour me faire taire. Et toi, il t'appelait sa petite femme avec un regard lubrique. Quand tu disais que tu ne voulais pas de lavement, il disait que tu n'étais qu'une mauvaise fille et qu'il n'aurait pas le choix de te corriger comme il corrigeait tes frères. Alors tu obéissais. Je crois que malgré ton jeune âge, tu avais compris que tu n'avais pas le choix. Le manège a duré pendant quelques années. Après, il s'est contenté de t'exhiber à son bras quand il sortait. Peut-être avait-il des remords ? Je ne l'ai jamais su. Mais c'est à cette même époque qu'il a commencé à te gâter outrageusement. Comme toi tu semblais n'avoir gardé aucun souvenir de tout ça, je ne t'en ai jamais parlé. On ne parlait pas de ces choses-là. On les vivait dans l'horreur et le silence. J'aurais voulu vous arracher à cette vie d'enfer, mais comment aurais-je pu y arriver ? Je n'avais rien, nulle part où aller. Ton père contrôlait tout. Quand il a cessé de s'enfermer avec toi le samedi soir, j'ai cessé d'avoir peur. Je me suis contentée d'être l'ombre d'Ernest Gagnon. J'ai attendu qu'il soit mort pour recommencer à vivre. Finalement, au départ, il n'y avait que ton père qui était malade. Nous, nous le sommes devenus à vivre à ses côtés.

Quand Blanche sortit enfin de sa chambre, le lendemain soir, elle avait le visage ravagé et les yeux gonflés. En entrant dans la cuisine où Maurice et René étaient attablés, elle posa un regard neuf sur eux. Ils étaient ses frères et se doutaient probablement de tout ce qu'elle avait vécu, seule avec leur père. Peut-être avaient-ils, eux aussi, subi les mêmes outrages ? Blanche ne tenait pas à le savoir. Ils étaient unis par la douleur des souvenirs et c'était suffisant. Elle se tira une chaise et s'assit auprès d'eux. Ils échangèrent un long regard puis elle prit une tranche de pain et se mit à la beurrer.

Sans parler.

Pour ce soir, il n'y avait rien à dire et ils le savaient tous.

Mais demain, Blanche parlerait. Elle demanderait à voir

ses filles. À travers l'horreur des souvenirs, elle avait compris la chance merveilleuse que la vie lui avait réservée. Elle était la mère de trois filles extraordinaires qu'elle connaissait si peu. Il était temps de leur tendre la main. Il n'était peut-être pas trop tard pour leur dire qu'elle les aimait.

## Chapitre 19

# *Les mille visages de l'amour*

La traversée était pénible à plusieurs égards.

Miguel avait été malade dès les premières heures de la traversée alors que lui-même tenait à peine sur ses pieds. Le froid était mordant en ce mois d'avril et ils avaient dû garder la cabine de nombreux jours d'affilée. Finalement, il aurait dû écouter Roberto et attendre l'été avant d'entreprendre ce voyage.

Mais l'urgence de partir s'était manifestée au moment où il avait fait l'inventaire des toiles à envoyer à New York. L'absence de tableaux représentant Charlotte l'avait obligé à entreprendre le voyage sans délai.

Depuis un an, il n'avait pas ressenti le besoin de peindre la jeune femme.

Gabriel voulait savoir pourquoi.

Il voulait comprendre tous ces remous de l'âme qui en ce moment plongeaient dans les remous du sillon laissé par le navire et l'empêchaient d'être totalement heureux. Le bleu glauque et insondable de la mer convenait merveilleusement bien à son état d'esprit mais malgré cela, Gabriel ne savait plus trop bien pourquoi il s'était embarqué.

Par besoin de la voir une dernière fois?

Dans l'espoir de sentir son cœur s'emballer avec des élans de jeunesse, quitte à tout remettre en question?

Pour montrer Montréal à son fils sous prétexte que ce bout du monde faisait partie de ses origines?

Accoudé au bastingage du bateau qui les emportait d'abord vers New York, Gabriel eut un sourire désabusé. Cette dernière raison était la pire de toutes et il le savait. Elle n'avait été que le prétexte à offrir aux Rodriguès, l'excuse facile qui avait enclenché le processus de départ. Or, dans la réalité des faits et des intentions, Montréal ne voulait absolument rien dire. Pour un enfant comme Miguel, ce ne serait toujours qu'une grande ville comme les autres. À son égard, il manifestait une certaine curiosité touristique comme il l'avait fait pour Milan, Barcelone ou Paris qu'ils avaient visités ensemble depuis un an.

Depuis le décès de Maria-Rosa.

Gabriel poussa un long soupir contrarié, sensible, impatient.

Plus d'un an s'était écoulé depuis le jour où il avait aperçu la maison endeuillée et il n'avait toujours pas oublié la présence de Maria-Rosa.

Aujourd'hui, il savait qu'elle resterait tapie en lui jusqu'à la fin de ses jours, s'éveillant à mille et un petits détails qui étaient autant de souvenirs de cette symbiose qui avait existé entre elle et lui.

Aujourd'hui encore, la maison qu'il avait partagée avec elle et qu'il habitait toujours avec son fils respirait au rythme de cette femme exceptionnelle que le destin avait mise sur sa route. Maria-Rosa… Son souffle puissant et paisible les protégeait tous les deux, Miguel et lui. Ils en parlaient presque tous les jours avec une sérénité qui s'accordait respectueusement bien à la vie qu'elle avait menée. Avant de quitter cette terre, la femme qu'il avait si mal aimée lui avait laissé le plus puissant des souvenirs, un fils. Entre hommes, comme ils le disaient tous les deux affectueusement, ils s'étaient bâti une existence à leur mesure. Gabriel avait appris l'écoute comme il savait regarder intensément le monde autour de lui avant de le reproduire sur la toile. Après quelques mois d'un deuil amer, il avait compris que le départ de Maria-Rosa avait été une richesse à travers les nombreux et difficiles efforts qu'il avait déployés pour apprivoiser son fils. Aujourd'hui, c'était chose faite. Cet enfant de huit ans ressemblait tellement à sa mère que les liens s'étaient tissés entre eux avec un naturel désarmant. La vie intérieure de Miguel était d'une grande richesse, d'une infinie complexité, d'une retenue remplie de pudeur. C'était là l'héritage que sa mère lui avait transmis. Il était inestimable.

Au contact de son fils, Gabriel mesura l'immensité du vide laissé par le départ de Maria-Rosa. En quelques heures à peine, Miguel était devenu sa seule raison d'être et un rappel constant de ce passé qu'il avait trop souvent vécu enveloppé des effluves d'une autre femme. Du vivant de Maria-Rosa, il avait entretenu des visions de Charlotte. Aujourd'hui, c'étaient les réminiscences de Maria-Rosa qui gouvernaient ses pensées. Curieusement, ce n'était pas douloureux comme l'avait été le souvenir de Charlotte. Dès les premiers jours de leur relation, Gabriel savait que cette femme-là n'était que de passage dans sa vie. Elle était déjà condamnée par la maladie. À son insu, le deuil avait, dès le départ, commencé son insidieux processus. Il avait vécu éloigné de Maria-Rosa sans pour autant en être détaché. Leur vie à deux avait été un amalgame d'émotions complexes, intimes et d'une rare sincérité.

Gabriel se demandait quelle serait la place de Charlotte dans ce nouvel univers. Il y pensait depuis plus d'un an et l'absence de réponse l'avait toujours retenu quand venait le temps de prendre la plume et le papier pour lui écrire.

Il avait donc choisi de prendre le bateau.

Malgré tout, un tressaillement du cœur survenait quand il se disait que dans quelques jours, il serait auprès d'elle. Malheureusement, il ne savait comment interpréter ce battement de cœur qui ressemblait au vol maladroit d'un albatros. Gabriel ne savait plus dans quelle direction son cœur voulait prendre son envol et il avait trop souvent l'impression qu'il battait inutilement des ailes. Il attendait pantelant, espérant que les choses seraient évidentes au moment où leurs regards auraient la chance de se croiser.

Le bref séjour à New York fut un joyeux aparté.

Subjugué, pendu à la main de son père, Miguel sautillait le cou cassé pour ne rien perdre de l'immensité des édifices, des rues, des parcs. Pour le jeune Européen qu'il était, la ville américaine avait des allures grandioses, futuristes comme il l'imaginait parfois dans certains romans de science-fiction dont il raffolait. La douceur de l'air avait rapidement fait oublier l'humidité glacée de la traversée. Les arbres étaient couverts de leur dentelle printanière, les fleurs embaumaient subtilement et les femmes portaient de jolis chapeaux de paille. En même temps qu'il se sentait dépaysé, Miguel retrouvait des parfums de chez lui. Il fut conquis.

Ils y passèrent agréablement la longue fin de semaine de Pâques, partageant leur temps entre les visites touristiques et les saucettes à la galerie qui exposait les œuvres de Gabriel.

Puis ils prirent le train pour Montréal, remontant vers le nord à la rencontre de lourds nuages gris qui tapissaient l'horizon.

Gabriel ne reconnut ni la ville ni les gens. Soumise encore au dépouillement de l'hiver, la ville était terne et sans attrait.

Montréal avait beaucoup changé, mais Gabriel y retrouva la grisaille qu'elle lui avait toujours inspirée. Il goûta aussitôt à cette monotonie qui un jour l'avait porté à s'exiler, croyant que l'absence ne durerait que quelques mois.

Treize ans plus tard, rien n'avait changé.

Montréal ne l'inspirait pas plus aujourd'hui qu'hier. Visiblement, la ville avait des ambitions de métropole, mais elle n'avait pas la pétulance de New York.

Le ciel était bas et lourd, les rues lui semblèrent étriquées, les arbres dépouillés avaient conservé leur rigidité hivernale et les gazons offraient le lamentable spectacle d'une herbe jaunie et sèche.

Quelques heures à s'y promener et Miguel résumait habilement sa pensée.

— Je n'aime pas ça ici, papa. C'est gris partout. Qu'est-ce que tu dirais si on retournait à New York?

Gabriel avait la même envie, mais il savait que s'il partait sans avoir revu Charlotte, son départ aurait des apparences de fuite et il le regretterait toujours.

Il se disait, naïve confiance, que s'il allait jusqu'au bout du chemin, jusqu'au bout de ce pèlerinage qu'il s'était imposé, peut-être alors aurait-il droit à un miracle.

Par contre, tout comme pour son fils, Montréal ne faisait absolument rien naître en lui sinon une incroyable sensation d'ennui. Il avait toujours été un apatride jusqu'au jour où il avait mis le pied au Portugal. Là-bas, il avait reconnu des odeurs, des luminosités, des sons qui lui avaient toujours appartenu. Lui aussi était un enfant du soleil. La chaleur avait réveillé en lui des zones d'ombre qui s'étaient mises à briller. Le Portugal était son pays, celui où l'attendait la seule famille qu'il ait connue, les Rodriguès. S'il s'appelait

Lavigne, ce n'était que le fruit d'un capricieux choix du destin. Il y avait longtemps qu'il avait rompu les amarres.

Tel qu'il l'avait prévu, Gabriel n'eut aucune difficulté à obtenir l'adresse de Charlotte. Une visite à la galerie qui exposait les toiles d'Émilie, un bref coup de téléphone demandant cependant la discrétion puisqu'il voulait lui faire la surprise et Émilie lui donnait les directives pour se rendre chez sa sœur, l'assurant qu'elle serait sûrement heureuse de revoir un ami de longue date.

Ainsi, depuis trois jours, il promenait le papier couvert de quelques notes qui lui brûlait la cuisse à travers le tissu de la poche de son pantalon. Il étirait le temps en se disant qu'il aurait préféré s'y rendre sans Miguel. Il finit par se convaincre que le premier regard ferait peut-être foi de tout. L'adresse donnée correspondait aux dernières heures passées avec Charlotte. Elle lui avait confié qu'elle aurait aimé avoir un logis plus près de l'hôpital où elle travaillait.

Dès qu'il vit la résidence, il comprit cependant qu'il s'était trompé. Une infirmière ne pouvait se permettre l'achat d'une telle maison. Il faillit rebrousser chemin.

Charlotte ne vivait plus seule, c'était évident.

Mais alors qu'il allait se retourner pour redescendre la rue, il sentit en lui une grande détente et l'envie irrésistible de la revoir, de lui présenter son fils, d'apprendre ce qu'était devenue sa vie. Il sentait grandir en lui la tentation impérieuse de savoir ce que son cœur avait à dire même s'il s'en doutait un peu.

Il baissa les yeux vers son fils.

— Viens, Miguel, j'aimerais te présenter une amie que j'aime beaucoup. Une dame qui a eu énormément d'importance pour moi et qui en a encore beaucoup.

— Une amie ?

Miguel avait dans le regard la curiosité saine et directe des enfants qui se savent aimés.

— Je ne savais pas que tu avais des amis. Chez nous, il n'y a que mes oncles avec qui tu sors parfois.

— Je sais. Mais Charlotte est une amie. C'est la distance qui a fait que nous nous sommes perdus de vue. Sinon, nous étions très proches l'un de l'autre. Viens, on va la rencontrer, c'est ici qu'elle habite.

Intrigué, Miguel glissa sa main dans celle de son père et côte à côte ils remontèrent l'allée qui menait à l'imposante demeure de pierres.

Le gong de la sonnette résonna encore plus dans la tête de Gabriel qu'il ne se répercuta dans les profondeurs de la maison. Quand Charlotte ouvrit, il la vit blêmir avant de dessiner un sourire timide. Puis, presque aussitôt, impulsivement, elle plaça la main sur son ventre comme dans un geste de défense.

Charlotte arrivait au terme de sa grossesse et Gabriel le vit comme le plus éloquent des messages. Il n'avait plus rien à faire dans sa vie. Charlotte était heureuse sans lui. Malhabilement, il tendit la main.

— Bonjour. Je suis de passage. Je voulais montrer à mon fils la ville où je suis né. Je… je ne veux pas te déranger et…

— Entre, Gabriel, fit simplement Charlotte en prenant la main tendue. Entre. Il y a si longtemps. Je suis heureuse de te voir.

Baissant les yeux, elle sourit à Miguel qui semblait intimidé.

— Bonjour. Je m'appelle Charlotte. Et toi, c'est Miguel n'est-ce pas ? Je suis heureuse de te connaître. Ton papa m'a déjà longuement parlé de toi. Vous êtes les bienvenus chez moi.

Ils prirent un café et partagèrent quelques biscuits pendant que Miguel était au jardin à faire la découverte des jeux que Jean-Louis avait fait installer pour Alicia.

Gabriel et Charlotte parlèrent beaucoup, autant par les regards que par les mots. Des regards qui avaient une intensité trouble, faite d'amertume et d'acceptation avouant simplement que l'amour aurait pu renaître et que l'oubli ne serait jamais total. Parfois une main s'égarait sur la nappe fleurie pour venir toucher celle de l'autre. Charlotte raconta sa nouvelle vie et comprit ce que Maria-Rosa avait voulu dire dans sa lettre. Certes, Gabriel était plus fragile, comme elle l'avait laissé entendre, mais en même temps, elle le sentait plus humain, plus fort alors qu'il racontait ce qu'il avait vécu depuis le décès de la mère de Miguel. Ils comprirent tous les deux que c'était fini entre eux mais que si la vie l'avait voulu autrement, ils auraient pu être très heureux ensemble. Ils promirent de s'écrire, de ne plus jamais rester sans nouvelles l'un de l'autre et Gabriel s'en retourna comme il était venu, en donnant la main à son fils.

Charlotte resta sur le perron à les saluer tant qu'elle put les voir puis elle entra chez elle.

Pendant un long, un très long moment, elle resta assise à la cuisine, prostrée, sans réaction, n'écoutant que les regrets qui faisaient battre son cœur. Il aurait fallu de si peu pour que sa vie soit différente. De si peu. Pourtant, ces quelques regrets n'étaient pas amers. Ils étaient une constatation. Ils étaient la preuve de ce que son père avait toujours dit. Faire confiance à la vie. Aujourd'hui, malgré la certitude que tout aurait pu être différent, elle était enfin libérée.

Aux côtés de Gabriel, partageant un café avec lui, laissant les souvenirs refaire surface librement, elle avait compris qu'elle aimait profondément Jean-Louis.

Quand ce dernier revint pour dîner comme il le faisait souvent le midi, il la trouva toujours assise à la table de la cuisine. Elle leva vers lui un regard qu'il ne lui avait jamais vu.

— Mais qu'est-ce qui se passe? Tu as l'air bouleversé. Alicia? Émilie? Il est arrivé quelque chose?

— Non. Tout va bien.

Charlotte poussa un profond soupir tout en regardant autour d'elle.

— Je suis navrée. Le repas n'est pas prêt. Mais si tu as quelques minutes, j'aimerais te raconter l'histoire d'une vie.

Jean-Louis afficha aussitôt un large sourire.

— Enfin, tu t'es décidée! Tu vas écrire un autre roman. C'est pour ça que le dîner n'est pas prêt. Tu as passé l'avant-midi à y penser. C'est ça?

Interloquée, Charlotte fronça les sourcils. Et si Jean-Louis avait raison? Ces regrets, tout à l'heure, ces battements de cœur qui ressemblaient à une pulsion intérieure n'étaient peut-être que la passion de l'écriture qui lui revenait. Alors qu'elle la croyait morte à tout jamais, Charlotte comprit que c'était l'envie d'écrire qui avait soutenu sa réflexion des dernières heures. C'était la femme de mots qui avait fait le point dans sa vie, à travers ses souvenirs et les images qu'ils suscitaient. Finalement, Gabriel ne mourrait jamais tout à fait en elle. Il resterait sa muse à travers la nostalgie de ce qui aurait pu exister.

— Peut-être as-tu raison, approuva-t-elle curieusement soulagée. Oui, je crois que j'ai envie d'écrire et c'est merveilleux de sentir cette urgence fébrile en moi. Mais avant, je dois te parler parce que cette histoire, tu en fais partie.

Charlotte avait tendu une main à son mari et de l'autre elle caressait machinalement son gros ventre. Depuis que Gabriel était parti, le bébé n'avait pas cessé de bouger.

— Viens, viens t'asseoir près de moi. Je veux tout te raconter parce que je t'aime, Jean-Louis. Je t'aime comme jamais je n'ai aimé auparavant.

## ÉPILOGUE

# *Montréal, juin 1955*

À l'occasion de la Saint-Jean-Baptiste, Charlotte et Jean-Louis avaient prévu donner une grande fête champêtre pour souligner tous les anniversaires du mois, dont celui de Philippe, le second fils d'Émilie et Marc, né le dix mai de l'année précédente. Il y aurait aussi Anne et Jason qui célébraient leurs dix-huit ans et Clara, la petite sœur d'Alicia, née le même jour qu'elle, à douze ans d'intervalle.

Tout le monde serait présent: son père et Antoinette, mamie, les parents de Marc, ses frères et leurs familles ainsi que Carmen, la fidèle secrétaire, qui prenait enfin une retraite bien méritée. Même Blanche avait promis d'y être à la condition que ses frères soient invités, ce que Charlotte s'était empressée de faire. Depuis qu'elle avait appris à les connaître, Charlotte appréciait grandement ses deux oncles qui le leur rendaient bien à tous. Cette jeunesse autour d'eux avait un petit quelque chose de nostalgique, certes, mais était en même temps fort stimulante pour deux hommes qui n'avaient connu que la solitude du célibat.

Curieusement, cette fois-ci, Charlotte avait le pressentiment que sa mère tiendrait parole.

Depuis qu'elle vivait avec ses frères, Blanche avait beaucoup changé. Charlotte l'avait compris le jour où sa mère avait sonné à sa porte pour une visite surprise.

— Maman?

L'étonnement de Charlotte devait être visible, car Blanche

avait eu un petit sourire en coin, un rien espiègle, ce qui avait ajouté à l'ahurissement de sa fille.

— Hé oui ! Je ne te dérange pas, j'espère ?

Trop éberluée pour réagir autrement, Charlotte s'était effacée pour la laisser entrer dans la maison. C'était la première fois que sa mère mettait les pieds chez elle depuis des lustres.

— Mais pas du tout ! Entre. J'allais faire manger Clara avant qu'Alicia revienne de l'école pour son dîner.

Blanche l'avait suivie dans la cuisine en examinant furtivement les pièces qu'elle devinait de chaque côté du hall d'entrée.

— C'est beau, chez toi. Mais un peu sombre à mon goût. Ah ! Voilà la huitième merveille du monde !

Blanche venait d'apercevoir la petite Clara qui attendait sagement dans sa chaise haute, le dos bien calé sur un gros oreiller. Elle venait d'avoir quatre mois. Blanche avait demandé à la faire manger elle-même.

Ce fut dans l'après-midi, alors que les deux femmes s'installaient au jardin pendant la sieste du bébé, que Charlotte avait deviné qu'il s'était passé quelque chose de grave ou d'important dans la vie de sa mère. Après un bref moment de silence employé à regarder tout autour d'elle, Blanche avait plongé son regard dans celui de sa fille aînée et lui avait demandé :

— Es-tu heureuse, ma Charlotte ?

La jeune femme avait détourné la tête pour que sa mère ne voie pas les larmes qui picotaient le bord de ses paupières. Charlotte n'aimait toujours pas plus montrer ses émotions en public. Et probablement encore moins à sa mère. Mais le ton que celle-ci avait employé, cette espèce de douceur toute nouvelle, un peu déconcertante dans sa bouche, l'avait touchée au cœur et réclamait une réponse. Cela faisait tellement longtemps que Charlotte espérait une question comme celle-là.

— Oui ! avait-elle affirmé avec fougue. J'ai le meilleur des maris et deux filles adorables. D'autant plus que bientôt, mon prochain livre sera terminé et…

— Ce n'est pas ce que j'ai demandé, Charlotte, l'avait interrompu Blanche, toujours sur le même ton. On dirait que tu cherches à noyer le poisson. Je t'ai demandé si tu étais heureuse.

Ce fut à ce moment-là très précisément que Charlotte avait compris que sa mère n'était plus la femme tourmentée et malade qu'elle avait toujours connue. En quelque sorte, Blanche était guérie. À travers les subtilités d'une banale question, Charlotte découvrait une femme capable d'empathie, de finesse alors qu'elle gardait de leurs précédents entretiens une sensation d'égoïsme, de banalité. Charlotte ne savait pas ce qui avait bien pu se passer et elle avait jonglé avec une certaine curiosité avant d'admettre que cela ne la regardait pas, finalement. Elle s'était dit que ses deux oncles y étaient probablement pour quelque chose. Ce qui n'était pas très loin de la vérité. Alors, peut-être pour la toute première fois de sa vie, Charlotte avait soutenu le regard de sa mère avec confiance, avec abandon.

— Oui, maman, je suis heureuse.

— Aucun regret ?

Charlotte avait haussé les épaules avec un rien de fatalisme dans le geste.

— Qui n'en a pas !

— C'est vrai. Je suis bien placée pour le savoir. Par contre, quand on le veut vraiment, il n'est jamais trop tard pour se reprendre.

Un autre silence s'était glissé entre elles. Le soleil d'octobre avait encore une certaine chaleur et les chrysanthèmes ployaient sur leurs tiges, emmêlant leur brun et leur orange au doré des feuilles qui commençaient à joncher le sol.

— Il fait très beau aujourd'hui, avait alors observé Blanche, brisant brusquement le silence. J'apprends à aimer l'automne. Entre autres choses…

Quelques minutes plus tard, elle était repartie, promettant de revenir. Et effectivement, elle était revenue régulièrement partager quelques heures de son temps avec Charlotte et ses deux petites-filles. Même certains jours d'hiver alors qu'il faisait très froid.

C'était pourquoi Charlotte misait sur la présence de sa mère à la réception de cet après-midi.

Et c'était encore pour cette raison, même si Jean-Louis avait confié la préparation du buffet à un traiteur, que Charlotte était anxieuse à ne pas tenir en place.

Ce serait la première fois que toute sa famille serait réunie.

Ce serait la première fois que ses parents se retrouveraient en même temps au même endroit depuis de nombreuses années. Depuis qu'elle était réveillée, Charlotte n'avait qu'une pensée : dans quelques heures, Blanche et Antoinette seraient l'une en face de l'autre ! Et si elle-même se sentait terriblement tendue, Charlotte n'osait imaginer comment son père devait se sentir !

Par chance, il faisait beau ! Les invités pourraient s'éparpiller sur le terrain et même réussir à s'éviter s'ils le souhaitaient.

Charlotte venait de mettre Clara au lit pour sa sieste. Elle savait que lorsque Marc arriverait, il dirait avec une pointe de moquerie dans l'œil si l'échange serait pour aujourd'hui. Depuis la naissance de Clara, c'était une blague entre eux. Quand Émilie était venue la voir à l'hôpital, Charlotte n'avait pu s'empêcher de lancer malicieusement à sa sœur :

— Qu'est-ce que tu dirais de changer de bébé ? Je voulais un garçon et toi une fille ! À l'âge qu'ils ont, nos bébés ne verraient pas la différence.

Depuis, les hommes avaient repris la blague et immanquablement, il y en avait un des deux qui la lançait, chaque fois que les deux familles avaient la chance de se rencontrer.

Charlotte jeta un regard critique autour d'elle. Le traiteur avait bien fait les choses. Une petite tente se dressait sur la terrasse pour protéger la table où le buffet serait monté un peu plus tard et de nombreuses chaises avaient été disposées sur la pelouse.

Charlotte n'avait plus rien à faire sinon attendre que les premiers invités arrivent.

Elle s'installa sur une chaise, au fond du jardin. Par une fenêtre ouverte, elle entendait Jean-Louis et Alicia qui discutaient. Elle ébaucha un sourire. Ces deux-là passaient un temps infini à discuter ensemble de tout et de rien. Il s'était établi entre eux une merveilleuse relation de confiance et il arrivait de plus en plus souvent à Alicia d'appeler Jean-Louis « papa » comme Clara le faisait avec ravissement. Mais il était vrai que personne ne pouvait rester indifférent à la gentillesse naturelle de cet homme. Après le départ de Gabriel, quand Charlotte lui avait raconté sa vie, il l'avait écoutée avec une attention tout amoureuse. Puis il l'avait prise dans ses bras et lui avait répété qu'il l'aimait.

— Encore plus maintenant que je sais de quoi ta vie a été faite, avait-il murmuré à son oreille.

Quelques instants plus tard, il avait ajouté :

— Ce Gabriel dont tu m'as parlé... si tu veux lui écrire, comme tu m'as dit en avoir l'intention, libre à toi. Je ne vois pas en quoi ça me regarde. J'ai des tas d'amis d'enfance, de travail, alors que toi, il n'y a que Françoise. Si ce Gabriel est important pour toi, ne le laisse pas s'évaporer à travers les souvenirs. Des amis, on n'en a jamais assez.

Et ainsi Gabriel et Charlotte avaient entretenu une correspondance régulière qui avait permis de modifier le visage de ce qui avait été une grande passion. Aujourd'hui, Charlotte parlait d'une profonde amitié. Dans un mois, avec sa famille, elle partait en vacances au Portugal afin de rencontrer ceux que Gabriel décrivait comme étant sa vraie famille.

« Ils sont merveilleux d'authenticité et de générosité » avait-il écrit dans sa dernière lettre.

Charlotte comprenait très bien ce qu'il tentait de dire. Elle avait la chance de partager l'existence d'un homme de la même trempe. Ainsi, cette rencontre prochaine avec Gabriel ne lui faisait pas peur. Elle était intimement convaincue que Jean-Louis et Gabriel sauraient s'entendre. Le temps avait fait en sorte qu'aujourd'hui, elle ne voyait plus en Gabriel qu'un tendre ami qui savait toujours motiver l'écriture chez elle. Leur correspondance portait régulièrement sur les écrits de Charlotte et les peintures de Gabriel.

Blanche fut la première à arriver, ce qui surprit quand même un peu Charlotte. Habituellement, sa mère aimait à se faire désirer. René et Maurice l'accompagnaient, prêts à donner un coup de main comme ils le faisaient toujours. Ils s'éclipsèrent rapidement en direction de la cuisine. Quant à Blanche, elle était visiblement nerveuse.

— Je suis un petit peu tendue, expliqua-t-elle sans ambages. Je suis contente de voir que personne n'est arrivé. Tu n'aurais pas un petit coin à l'écart pour que je puisse m'asseoir ? Mes cheveux ont beau être gris maintenant, j'ai toujours mon teint de rousse. Je préférerais m'installer à l'ombre.

Charlotte comprenait ce que ce petit discours un peu frivole sous-entendait. Glissant sa main sous le bras de sa mère, elle la mena au fond du jardin, près d'un érable qui jetait une ombre tachetée sur la pelouse. D'où elle serait assise, Blanche pourrait voir toute la cour et ceux qui s'y trouvaient.

— Merci. C'est exactement ce dont j'avais besoin. Maintenant, va. Tu as sûrement des tas de choses à penser et à faire. De toute façon, je crois que je préfère être toute seule.

Cela aussi, Charlotte le comprenait. Dans un élan qu'elle avait elle-même de la difficulté à s'expliquer, elle embrassa sa mère sur les cheveux et s'éloigna en direction des voix qui lui parvenaient de l'avant de la maison. Les autres invités devaient commencer à arriver.

En quelques minutes, le jardin de Jean-Louis et Charlotte bourdonnait d'activité, résonnait de voix joyeuses. Il y avait du monde partout.

Sauf auprès de Blanche qui dégageait une aura qui semblait tenir les gens à distance.

Charlotte avait remarqué le regard que Raymond avait lancé vers le fond de la cour quand il était arrivé et la rougeur qui lui avait maquillé le visage. Pourtant, il n'avait rien dit. Irait-il voir Blanche plus tard en soirée ? Charlotte n'avait osé le demander. Antoinette et Jason suivaient de peu et elle s'était dirigée vers eux pour les accueillir.

Puis Anne était arrivée au bras de Robert, qui était son mari depuis quelques semaines. Chaque fois que Charlotte les rencontrait, elle avait encore de la difficulté à concevoir que sa petite sœur était mariée. Mais elle était si resplendissante qu'elle n'avait aucun doute quant à son bonheur. La cérémonie avait eu lieu dans la sacristie de l'église de leur quartier en présence du curé et de deux témoins : Raymond et la mère de Robert. Anne l'avait elle-même confirmé : ce n'était à ses yeux qu'une simple formalité, mais comme Robert y tenait…

Dès qu'elle avait aperçu Charlotte, Anne avait laissé la main de Robert pour venir à elle.

— Merci pour cette gentille invitation. Ça fait longtemps que je n'ai pas souligné mon anniversaire.

— Ça me fait plaisir.

Puis, montrant discrètement le fond de la cour d'un petit mouvement du menton, Charlotte ajouta :

— As-tu vu ? Même maman est là.

Depuis quelque temps, Charlotte avait recommencé à dire « maman » quand elle parlait de Blanche. Le regard d'Anne avait suivi le geste de Charlotte.

— Qui l'eut cru ? Blanche est là, fit-elle pensivement.

Elle secoua vigoureusement ses boucles sombres.

— J'irai peut-être la voir plus tard. Je verrai.

Puis elle se tordit le cou dans tous les sens en fronçant les sourcils.

— Où donc se cache ma filleule préférée ?

— Clara ? Elle fait la sieste.

Tout en parlant, Charlotte avait laissé couler un rire moqueur.

— Tu l'aimes, n'est-ce pas?

— Énormément. C'est la plus jolie, la plus gentille de toutes les petites filles du monde. J'aimerais l'avoir auprès de moi plus souvent.

— Alors qu'est-ce que tu attends pour en faire une? demanda joyeusement Charlotte. Ce n'est pas très difficile à faire, tu sais, ajouta-t-elle taquine.

À ces mots, le visage d'Anne s'éteignit.

— Non, fit-elle sourdement. Robert et moi nous en avons parlé et nous n'aurons pas d'enfant.

— Mais pourquoi? insista Charlotte qui ne comprenait pas cette soudaine gravité dans le regard de sa sœur. Robert n'est quand même pas si vieux que ça!

— L'âge de Robert n'a rien à voir…

Anne soutenait le regard de Charlotte.

— C'est moi qui ne veux pas d'enfant. J'aurais trop peur de mal l'aimer.

Encore une fois, Anne secoua vigoureusement la tête et quand elle revint face à Charlotte son regard avait retrouvé toute sa vivacité.

— S'il te plaît, je n'ai pas envie d'en parler. Robert et moi, nous aurons la musique comme famille! Et laisse-moi te dire que c'est aussi exigeant qu'un enfant.

Voyant que cette réponse désolait Charlotte, Anne ajouta en l'embrassant sur la joue:

— Ne crains rien, nous sommes heureux comme ça. Très heureux… C'est la musique qui germe en moi et je suis certaine que ça ressemble à une maternité.

Puis elle changea de sujet et se fit implorante.

— Alors, ma filleule? Est-ce que je peux aller la chercher?

Comprenant qu'il ne servait à rien d'insister, Charlotte

opina silencieusement et Anne en profita pour s'envoler vers la maison, soulagée de se soustraire à une conversation qui la bouleversait, même si sa décision était prise et irrévocable. Mais elle avait tout de même laissé un peu de chagrin derrière elle. Charlotte la regarda disparaître dans l'ombre de la cuisine avec un petit pincement au cœur.

— Ça ne va pas?

Charlotte sursauta. Émilie était là, arrivée depuis peu.

— Non, ça va. Un peu d'inquiétude devant l'ampleur de cette réception, mentit-elle habilement, ne se sentant pas le droit de parler des propos qu'Anne lui avait tenus. As-tu vu tout ce monde?

Émilie gonfla ses joues avant d'expirer bruyamment.

— J'ai vu. Jamais je n'aurais pu faire ça! C'est effarant. Il n'y a que toi pour avoir autant d'audace...

Tout comme Anne l'avait fait avant elle, Émilie jetait un regard circulaire sur la cour.

— Finalement, maman est-elle venue?

— Oui. Elle est même arrivée la première. Je crois que ça l'effraie de se retrouver ici en même temps que papa.

— Non, rectifia Émilie d'une voix très douce. Ce n'est pas papa qui lui fait peur. C'est Antoinette. Où est-elle?

— Là-bas, au fond du jardin. Elle m'a dit qu'elle voulait être à l'écart.

— Je vais la rejoindre.

Et à son tour, Émilie abandonna Charlotte. Elle savait que ce qu'elle avait à dire à sa mère saurait l'aider à passer à travers cette journée qui devait être très difficile pour elle. Marc et elle savaient depuis quelques jours qu'ils attendaient un autre bébé et pour l'instant, il n'y avait qu'avec sa mère qu'Émilie avait envie d'en parler.

L'après-midi passa dans les rires. Puis vint l'heure du repas et Maurice se chargea de préparer une assiette pour Blanche, tel qu'elle l'avait demandé. Elle avait accepté de venir, mais elle n'avait pas envie de se mêler à la foule. Elle savait que cette hantise de côtoyer des étrangers ferait partie d'elle jusqu'à son dernier souffle. Mais petit à petit, elle arrivait à tolérer certains compromis. Aujourd'hui en était un. Assise à l'écart, elle laissait venir à elle ceux qui le voulaient. Cela, elle était capable de l'envisager avec une certaine sérénité.

L'année qui venait de passer avait été éprouvante, difficile mais petit à petit, elle avait réussi à faire la paix avec son passé et avec elle-même. Elle avait souvent rencontré sa mère qui l'avait grandement aidée à prendre conscience des erreurs qu'elle avait faites. Puis elle s'était battue pour cesser de boire. Cela n'avait pas été facile. Aujourd'hui encore, la moindre odeur d'alcool lui semblait envoûtante, invitante. Jusqu'à maintenant, elle avait résisté. Elle espérait seulement qu'elle saurait continuer à le faire jusqu'à la fin de ses jours. La peur de retrouver ses vieux fantômes au fond des verres l'aidait à tenir bon.

Le soleil avait commencé à baisser. Blanche pouvait voir ses trois filles qui discutaient vivement, près de la terrasse. Le rire de Charlotte monta tout léger et celui d'Anne lui répondit.

Le cœur de Blanche se gonfla de fierté.

Ces trois femmes étaient ses filles.

Émilie serait toujours sa préférée. Ce n'était peut-être qu'une question de caractère, de personnalité. Comme probablement cela se produisait dans bien des familles. Blanche avait fait son possible pour être une bonne mère, mais elle n'avait pas réussi. Aujourd'hui, elle comprenait pourquoi. On ne peut pas donner ce que l'on n'a jamais reçu.

Malgré tout, la vie avait été la plus forte et Charlotte, Émilie et Anne étaient devenues des femmes. Fortes et fragiles à la fois. Belles chacune à sa façon, grandes chacune à sa manière.

Blanche était fière d'elles. L'espace d'un battement de cœur douloureux, elle regretta que Raymond ne soit pas venu lui parler. Elle aurait aimé lui demander ce que lui, il ressentait devant leurs filles. Ce serait peut-être pour une autre fois. Dans quelques mois, il y aurait un baptême, alors…

Blanche soupira longuement. Aujourd'hui, elle était devenue une vieille dame avant l'âge. La vie l'avait usée bien avant son temps. Quand elle avait posé les yeux sur Antoinette, une épine de jalousie s'était plantée dans son cœur. Non parce qu'elle était aux côtés de Raymond mais bien parce qu'elle dégageait encore tellement de jeunesse. Rapidement, Blanche avait détourné la tête vers ses petits-enfants qui riaient à l'autre bout de la cour. Clara essayait de marcher, soutenue par Alicia qui l'encourageait. Le beau Dominique trottinait derrière elles alors que Philippe se traînait encore.

Eux aussi, ils étaient sa famille et elle les aimait profondément. Comme elle l'avait dit à Maurice l'autre jour, tout ce qu'elle demandait à la vie, c'était de lui laisser le temps d'être une bonne grand-mère à défaut d'avoir été une bonne mère. Ce serait sa façon à elle de dire à ses filles qu'elle les aimait plus que tout. Mais parfois, comme elle le ressentait en ce moment, elle se demandait si elle en serait capable. Certains vieux réflexes avaient le cuir dur. Les vieilles rancunes ne demandaient souvent qu'un tout petit détail pour refaire surface.

— Madame?

Blanche sursauta. Perdue dans ses pensées, elle ne l'avait pas vu arriver. Elle leva les yeux et le reconnut aussitôt.

À contre-jour, dans les rayons obliques du soleil couchant qui arrivait à se faufiler entre deux maisons, c'était le Raymond de ses vingt ans qui lui souriait. Le seul homme qu'elle avait aimé avec toute la sincérité que son cœur blessé pouvait éprouver.

Blanche se mit à trembler.

N'était-ce pas là un beau cadeau de la vie que ce grand jeune homme qui lui rappelait ses vingt ans?

Mais en même temps, il était le fils d'Antoinette.

Blanche eut alors la brutale envie de le renvoyer et elle détourna la tête. De quel droit s'adressait-il à elle? Ne voyait-il pas qu'elle s'était assise à l'écart justement pour éviter les gens qui lui semblaient indésirables?

D'où lui vint alors ce geste incontrôlable qui ramena son regard sur le visage de Jason? Blanche ne le savait pas. Peut-être cette grande ressemblance avec Raymond y était-elle pour quelque chose. Peut-être. Durant un instant, elle soutint le regard du jeune homme.

Venue du plus profond de ses meilleurs souvenirs, l'envie de mieux le connaître s'empara de Blanche. Elle avait l'impression qu'à travers lui, ce serait un peu Raymond qu'elle apprendrait à connaître. Qu'elle apprendrait à mieux aimer. Elle dessina un sourire sincère qui l'espace d'un souffle lui redonna un air de jeunesse.

Et ce fabuleux sourire qui un jour avait touché le cœur de Raymond se fraya un chemin vers celui de Jason qui s'était présenté à elle bien plus par curiosité que par politesse. Il voulait savoir qui était la mère d'Anne. Il tendit la main.

— Blanche, n'est-ce pas? Moi, c'est Jason.

— Je sais, mon garçon. Je sais qui tu es. Tu ressembles tellement à ton père, fit Blanche sans toutefois saisir la main qui lui était tendue.

Jason se mit à rougir.

— Je ne voudrais pas vous déranger.

Blanche balaya l'air devant elle comme on chasse un moustique.

— Au contraire. Je suis très heureuse que tu sois venu me voir.

Tout en parlant, Blanche se surprenait elle-même. Comment pouvait-elle être heureuse de rencontrer celui qu'elle tenait en partie responsable des déboires de ces dernières années? Pourtant, c'était un fait: elle avait envie de mieux le connaître. Elle regarda autour d'elle. Ne voyant aucune chaise, elle montra l'herbe à ses pieds.

— Et si tu t'assoyais? Je crois que nous avons bien des choses à nous dire. Après tout, tu es le demi-frère de mes filles et ça, vois-tu, c'est de la toute première importance pour moi. J'aime bien connaître les gens que mes filles côtoient.

FIN